DOUGLAS KENNEDY

Douglas Kennedy est né à New York en 1955, et vit entre Londres, Paris et Berlin. Auteur de trois récits de voyages remarqués, *Au pays de Dieu* (2004), *Au-delà des pyramides* (2010) et *Combien ?* (2012), il s'est imposé avec, entre autres, *L'homme qui voulait vivre sa vie* (1998, rééd. 2010) – adapté au cinéma par Éric Lartigau en 2010, avec Romain Duris, Marina Foïs, Niels Arestrup et Catherine Deneuve –, *La poursuite du bonheur* (2001), *Les charmes discrets de la vie conjugale* (2005), *La femme du Ve* (2007), *Piège nuptial* (2008), *Quitter le monde* (2009) et *Cet instant-là* (2011). Tous ces ouvrages sont publiés chez Belfond et repris chez Pocket.

Retrouvez l'actualité de Douglas Kennedy sur www.douglas-kennedy.com

AU-DELÀ DES PYRAMIDES

DU MÊME AUTEUR
CHEZ POCKET

L'HOMME QUI VOULAIT VIVRE SA VIE
LES DÉSARROIS DE NED ALLEN
LA POURSUITE DU BONHEUR
RIEN NE VA PLUS
UNE RELATION DANGEREUSE
LES CHARMES DISCRETS DE LA VIE CONJUGALE
LA FEMME DU Ve
PIÈGE NUPTIAL
QUITTER LE MONDE
CET INSTANT-LÀ

RÉCITS

AU PAYS DE DIEU
AU-DELÀ DES PYRAMIDES

DOUGLAS KENNEDY

AU-DELÀ DES PYRAMIDES

Traduit de l'américain
par Bernard Cohen

BELFOND

Titre original :
BEYOND THE PYRAMIDS
Travels in Egypt

Pocket, une marque d'Univers Poche,
est un éditeur qui s'engage pour la
préservation de son environnement et
qui utilise du papier fabriqué à partir
de bois provenant de forêts gérées de
manière responsable.

ISBN : 978-2-266-21056-0

Avant-propos à l'édition française

À la fin de l'hiver 1986, j'ai fait l'expérience personnelle du scénario cauchemardesque qui nous a tous hantés à un moment ou à un autre de notre existence : un échec professionnel doublé d'une humiliation publique.

Le cadre de cet *annus horribilis* fut la ville de Dublin, où j'habitais depuis 1977. Après avoir créé une modeste troupe de théâtre et avoir pendant cinq ans tenu les rênes de la petite salle du fameux Abbey Theater, j'avais abandonné ces activités en 1983, décidé à devenir écrivain à temps plein. Je me voyais alors en auteur de pièces de théâtre, d'autant que le service dramatique de la BBC avait déjà accepté plusieurs de mes scripts pour la radio, et je m'étais aussi lancé dans le journalisme free-lance pour payer mon loyer. Fin 85, deux événements considérables se produisirent : l'*Irish Times*, le principal quotidien du pays, m'a proposé d'écrire un billet régulier dans ses colonnes, et ma première pièce écrite pour le théâtre, *Send Lawyers, Guns and Money (Envoyez les avocats, les flingues et l'argent)*, a été sélectionnée par l'Abbey Theater…

L'un des grands principes de l'existence – et c'est un thème qui est omniprésent dans les romans que j'ai écrits au cours de ces vingt dernières années –, c'est cette idée que le moment où l'on croit être enfin « arrivé » est aussi celui où les dieux se mettent à rigoler. J'ai eu un aperçu concret de ce truisme pendant l'hiver 86, quand ma pièce a été accueillie par des critiques plus que malveillantes tandis que le public, préférant voter avec les pieds, s'en tenait aussi loin que possible. Avec une hâte considérable – et compréhensible, il faut le dire –, la direction du théâtre la retira de l'affiche, la dernière représentation se déroulant devant… trois spectateurs.

Quand un livre fait un flop, la peine éprouvée est avant tout d'ordre privé. Mais quand une pièce est un four, notamment dans une capitale de cette taille dont le petit monde culturel est pétri de jalousies, elle nourrit les commérages les plus insistants ; et à Dublin, ville théâtrale s'il en est, mon échec spectaculaire ne pouvait échapper à personne.

Deux mois plus tard, un nouveau rédacteur en chef a été nommé à l'*Irish Times*, et l'une de ses premières initiatives a été d'ordonner au responsable des pages culturelles du journal de supprimer ma contribution.

Mon billet de la semaine était encore engagé dans le rouleau de ma machine à écrire – vous vous souvenez de ça, les machines à écrire ? – quand j'ai reçu son coup de fil, un après-midi vers cinq heures. « Ne te fatigue pas à l'apporter, m'a annoncé le chef du service culture – car en ce temps-là je prenais mon vélo pour aller remettre moi-même ma prose –, tu seras payé pour celui-là, bien entendu. Ah, et essaie de ne pas trop le prendre au tragique… »

Facile à dire. Je n'avais que trente et un ans, cette contribution avait assuré une part essentielle de mes revenus et je devais faire face à une double humiliation : un plantage au principal théâtre du pays et une fin de non-recevoir par la principale publication du même pays.

Je crois que c'est Freud qui a dit que le travail est ce qui nous rapproche le plus d'un éventuel équilibre mental. À la suite de ces deux catastrophes presque simultanées, j'ai donc réagi comme je le fais chaque fois que l'existence a tendance à devenir plutôt insupportable : j'ai disparu de la scène et je me suis remis au boulot.

Pour retraite, j'ai choisi une fermette perchée sur les côtes grandioses de l'ouest du comté de Cork, non loin du petit village d'Union Hall. Elle appartenait à mes beaux-parents, qui avaient senti que j'avais besoin d'un endroit où me cacher un temps. Au lieu de m'absorber dans la contemplation de ce majestueux paysage, j'ai transformé la table de la cuisine en bureau sur lequel j'ai posé ma machine à écrire électrique et ouvert une demi-douzaine de carnets de notes. Je m'apprêtais à écrire mon premier livre, une perspective qui m'intimidait terriblement parce que je m'étais mis en tête qu'il s'agissait d'une manche décisive : non seulement je devais l'écrire, mais il devait aussi – dans des proportions raisonnables, bien sûr – « marcher ».

C'est ce livre que vous tenez entre les mains, et je crois que sa genèse mérite d'être ici racontée.

Même si je me targuais alors d'être un auteur dramatique, à cette époque, j'en étais encore au point de ma balbutiante carrière d'écrivain où je ressentais le besoin de m'essayer à tous les genres, poésie exceptée. J'avais alors commencé deux romans exécrables, chacun marqué par un nombrilisme puéril, et je les avais mis de côté avec un tel soin que je n'ai jamais pu les retrouver jusqu'à ce jour, ce qui n'est pas plus mal. J'avais également développé un intérêt marqué pour le « récit de voyage », surtout lorsque ce genre est pratiqué par des plumes aussi considérables que Gustave Flaubert, Graham Greene, V.S. Naipaul, Bruce Chatwin et quelques autres.

Ce qui m'attirait le plus dans tous ces livres – ou dans ce classique contemporain qu'est le *Railway Bazaar* de Paul Theroux –, c'était qu'ils représentaient une curieuse forme d'hybride littéraire. En partie destiné à faire voyager par procuration le lecteur confortablement installé dans son fauteuil, le récit de voyage est aussi un genre extrêmement souple, où le parcours décrit peut se transformer en tout ce que l'auteur a envie d'en faire : une pantomime d'idées, une confession, un joyeux mélange de réalité et de fiction, une analyse sociopolitique et autres expérimentations qui peuvent vous venir à l'esprit quand vous vous retrouvez hors de votre élément, en pleine *terra incognita*.

Plus encore, pour quelqu'un comme moi, me rendant peu à peu compte que je n'avais pas d'avenir dans le théâtre et étant très désireux de me frotter à l'écriture romanesque tout en restant terrifié par ce défi, le récit de voyage m'est apparu comme le galop d'essai idéal pour un futur romancier : une fiction qui se réalisait, qui permettait d'apprendre à structurer une scène, à camper des personnages, à susciter une ambiance, à perfectionner ses capacités descriptives quand il s'agit d'évoquer un endroit, un contexte, une topographie sociale et culturelle.

Et puis il y a l'attrait irremplaçable d'une « bonne histoire », qui est au cœur de tous les grands récits de voyage. Plus j'étudiais le genre, découvrant certains de ses maîtres plus modernes tels que Jonathan Raban, Norman Lewis ou Jan Morris, plus je constatais que ces ouvrages sont, pour l'essentiel, des variations sur le thème des coïncidences. Vous partez sur un terrain spécifique comme sur une page blanche : le voyage commence à partir de rien et s'emplit peu à peu d'incidents, de détails, d'aventures, de rencontres, de moments d'ennui ou d'impatience, d'exaltation, de mélancolie, de la sensation de s'être enrichi ou de celle d'être plus que jamais étranger aux autres, bref, de pratiquement tout ce qui constitue cette grande affaire qu'est la vie.

Coïncidences. Si j'insiste sur ce terme, c'est parce qu'elles sont une composante essentielle non seulement du voyage, mais aussi de l'existence humaine. Une preuve ? À la suite d'un premier et très court séjour au Caire que j'avais effectué en 1981, j'avais écrit un premier chapitre, un échantillon qui avait été soumis à un agent littéraire du cabinet London Management, une femme qui, après l'avoir lu, m'avait fait savoir qu'elle n'y avait pas trouvé la moindre trace de talent et me conseillait d'abandonner le projet.

Comme toutes mes autres déceptions, j'ai pris celle-ci en serrant les dents, ravalant ma frustration. Heureusement, j'avais alors de quoi m'occuper ailleurs, les dramatiques pour la radio, le journalisme, et donc j'ai pu tirer un trait sur ce revers, même si au fond de moi je gardais toujours l'idée que l'écriture était ma destinée professionnelle. Et là, ma chance a tourné. Un nouvel agent, Tony Peake, a rejoint l'équipe de London

Management ; en classant de vieux dossiers, son assistante est tombée sur mes quelques pages déjà jaunies, les a lues et a déclaré à Tony – ainsi que ce dernier allait me le raconter plus tard : « Ce type a peut-être quelque chose. » Après avoir lui aussi examiné ce chapitre unique, Tony m'a téléphoné à Dublin : « Il y a de la substance, je trouve », m'a-t-il dit, mais il voulait que je le réécrive entièrement, et également que je lui soumette un projet de livre détaillé.

Trois mois plus tard, car j'écrivais lentement en ce temps-là – manque d'expérience et crainte permanente de l'échec –, j'ai remis ma copie à M. Peake à Londres, et il en a été satisfait. Après plusieurs refus de diverses maisons d'édition, il a trouvé un lecteur intéressé en la personne d'Adam Sisman, éditeur chez le très distingué George Allen and Unwin. J'ai rencontré Adam, un homme posé, intelligent, scrupuleux, et le courant a semblé passer. Il m'a proposé une petite avance, trois mille livres sterling. En septembre 1985, avec le tiers de cette somme dans la poche, un sac à la main contenant cinq carnets de notes et tous les billets nécessaires pour un long voyage de Dublin à Alexandrie, j'ai mis cap au sud.

Quand je suis rentré, près de quatre mois après, il me restait exactement une livre quatre-vingts et tous les carnets étaient pleins de notes, d'histoires, de dialogues, de descriptions, d'incidents.

Trois mois plus tard, cela a été ma débâcle à l'Abbey Theater, en février 1986. En mars, je m'enfermais dans la fermette de mes beaux-parents et j'entreprenais de recycler mes notes et mes souvenirs en un récit cohérent. Comme je n'avais pas la moindre idée d'où ce processus me mènerait – c'était mon premier livre, après tout ! –, je me réveillais chaque matin plein d'appréhension. Lorsque je suis revenu quatre semaines après au foyer familial et que j'ai continué à travailler dans le minuscule bureau que je m'étais aménagé, les craintes et les doutes étaient déjà moins pressants et j'ai eu l'impression d'avoir atteint un rythme de croisière. En février 1987, alors qu'Adam Sisman avait quitté Allen and Unwin, j'ai remis mon manuscrit et il a été accepté. Le livre a été publié l'année suivante. Entre-temps, ma femme et moi avions dit au revoir à Dublin et débarqué à Londres, décidés à trouver nos repères dans la cité du fog. Comme c'est le cas avec nombre de premiers ouvrages, et surtout lorsqu'il s'agit de récits de voyage, il n'y a eu qu'une poignée de critiques, heureusement toutes favorables, et environ deux mille cinq cents exemplaires de la première édition ont été vendus. Rien de transcendant, donc, mais il s'agissait d'un début et, se sentant encouragés, mes éditeurs m'ont commandé ce qui allait être mon deuxième livre, *In God's Country* (*Au pays de Dieu*, Belfond, 2004). C'était parti…

Et qu'en est-il de ceux qui m'ont aidé à être publié, ces personnages nullement secondaires ? Bien que ma collaboration professionnelle avec Tony Peake ne se soit pas poursuivie lorsque je suis passé au roman, je lui serai à jamais reconnaissant d'avoir estimé que je pouvais avoir un brin de talent, et de m'avoir poussé à réécrire un chapitre que d'autres avaient rejeté. Aujourd'hui, il exerce toujours le métier d'agent littéraire, il a également écrit plusieurs romans, ainsi qu'une très belle biographie du cinéaste britannique d'avant-garde Derek Jarman. Adam Sisman, quant à lui, a quitté l'édition pour se lancer dans une brillante carrière de biographe littéraire. Ma première maison d'édition, Allen and Unwin, n'existe plus, engloutie depuis longtemps par une multinationale. Mais mon livre est toujours en vente en Grande-Bretagne et il demeure pour moi comme un enfant préféré, parce qu'il m'a permis de me réinventer d'abord en tant qu'écrivain de récits de voyage puis, cinq ans après sa publication, en tant que romancier. Tout cela grâce à quelques êtres qui ont décidé de parier sur un expatrié américain totalement inconnu, à un moment de sa vie où il ne semblait aller nulle part, professionnellement parlant.

Telle est l'histoire personnelle qui se trouve derrière le livre que vous allez lire. Mais il a aussi un contexte politique, évidemment. J'ai effectué ce voyage en 1985, à une époque où l'Égypte n'avait pas encore connu la violence de l'islamisme dans toute sa fureur. C'était avant que les réseaux terroristes égyptiens, englobés sous le nom générique de Jamaa Islamiya, ne commencent à menacer des pires représailles tout étranger se risquant à venir dans leur pays, et ce dans le cadre de leur lutte contre le régime « corrompu » du président Hosni Moubarak.

Et en effet, au cours des années qui ont suivi la publication de ce récit, ces messieurs ont manifesté une propension à faire irruption dans un hôtel cinq étoiles et à arroser la salle à manger à la mitraillette, à attaquer des autobus de touristes, à ouvrir le feu sur les files d'attente devant les cinémas, ou à attaquer au mortier les bateaux de croisière sur le Nil, cette dernière initiative ayant alors conduit les autorités égyptiennes à faire la promesse, en vérité peu rassurante, que toutes les embarcations touristiques sillonnant le fleuve seraient escortées par des hélicoptères de combat…

Malgré la réplique brutale apportée par le gouvernement aux cellules islamistes, dont les membres allaient souvent être pendus haut et court en riposte à leurs actes sanguinaires, il est certain que l'Égypte du milieu des années 1980, celle que je décris dans le présent ouvrage, a connu par la suite des transformations inexorables. Au temps de mon voyage, Le Caire restait connu pour son atmosphère libérale et décontractée, une oasis de tolérance au milieu d'un monde arabe toujours plus prisonnier du fanatisme, mais une oasis déjà menacée par les cohortes de fondamentalistes qui menaient de virulentes campagnes pour la destruction des vignobles et la fermeture des brasseries, obligeaient les femmes à porter le voile ou promettaient la mort aux écrivains égyptiens qui ne faisaient pas mystère de leur attachement à la laïcité, à commencer par le prix Nobel de littérature, le grand Naguib Mahfouz.

À cette époque, cependant, les islamistes les plus radicaux restaient dans une clandestinité aux contours mal définis et, à l'exception de l'assassinat spectaculaire du président Anouar el-Sadate en 1981, ne s'étaient pas encore lancés dans des actions terroristes d'envergure. Et c'est à cette période moins explosive qu'appartient le voyage qui est raconté ici. Mais l'Égypte moderne n'a jamais été un pays tranquille, et dès mon passage en 1985 il était clair que ses multiples contradictions – le fossé choquant entre riches et pauvres, les tensions entre valeurs islamiques et occidentales, ainsi qu'une courbe démographique aberrante – déboucheraient inévitablement sur une crise. Je ne voudrais pas jouer les omniscients et les prophètes du « Je vous l'avais bien dit », mais je crois pouvoir affirmer que ce livre prédisait déjà en son temps la montée inexorable du fondamentalisme musulman et son impact négatif sur l'Égypte d'aujourd'hui. J'espère aussi qu'il constitue une description honnête de la vie égyptienne dans toute sa complexité et dans tous ses charmes, un casse-tête à jamais captivant.

Peu après la publication d'*Au-delà des pyramides*, au printemps 1988, les maîtres du Caire m'ont d'ailleurs rendu un hommage remarquable : ils ont refusé à mon livre l'entrée en Égypte. Un jour, le directeur des ventes à l'étranger de la maison d'édition qui avait repris le titre, Unwin Hyman, m'a dit : « C'est fâcheux, mais notre représentant au Caire nous a fait savoir que votre ouvrage était un peu trop "délicat" à diffuser. Je crois que c'est une manière de nous informer que le pouvoir égyptien n'en veut pas. Félicitations : vous venez d'être interdit ! »

J'avoue que j'ai été plutôt flatté par cette nouvelle. Il faut l'admettre : voir l'un de ses livres banni par un gouvernement étranger a quelque chose de bizarrement stimulant. Si les censeurs avaient toutefois pris la peine de regarder au-delà des considérations politiques sous-jacentes, ils auraient vu, comme heureusement nombre de critiques et de lecteurs l'ont perçu, que cet ouvrage est avant tout un éloge décalé du rythme trépidant et de la complexité revigorante de l'Égypte, de son charme essentiellement romantique. Par là, je n'entends pas les clichés habituels sur les monuments rappelant « l'aube de l'humanité » ni sur « le mystère des nuits immémoriales », je parle de la spécificité même des Égyptiens, à savoir la configuration unique de leur tissu social et l'élégance avec laquelle ils acceptent l'absurdité fondamentale de la vie.

Si vous viviez dans un bac à sable furieusement surpeuplé, dans un pays qui a perdu au change avec la nature lorsqu'il est question de terre habitable, n'en viendriez-vous pas à penser, vous aussi, que la vie est fondamentalement absurde ?

Et pour finir…

Le voyage, ainsi que bien d'autres l'ont remarqué avant moi, est un confessionnal ambulant. Ainsi que n'importe quel voyageur le constate rapidement, le simple fait d'être perçu comme quelqu'un « en transit », quelqu'un qui va s'en aller par le premier autobus, encourage les gens que l'on rencontre sur sa route à partager des détails personnels qu'ils ne confieraient probablement pas au quotidien à leurs proches voisins. C'est l'expérience que j'ai eue en Égypte, incontestablement. Et c'est pourquoi, afin de préserver l'anonymat de bien des personnes qui apparaissent dans ce livre, j'ai fréquemment modifié leur nom, leur profession, leur nationalité et d'autres éléments personnels. Pour la même raison, j'ai parfois transformé le lieu de certaines rencontres et la chronologie de certains événements.

D. K., janvier 2010

1

Prologue : le Sud

Il s'appelait Youssouf, il vendait des Toyota à deux pas du Sphinx et je l'ai connu quelque part au large de la côte albanaise, sur le pont d'un ferry italien qui peinait à rejoindre le coin nord-oriental du continent africain. La quarantaine, barbe soigneusement taillée, il avait l'air d'être prêt pour une nuit à Las Vegas avec son costume d'été marron bien coupé et ses grandes lunettes de soleil. C'est en tout cas l'impression que j'ai eue jusqu'à ce que je remarque la tache sombre en haut du front, une marque qui révélait un musulman pratiquant se prosternant jusqu'au sol cinq fois par jour devant son dieu. Youssouf ne buvait pas ni ne fumait, mais en raison de sa profession il avait une faiblesse pour les belles voitures et il m'a confié que sa Mercedes neuve voyageait en soute. Il l'avait achetée alors qu'il rendait visite à sa femme à Hambourg, une Allemande, ses deux autres épouses étant installées dans deux maisons distinctes au Caire. La complexité multinationale de sa vie domestique s'accordait parfaitement avec la dimension internationale de ses relations d'affaires, car il devait se rendre au moins six fois par an à Hambourg en plus de ses déplacements fréquents à Bombay, Bangkok, Tokyo, Osaka et New York. Ce globe-trotter impénitent m'a toutefois affirmé que son plus grand plaisir était de s'échapper quelques jours dans la petite ferme qu'il avait récemment achetée sur la route qui relie Le Caire à Alexandrie. Pas grand-chose, à vrai dire, rien qu'une modeste cabane au milieu d'une étendue de sable irriguée artificiellement sur laquelle il cultivait des pastèques et des goyaves, mais une retraite idéale pour décompresser. Loin de l'agitation de la capitale, il pouvait se dépouiller de ses vêtements de ville pour passer la *galabiya* traditionnelle, oublier les contraintes d'un concessionnaire Toyota en Égypte et cesser un moment de courir entre ses deux femmes, sans parler de sa lointaine *Hausfrau*...

— Quand je suis à ma ferme, m'a-t-il expliqué, j'oublie le téléphone, la paperasse, tous les obstacles que la stupide bureaucratie des ministères me met dans les pattes. Je ne pense qu'à mes pastèques et mes goyaves. Je dors sur une natte, je me nourris à la même marmite que celle des gens qui cultivent la terre pour moi. Je redeviens un Égyptien.

— Parce que vous ne l'êtes plus, lorsque vous vendez des Toyota ? me suis-je étonné.

— Quand je vends des Toyota, je suis un homme d'affaires en costume-cravate. Quelqu'un qui s'inquiète de ses revenus et de ses dépenses, quelqu'un qui travaille trop. Comme un chef d'entreprise ou un cadre en Allemagne, en Amérique... Et c'est mon problème. Je n'ai envie d'être rien de plus qu'un Égyptien parmi d'autres qui vit dans sa petite cabane et cultive de quoi se nourrir simplement. Mais, en même temps, je veux avoir les moyens financiers d'un type qui vend des Toyota. C'est un paradoxe, non ?

J'ai admis qu'il y avait sans doute peu de concessionnaires Toyota confrontés à un tel dilemme dans ce monde. Youssouf a éclaté de rire.

— Exactement ! a-t-il approuvé. Il n'y a qu'en Égypte que vous verrez un concessionnaire Toyota qui veut vivre comme un simple *fellah* le week-end, comme un paysan. Une confusion pareille, ça n'existe que dans mon pays. – Il m'a adressé un sourire éblouissant. – Vous aimez la confusion ? Le chaos ? – J'ai hoché la tête. – Alors vous allez aimer l'Égypte. Le chaos complet !

L'Égypte, un pays inventé pour les cartes postales : les pyramides de Gizeh se découpant sur la lumière rosée de l'aube, une felouque dérivant sur les eaux sombres du Caire, un lever de soleil dans la Vallée des Rois.

L'Égypte, une contrée qui se prête placidement au vocabulaire ampoulé des guides touristiques : « La rencontre de l'eau et du désert aux pieds des ruines d'une civilisation disparue ! », « la terre des Pharaons ! ».

Étais-je en train de voguer vers un parc à thème archéologique écrasé de soleil et de mythologie ? Depuis la moitié du XIXe siècle, certes, l'Égypte a toujours attiré des voyageurs fascinés par l'archaïque et l'exotique. Dans l'imaginaire occidental, elle est restée un pays « à part » – « Le berceau de l'histoire et de la culture humaines », ne craint pas de certifier l'un des guides mentionnés plus haut –, regorgeant de vestiges laissés par l'une des toutes premières civilisations à avoir pensé grand. Ainsi, tout voyage en Égypte devient l'exploration d'un univers épique que l'on s'est soi-même forgé. Là, on peut se sentir tout petit devant ce que le passé pharaonique a de monumental, flotter doucement sur le fleuve éternel et méditer à satiété sur les caprices du temps.

L'Égypte : promesse de ruminations métaphysiques à quinze dollars la journée, prétexte à un peu d'introspection érudite à l'ombre du Sphinx…

Mais que dire de l'État moderne qui se tapit derrière ce foisonnement de mythes ? Alors qu'on ne compte plus les chroniques de voyage consacrées à l'Égypte immortelle, rares sont les écrivains à avoir tenté une traversée de ses réalités contemporaines. Et plus j'ai cherché dans une sélection d'ouvrages sortis de l'immense bibliothèque consacrée à l'Égypte, plus je me suis rendu compte que ce pays était victime d'une classification bibliographique trop facile. L'égyptologue vous narre la construction de la pyramide de Saqqara pierre par pierre. L'historien, le journaliste ou le politologue vous présentent les multiples facettes de la crise de Suez, les balbutiements du socialisme à la Nasser, l'attraction fatale de l'économie de marché sur le président Sadate. Quant aux livres de voyage, ils sont avant tout une collection de croquis pittoresques ayant pour thèmes la vie urbaine trépidante du Caire, le calme des villages sur les rives du Nil et, bien entendu, la révélation bouleversante à l'arrivée devant le grand temple de Karnak.

Même si j'ai trouvé nombre de ces récits de voyage des plus agréables, ils m'ont tous paru empreints d'une sensibilité passéiste, « fin de siècle », comme s'ils revenaient instinctivement à l'époque où « le voyage en Égypte » était l'apanage de vieilles filles intrépides en jupes de tweed, de missionnaires épiscopaliens et d'aristocrates en quête d'un hiver chaud et sec pour leurs poumons tuberculeux. Même des auteurs tout à fait contemporains tombent dans ce piège, dès qu'il est question de l'Égypte. Toutes ces images d'une aube de l'humanité fantasmée – les *fellah'in* au travail dans les champs étant l'un de leurs archétypes – semblent inévitablement provoquer soit une attaque de lyrisme en technicolor, soit les ronchonnements paternalistes à constater comment l'Égypte moderne efface peu à peu, mais inexorablement, celle de nos rêves.

À ma première visite en 1981, pourtant, c'est justement ce désaccord entre le moderne et le légendaire qui m'avait le plus captivé. Bien que mon séjour se fût limité à une quinzaine de jours au Caire, j'en étais reparti confondu par les complexités et les contradictions d'une société qui m'avait semblé chercher une délicate synthèse entre une multitude d'identités. Et c'est pourquoi, dans les années qui ont suivi cet avant-goût de vie égyptienne, je suis devenu un observateur compulsif de l'Égypte, je me suis mis à suivre son actualité avec l'avidité d'un supporter de foot qui veut tout savoir sur son club favori. Comme il fallait s'y attendre, l'essentiel des informations en provenance de ce pays offraient des perspectives peu encourageantes quant à son présent et son avenir. Il était question d'aggravation de la crise économique, de démographie galopante et d'une montée inexorable du fondamentalisme musulman. Sadate venait d'être assassiné et son successeur, Hosni Moubarak, avait hérité d'une nation qui, selon l'opinion générale, se dirigeait droit vers la catastrophe. De quelle impasse parlait-on, exactement ? Comment l'Égypte, depuis longtemps considérée comme le plus progressiste et le plus laïque des États arabes, avait-elle pu se retrouver dans un tel cul-de-sac ? Et plus important encore : quels étaient les traits essentiels de la société depuis la révolution de 1952 ?

J'avais évidemment conscience du fait qu'un voyage de trois mois et quelques à travers le pays ne pourrait probablement pas m'apporter de réponses définitives à toutes ces questions. De toute façon, ce n'était pas le but que j'envisageais à mon équipée égyptienne. Mon plan était bien plus modeste, et plus simple ; tout en gardant à portée de main le guide Baedeker consacré à l'Égypte en 1929, j'allais reprendre l'itinéraire traditionnel des visiteurs occidentaux : d'abord Alexandrie, puis les confins du désert occidental, puis Le Caire, puis une descente graduelle vers Assouan au sud, non sans m'autoriser naturellement des écarts et des détours. Tout en suivant un parcours déjà maintes fois emprunté avant moi, j'allais également éviter soigneusement ses multiples « incontournables », les hauts lieux du tourisme éclairé. Pas de pyramides dans mon programme, ni de temples ptolémaïques, ni de tombes antiques : l'Égypte de mon temps excitait bien plus ma curiosité et je comptais surtout sur les caprices du hasard pour guider mes pas. Disposant de quelques contacts, je n'avais pas l'intention de me constituer un « bon carnet d'adresses », non plus. Mon intention était simplement de sauter dans le tourbillon de l'Égypte et de voir où il me porterait.

Comme j'avais du temps devant moi, j'ai résolu de commencer ce voyage en Égypte « à l'ancienne », sans billet d'avion, en un hommage ironique aux apprentis explorateurs du XIXe siècle. Ce qui explique pourquoi je me suis retrouvé un jour, sur un ferry italien au large de l'Albanie, en grande conversation avec un concessionnaire Toyota cairote qui avait trois épouses.

— Quelle voiture tu as, toi ? m'a demandé Youssouf alors que nous bavardions ensemble depuis déjà un moment.

— Une Ford Fiesta vieille de six ans, ai-je répondu. Pas mal rouillée.

— Ah… – Il était très déçu. – Pas un bon véhicule pour voyager en Égypte, ça.

— Je ne l'ai pas embarquée. Je voyage sans voiture.

— Mais alors pourquoi tu vas en Égypte en bateau ? Tu aurais pris l'avion, tu serais arrivé depuis longtemps !

Il avait raison, bien sûr. Seulement j'avais déjà fait l'expérience d'un trajet Dublin-Le Caire accompli en quelques heures et, après être passé par le genre de choc culturel qui vous assaille quand vous commencez la journée avec les cours de la viande sur une station irlandaise et que vous la finissez dans les versets du Coran diffusés par la radio cairote, je m'étais bêtement persuadé qu'une transition moins brutale entre l'Europe et l'Afrique serait plus à mon avantage, d'autant qu'elle satisfaisait aussi mon idée de refaire l'itinéraire classique de l'expédition en Égypte. Dans mon Baedeker de 1929, j'avais découvert que les voyageurs de l'époque choisissaient le plus souvent d'embarquer à Londres sur un paquebot à vapeur d'une compagnie de confiance, par exemple la P&O Mail, pour Port-Saïd, douze jours de croisière après des escales techniques à Gibraltar et Marseille. Des navires meilleur marché réalisaient également la traversée tous les quinze jours à partir de Liverpool ou de Manchester, sans parler d'une bonne dizaine d'omnibus maritimes battant pavillon français ou italien qui longeaient les côtes européennes – Marseille, Gênes, Venise, Trieste – avant de mettre le cap sur l'Égypte.

Pour ceux qui n'avaient pas le pied marin, le même Baedeker proposait un itinéraire terrestre de sept jours qui, selon la description du guide, n'était tout de même pas des plus reposants : « Le "Simplon-Orient-Express" (Calais-Paris-Lausanne-Simplon-Venise-Belgrade-Sofia-Constantinople) relie l'Égypte deux fois par semaine (les lundis et vendredis) à travers l'Asie Mineure, la Syrie et la Palestine. De la gare centrale de Constantinople (Sirkedji), traversée du Bosphore par ferry jusqu'à Haidar Pasha, par train via Eskishehir, Konia, le tunnel du Taurus, Adana, Alep et Tripoli en Syrie, puis par automobile de l'International Sleeping Car Company à Haïfa ou Jaffa en Palestine (huit heures et demie de route), et enfin par chemin de fer jusqu'à Qantara-Est, où nous franchissons le canal de Suez en ferry et continuons en train pour parvenir au Caire. »

Si mon intention avait été de mener une étude comparative des divers postes-frontières moyen-orientaux, l'ancien itinéraire terrestre m'aurait parfaitement convenu, mais la configuration géopolitique de la région rendait l'entreprise peu praticable, notamment lorsqu'il s'agissait de faire étape dans une ville comme Tripoli, jadis en territoire syrien mais de nos jours en plein tumulte libanais. Et comme le passage de la frontière libano-israélienne se faisait désormais principalement à bord d'un véhicule blindé – un tank, par exemple… –, j'ai préféré me pencher sur le catalogue international de l'agence de voyages Thomas Cook afin de voir si les autres options mentionnées par le vieux Baedeker étaient encore envisageables. Ayant découvert qu'il ne restait plus qu'une seule ligne maritime régulière entre l'Europe et l'Égypte, j'ai commencé à mettre bout à bout une série de correspondances plus ou moins serrées qui rappelaient vaguement ce « Grand Tour » que les jeunes gens de bonne famille britanniques étaient censés réaliser une fois dans leur vie à l'époque édouardienne. Même si j'étais presque certain qu'aucun de ces voyages initiatiques de l'ancien temps n'avait commencé comme le mien, à savoir par un trajet à bord du bus 19A en partance de Dublin-Sud…

J'habitais alors dans le quartier arabe de Dublin. Pour le trouver, rien de plus facile : remontez le périphérique sud, dépassez le club social de la police, la caserne de l'armée et le stade national de la boxe ; juste avant d'arriver à l'usine de cigarettes, vous verrez la seule et unique mosquée d'Irlande à gauche ; si vous êtes perdu, demandez votre route aux gens du coin ou cherchez une synagogue désaffectée, car cette zone accueillait jadis une communauté juive florissante, au point qu'elle avait été surnommée « la Petite Jérusalem de Dublin ». La plupart des juifs sont partis vivre dans un faubourg un peu plus chic, Terenure, laissant la place aux immigrés arabes, qui ont créé une mosquée juste en face de l'ancienne synagogue, un centre culturel islamique, ainsi qu'une poignée d'échoppes où l'on peut trouver la presse égyptienne, du hoummous, du tahina et de la viande provenant d'animaux abattus selon le rite coranique, sous la supervision d'un boucher musulman à la Hallal Meat Factory de Ballyhaunis, comté de Mayo.

C'est justement devant la mosquée que, par un soir d'octobre, j'ai fait signe à un bus de la ligne 19A de s'arrêter :

— Vous allez où ? m'a demandé le receveur, la main sur sa machine à tickets.

— O'Connell Street, ai-je répondu, mais la langue me brûlait de lui dire : « Alexandrie ».

J'ai traversé un paysage familier et décevant, mais que j'ai observé avec attention car ce serait la dernière fois que je l'aurais sous les yeux avant plusieurs mois. Dublin, la nuit. Involontairement, mon regard s'est surtout arrêté sur les palissades en tôle ondulée, les fenêtres murées et les immeubles abandonnés qui constituaient désormais les principaux traits physiques de la ville. Sa cohésion architecturale avait été systématiquement détruite par la spéculation immobilière et la recherche de l'argent facile. Dans son empressement à montrer au reste du monde qu'elle pouvait embrasser la modernité, elle aussi, c'est-à-dire un urbanisme en béton armé, Dublin laissait partir à vau-l'eau ses plus beaux joyaux de style georgien ou victorien, remplacés par le triomphe du tape-à-l'œil bon marché. O'Connell Street, où j'ai débarqué, était devenu un alignement violemment éclairé au néon de temples dédiés au méga-hamburger et au poulet frit façon Kentucky, tous les aspects les plus repoussants de l'*American way of life* greffés artificiellement sur un boulevard européen. Était-ce l'un des effets dérivés et prévisibles du postcolonialisme, cette attirance suicidaire pour le clinquant et le superficiel ? En Irlande, on entendait alors souvent dire que la société, en sacrifiant à la mentalité de la maisonnette de ville et du combiné télévidéo, était en train de perdre une grande part de sa personnalité. Est-ce que cette collision frontale entre valeurs traditionnelles et importées allait être aussi l'un des thèmes qui reviendraient le plus dans mes conversations en Égypte, autre pays postcolonial ? Le choc de l'Islam et de l'Occident ?

À la gare routière principale, Busarus, j'ai attrapé un car qui desservait le port de Dublin. Tout l'arrière était occupé par deux douzaines d'adolescents allemands qui revenaient d'une partie de camping à Killarney et mettaient un point d'honneur à chanter en chœur des airs de Simon et Garfunkel dans un anglais aussi effroyablement précis que fortement teinté d'accent germanique. Après plusieurs mesures de « Bridge Over Troubled Water », un vieux Dublinois s'est levé et, d'une voix tonitruante, leur a demandé s'ils allaient « bientôt nous foutre la paix » ; abasourdis par cette version locale de la *Gemütlichkeit*, les jeunes Teutons se sont tus.

Arrivé au terminal des ferries, j'ai embarqué sur le bateau de nuit pour Liverpool. J'ai été conduit à ma cabine par une hôtesse qui avait le comportement d'une bonne sœur entrée récemment au couvent mais bien décidée à prendre un jour la place de la mère supérieure. Après avoir déposé mon sac dans l'habitacle à quatre couchettes que ma seule présence rendait déjà étouffant, et être allé demander au jeune cerbère féminin de verrouiller la porte derrière moi, je me suis rendu au bar.

Ici, s'imbiber était une affaire sérieuse, menée avec une résolution lugubre. « Stayin' Alive » à fond les haut-parleurs, un éclairage digne d'une salle d'interrogatoire policier, et une collection hétéroclite de chaises en plastique sur lesquelles des durs à cuire et leurs épouses marquées par la vie avaient pris place : on se serait cru dans un pub d'une banlieue anglaise au fond du trou, en regardant cette communauté d'émigrés ghettoïsés en Irlande et rentrant maintenant aux confins grisâtres de leur patrie. C'étaient là les *Gastarbeiters* de l'Empire britannique disparu, qui avaient construit ses routes et ses immeubles et dont les traits marqués reflétaient des années de culte rendu à la bouteille et aux Woodbines sans filtre. Sur le sol de ce pub flottant s'accumulait déjà l'amoncellement nocturne de paquets de chips déchirés, de mégots et de feuillets épars du *Sun*. Comme le volume des beuglements des Bee Gees rendait toute conversation impossible, les consommateurs restaient là sans parler, personnages désolés d'un tableau muet, et j'ai été si vite contaminé par leur morosité que je me suis hâté de battre en retraite vers mon placard à balais.

Six heures après, un réveil digne d'une compagnie de parachutistes – plusieurs coups violents frappés à la porte – m'a appris que nous étions parvenus à Liverpool. La police des frontières nous avait préparé un comité d'accueil : sitôt débarqués sur le quai, nous avons été envoyés par paquets de vingt dans une sorte de tunnel en aluminium au bout duquel des inspecteurs en civil – c'est-à-dire revêtus de ces costumes trois pièces en tissu synthétique que les mormons apprécient tant – nous jaugeaient avec l'œil de maquignons à une foire bovine, et faisaient sortir parfois du troupeau un quidam qu'ils voulaient cuisiner plus amplement. Après cette traversée plutôt déprimante, cette réception au petit matin avait des relents très nets de « Paddy, Go Home », l'antienne des nationalistes anti-Irlandais, et j'ai donc été content de passer rapidement le filtre, de me retrouver dehors et de prendre un taxi jusqu'à la gare de Lime Street.

Sans doute inspiré par les joies de l'automne, le chauffeur a commenté avec des trémolos dans la voix les émeutes survenues récemment à Toxteth [1].

— Fallait bien que ça arrive, pas vrai ?

— Comment ça ?

— Ben ouais ! Comme on laisse les négros envahir ce pays, c'était sûr qu'y aurait ce genre de retour de bâton…

Ce commentaire a rendu impossible tout échange supplémentaire entre nous, et tout pourboire. Une fois installé dans l'express de huit heures du matin pour Londres, les yeux sur le cauchemar urbain de Tamsworth et de Milton Keynes, je n'ai pu m'empêcher de penser qu'il aurait été sans doute plus simple de gagner l'Égypte en avion.

Quelques semaines avant de m'engager dans ce voyage, j'avais rencontré, à une soirée dublinoise, une jeune réalisatrice anglaise qui venait d'achever un documentaire sur l'Irlande. Quand, entre deux mondanités, j'ai mentionné le fait que j'allais bientôt me rendre en Égypte et que je m'étais débrouillé pour me faire inviter sur le Venise-Simplon-Orient-Express tout juste rénové, elle s'est exclamée :

1. Quartier pauvre du sud de Liverpool où, en juin 1981, de graves affrontements s'étaient produits entre la communauté noire, majoritairement d'origine somalie, et les forces de l'ordre. C'est là que Ringo Starr, l'un des Beatles, est né et a passé les quatre premières années de sa vie. *(Toutes les notes sont du traducteur.)*

— Ah, je l'ai pris, moi aussi !
— En voyage de presse ?
— Non, on a payé plein pot.
— Mais il est horriblement cher, ce train !
— Pas tant que ça. Et puis mon mari est dentiste.

Cet échange m'est revenu à l'esprit alors que je traînais sur le quai nº 8 de la gare de Victoria en regardant le flot de valises Gucci ou Louis Vuitton parsemées d'étiquettes de première classe aux couleurs d'une multitude de compagnies aériennes. Si les propriétaires de ces coûteux bagages n'avaient pas spécialement l'air de s'être enrichis en extrayant des molaires cariées ou en combattant cette plaie des temps modernes que l'on appelle plaque dentaire, ils paraissaient tous appartenir à la tranche fiscale pour laquelle un billet aller simple à près de cinq cents livres sterling n'était qu'une peccadille. J'ai été spécialement intéressé par un couple de voyageurs, une blonde décolorée sortie d'un mauvais roman d'espionnage et un M. Carte AMEX Gold aux cheveux argentés qui devait sans doute exhiber sa Rolex achetée en duty-free à la moindre occasion, et fréquenter assidûment une salle de gym pour frimeurs. La paire, qui m'a rappelé certaines publicités pour whiskys de trente ans d'âge, allait certes très bien avec la reconstitution maniaque de l'ancien Orient-Express prête au départ au quai 8.

Rien qu'avec son nom, l'Orient-Express continue indubitablement à détenir le titre de train le plus mythique du monde, dont la seule mention évoque des images sépia de types louches à l'accent viennois spécialisés dans le trafic de pénicilline, de comtesses albanaises en exil et de douaniers des Balkan corrompus. C'est le faucon maltais du transport ferroviaire international, une institution qui a subsisté grâce aux rêves et aux affabulations qu'elle continue à susciter même si son romantisme échevelé n'a pas survécu à la Seconde Guerre mondiale et si le nouvel Orient-Express reliant maintenant chaque jour Paris à Bucarest – une fraction de l'ancienne route Londres-Istanbul – est avant tout fonctionnel, à peu près aussi mystérieux et glamour qu'un train de banlieue.

La version dans laquelle je m'apprêtais à monter, cependant, était un Disneyland Belle Époque, un Orient-Express pour rupins en quête de raffinement passéiste. Un seul coup d'œil au wagon-restaurant, où une table avait été réservée à mon nom, m'a confirmé de quoi il était question ici : lambris en acajou ciré, fauteuils rembourrés dans lesquels on pouvait aisément se laisser mourir, nappes en lin damassé, argenterie massive, cristal taillé, porcelaine rare et lampes individuelles en laiton... Cela faisait partie du prix du billet, cette idée de s'installer au milieu d'un décor Art déco et de s'imaginer partie intégrante du « beau monde » en un temps où tout était plus élégant. Et c'était pour cette raison que j'avais choisi de traverser le ventre gras de l'Europe à bord de ce fantasme roulant, puisque je me dirigeais vers les très fantasmatiques paysages d'Égypte.

— Vous vivez en Irlande, alors ? m'a dit une passagère américaine avec qui j'avais échangé quelques mots alors que le convoi quittait lentement la gare de Victoria. Nous avons loué un château là-bas, l'été dernier.

— Tout un château ?

— Pas un grand. Juste un petit château tout mignon...

Le déjeuner ayant été servi peu après, c'est entre la galantine de canard aux pommes de terre nouvelles et la crème caramel en paniers de chocolat amer que j'ai appris que cette dame et son mari appartenaient à une famille qui possédait la moitié d'un État de la côte Est américaine. C'est le genre de confidence que l'on entend fréquemment, sur le Venise-Simplon-Orient-Express. À Folkestone, où nous avons été conduits dans un salon particulier pour attendre le ferry qui nous amènerait à Boulogne, je me suis retrouvé assis en face d'un gentleman bâti comme un semi-remorque, qui suait tellement que sa chevelure hirsute avait l'aspect d'une serpillière. Il m'a tendu la main :

— Jake Boyd. Concessionnaire BMW pour tout le sud-ouest du New Jersey.

Comme j'ai pu rapidement le constater, Jake était fier de ses prouesses personnelles au point d'en oublier de me présenter son épouse, une petite femme toute menue assise près de lui qui a donc dû le faire elle-même :

— Cindy Boyd, enchantée. Je termine une maîtrise en thérapie par l'art.

Une fois apportés ces éclaircissements sur leur statut professionnel, Jake a monopolisé la conversation. Tout en se trémoussant sur ses fesses obèses, et avec un entrain qui semblait être d'origine chimique, il s'est lancé dans une description interminable de son yacht, un douze-mètres – « J'emmène cette beauté aux Bermudes pour deux mois et quand je reviens je pète le feu, pas vrai, chérie ? » –, mais c'était la motorisation des BMW qui l'emportait au faîte de l'exaltation poétique :

— J'veux dire, la 735i, c'est autre chose, non ? Je me suis payé une Porsche il y a deux, trois ans, et elle a un pépin toutes les semaines. Alors que la 735i, c'est du béton, franchement ! Et question aérodynamique, comparée à la vieille 518i… C'est autre chose. Maintenant, la 320 injection, qu'est-ce que je peux en dire ? Que c'est la voiture idéale pour… la petite nana, vous voyez ce que je veux dire ? Pas vrai, chérie ? J'veux dire, un type au volant d'une 320, ça fait… désordre. Pas vrai, Doug ?

Les haut-parleurs ayant à ce moment diffusé une annonce demandant à tous les passagers de se présenter au contrôle des passeports, j'ai profité de cette diversion pour échapper momentanément à la loquacité de Jake Boyd, concessionnaire BMW pour tout le sud-ouest du New Jersey. Je suis cependant tombé sur lui un peu plus tard, sur le pont, alors que le ferry entrait lentement dans le port de Boulogne. Il pointait un Nikon muni d'un objectif qui faisait penser à la lunette de visée d'un sniper sur la rangée d'immeubles en béton tristounets qui bordait la côte. Cindy, sa femme, semblait décontenancée et déçue par ce tout premier aperçu du continent européen :

— Ce n'est pas l'Europe, ça, a-t-elle soufflé. L'esthétique urbanistique ne colle pas du tout…

Tout en l'assurant que si, c'était bien l'Europe, je me suis demandé en mon for intérieur si elle tenait ce terme d'« esthétique urbanistique » de ses cours de thérapie par l'art.

— Mais c'est impossible ! a-t-elle protesté. On se croirait tout à fait à cette saloperie de Cleveland !

Une fois débarqués, nous avons reçu le traitement d'honneur puisqu'on nous a épargné la queue devant les guichets de la douane et conduits tout droit au train qui allait nous transporter de « cette saloperie de Cleveland » à Venise. Nous n'avons même pas eu à nous soucier des bagages, le contrôleur de chaque wagon les ayant déjà répartis dans nos compartiments respectifs. Les cabines des sleeping-cars étaient un véritable petit miracle d'ingéniosité, avec leur divan couvert de tissu brodé qui se transformerait plus tard en lit, leur tablette éclairée d'une lampe en laiton, leur étroite penderie qui pouvait s'ouvrir sur un lavabo en marbre à robinetterie en cuivre flanqué de deux grands miroirs et, à côté de la porte, une plaque en laiton derrière laquelle attendait une lampe de lecture rétractable. Je me suis laissé tomber sur le canapé-couchette en envoyant valser mes chaussures et en me disant que je serais parfaitement capable de rester des semaines entières dans cet espace clos. Je n'ai pas voulu penser que j'allais hélas en être expulsé vingt-quatre heures plus tard, au terminus de Venise.

Après avoir consacré une demi-heure à compléter mon journal de voyage, j'ai remis ma veste et ma cravate – car l'Orient-Express, sur le plan vestimentaire, ressemble beaucoup à une école privée britannique et interdit la moindre pièce de jean dans ses espaces communs – et je suis parti inspecter rapidement la rame. Celle-ci se composait de dix-sept wagons, dont les trois voitures du restaurant « Étoile du Nord » constituaient le fleuron, et du bar Art nouveau qui s'enorgueillissait d'un piano quart-de-queue et de ventilateurs au plafond. Le pianiste était en train de jouer « The Shadow of Your Smile » et autres ballades sirupeuses, accompagné d'une base rythmique préenregistrée dans le genre de celle dont sont équipés les synthétiseurs pour amateurs. Les serveurs offraient du champagne à quarante livres sterling la bouteille. À part une poignée d'Anglais, quelques Japonais ensommeillés, un quatuor de costauds australiens et deux ou trois couples français, la majorité des consommateurs étaient des Américains qui ne voyaient aucun inconvénient à confier au premier venu la situation de leur compte en banque ou l'état de leur tuyauterie personnelle. Comme Bob et Babs, présentement assis en compagnie de Jake et Cindy Boyd.

— Hé, l'ami, venez un peu avec nous ! m'a lancé Jake dès que j'ai fait un pas dans le salon.

Il m'a aussitôt présenté à Bob et Babs, originaires de Baton Rouge, lui en costume de tergal et avec une mince tentative de moustache, elle toute en choucroute blonde et dents étincelantes de beauté sudiste, non sans une certaine aura de pom-pom girl un peu fanée. Dès qu'une bouteille de champagne a été posée sur notre table, Babs a levé sa coupe et, les yeux sur son conjoint :

— Eh bien, chéri, je crois qu'il faut que je propose un toast à notre grande, grande nouvelle ? – puis, s'adressant maintenant à nous : Nous attendons un bébé !

Tout le monde a fait les « oh » et les « ah » de rigueur. J'ai demandé pour quand était prévue la naissance.

— Le 1er décembre ! a répondu Babs sans un instant d'hésitation. – J'ai lancé un coup d'œil à son ventre. Ce n'était en aucun cas celui d'une femme qui allait accoucher deux mois plus tard. Remarquant mon regard, elle a poursuivi : – Non, je ne vais pas accoucher le 1er décembre : je vais en « avoir » un ! Vous comprenez, nous ne pouvons pas, nous… – Encore des « oh » et des « ah », cette fois teintés de commisération. – Et quand nous avons découvert que j'étais stérile, eh bien, nous avons décidé d'en adopter un.

— Ouais, est intervenu Bob, et il y a juste quatre mois ou quoi, l'hôpital m'a appelé au bureau... je suis consultant en management... et ils m'ont dit : « On croit qu'on en a un pour vous » !

— La mère est une petite Irlandaise tout ce qu'il y a de bien, a continué Babs avec animation, catholique et tout. Et nous avons vérifié le passé du père, aussi.

— Ouais, il a un diplôme en sciences éco, a confirmé Bob. Je me suis senti nettement mieux, en apprenant ça.

La conversation a dérivé sur la question de la stérilité, les mérites de l'insémination artificielle, la difficulté de trouver une banque de sperme fiable, et même un nouveau traitement miraculeux dont nous a informés Jake Boyd :

— Je blague pas ! Je connais quelqu'un, elle pouvait pas avoir d'enfants, elle a tout essayé et puis on lui a parlé d'une clinique au Mexique, je vous charrie pas, une clinique où ils injectent un liquide à base d'urine de bonne sœur. Deux mois après, elle était en cloque !

Alors que je me promettais de demander à la tante de ma femme – sœur Margaret Therese, du couvent des carmélites au Caire – si elle avait entendu parler de cette nouvelle forme d'entraide chrétienne, le dîner a été annoncé. Autour du saumon et du caviar, de tournedos à point et de mousses à la vanille, Bob, Babs, Cindy et Jake ont parlé du récent implant capillaire que ce dernier venait de tenter pour contrer son début de calvitie, de la flambée des prix affectant les résidences de vacances en Floride, des meilleurs placements en fonds garantis et, bien entendu, de la BMW 735i. Ils appartenaient à un monde où la valeur d'un individu dépendait de sa place dans l'économie de marché et dans lequel un voyage à bord de l'Orient-Express était avant tout un investissement destiné à rehausser son statut social. Quant à moi j'étais tenté, en repensant à mon trajet nocturne Dublin-Liverpool de la veille, de ranger ce train de luxe dans la catégorie des illusions de grandeur, mais je devais aussi reconnaître que ce qu'il proposait à ses passagers était bien réel : une promotion sociale. Sur ses banquettes en cuir, on pouvait se sentir l'espace d'un moment « quelqu'un de la haute », qui plus est capable d'apprécier ce raffinement ostentatoire. N'est-il pas ironique que, de nos jours, les voyages en train soient réservés ou bien à ceux qui n'ont pas les moyens de se payer l'avion, ou bien à des nantis prêts à dépenser des sommes considérables pour s'offrir un parfum de « vieille Europe » ? Alors oui, l'Orient-Express était un moment de nostalgie astucieusement emballé à l'intention de ceux qui voulaient se payer de la légende et en savourer chaque minute. Et en mettant ma présence dans ce wagon-restaurant en perspective avec ma destination finale, je commençais à me faire sérieusement l'effet d'un imposteur qui après s'être faufilé dans un mythe s'apprêtait à débarquer tout aussi abusivement dans un autre…

Après dîner, Jake a commandé un armagnac qui, vu son prix, devait remonter à l'époque de la Révolution française. Après avoir vidé le verre d'un trait, il a estimé que la liqueur était « plutôt brûle-gueule, pour le prix ». De retour à ma cabine à minuit passé, je me suis réveillé en sursaut six heures plus tard, aux abords de Zurich. On m'a apporté un plateau chargé de jus d'oranges pressées, de croissants tout chauds, d'une cafetière en argent et d'un exemplaire de l'*International Herald*

Tribune, et j'ai petit-déjeuné en tête-à-tête avec ma migraine. À l'heure du déjeuner, nous avions atteint Innsbruck. Tandis que des paysages alpins spectaculaires défilaient derrière la vitre, Jake a tendu un doigt et s'est exclamé : « Regardez un peu ce cadre naturel ! »

Après une correspondance très serrée à Venise, j'ai passé les quatre journées suivantes à bord de l'*Espresso Egitto*, une sorte de percolateur flottant dont l'équipage se comportait comme une bande d'insomniaques condamnés à assurer cette traversée pour répondre de crimes contre l'humanité. La première nuit, je suis monté sur le pont et j'ai regardé les lumières de la piazza San Marco disparaître lentement pendant que nous gagnions la haute mer. La deuxième, je suis monté sur le pont et j'ai écouté Youssouf, le concessionnaire Toyota, me parler de ses trois épouses et me confier que son vœu le plus cher était de vivre seul. La troisième, je suis monté sur le pont et je suis resté là tandis que, dans les entrailles du bateau, un feuilleton télévisé égyptien captivait le salon. La quatrième et dernière nuit, enfin, je suis monté sur le pont alors que tout un coin du même salon avait été transformé en mosquée à l'heure de la prière.

L'Égypte était proche.

2

Front de mer

Je me suis réveillé à six heures, encore une fois. Quelques instants plus tard, un steward a frappé à ma porte en criant : « Alessandrio ! » Nous étions arrivés, à l'évidence. Je me suis douché, rasé et habillé en hâte. Le soleil venait de se lever. Par-dessus le bastingage à tribord, on apercevait le palais Montazah. Youssouf est venu me rejoindre.

— Chaque fois que je fais la traversée, je me lève tôt le dernier jour pour voir la côte égyptienne approcher, m'a-t-il dit. Il vous plaît, ce palais ? Le roi Farouk y a habité. Et après lui, le « roi » Sadate. – Il a eu un petit sourire. – On a eu beaucoup de rois, en Égypte. Trop, même.

Nous sommes descendus à la cafétéria. Deux grandes tables avaient été formées, derrière lesquelles des officiers en chemise blanche à épaulettes étaient assis avec, à portée de main, les instruments de leur prochaine mission : piles de formulaires administratifs, sceaux et tampons encreurs. Dès que le début du service a été annoncé, une foule s'est élancée devant les tables. L'un des officiers s'est mis à crier en arabe, un autre dans ce qui ressemblait à de l'anglais ; ils désiraient que les passagers forment deux files séparées. Lorsque ceux-ci ont commencé à obtempérer, d'autres cris se sont élevés : il fallait que l'une des files soit réservée aux ressortissants égyptiens, et la seconde aux autres voyageurs. Les formalités d'entrée en Égypte avaient commencé.

Ayant rejoint ce dernier groupe, j'ai attendu vingt bonnes minutes avant de parvenir à la table. L'un des officiers a examiné mon passeport et a déclaré :

— Vous devez d'abord changer argent à la banque. Quand vous avez changé, vous revenez.

Comme je l'ai découvert, c'était exactement ce qu'il avait indiqué à tous ceux qui m'avaient précédé.

La banque était une petite table couverte de feutre, parfaite pour une partie de gin-rami. Un homme âgé, lunettes demi-lunes perchées sur le nez, était voûté sur une calculatrice et un livre de comptes poussiéreux ; tout autour de lui s'amoncelaient des billets égyptiens froissés et délavés, de la taille de cartes postales. L'employé, dont les mains tremblaient considérablement, tentait de compter une liasse mais ses doigts laissaient échapper des billets et il devait recommencer depuis le début. La file s'allongeait, des enfants pleuraient et le banquier avait toujours plus de mal à remplir sa tâche. J'aurais voulu sortir du rang et m'en aller, mais il était impossible d'échapper à cette formalité. C'était la loi : tout non-ressortissant devait changer l'équivalent de cent cinquante dollars américains avant d'être autorisé à pénétrer sur le territoire égyptien. L'explication de Youssouf à propos de cette législation tenait en quelques mots : « L'Égypte aime les devises fortes. »

Mais même lui est resté sans voix quand le banquier septuagénaire s'est levé et a annoncé à la cantonade qu'il n'avait plus assez de monnaie égyptienne. Conséquence : trois quarts d'heure d'attente supplémentaires tandis qu'il retournait au port sur une petite vedette et revenait avec un nouveau tas de billets, puis une heure entière avant que je parvienne à la table de jeu et, enfin muni de ma liasse obligatoire, que je puisse rejoindre la queue des passeports.

Un officier a feuilleté le mien page par page, tellement captivé qu'il a laissé des cendres de la cigarette coincée entre ses lèvres tomber sur plusieurs d'entre elles. Il a noté sur une feuille les détails de mes visas précédents et, revenant à la page de la photographie, il l'a contemplée avec une visible préoccupation avant de lever les yeux sur moi :

— Vous êtes sûr vous êtes lui ?

Je lui ai certifié que oui, c'était bien moi. Avec un haussement d'épaules, il a abattu son tampon sur ma pièce d'identité.

Libéré de tous ces tracas administratifs, j'ai repris mes bagages et je me suis dirigé vers la sortie principale du bateau. Je ne suis pas allé très loin, car l'un des membres de l'équipage italien m'a barré la route :

— Où tu vas, comme ça ? – Je lui ai expliqué qu'après avoir obtenu l'aval officiel je me disposais à quitter le bord de ce navire. D'un grand geste de la main, il m'a montré l'un des hublots : – Tu peux marcher sur l'eau ?

En regardant au-dehors, j'ai en effet constaté que nous nous trouvions encore en plein milieu du port.

— On attend que tous les passeports aient été contrôlés, ensuite on va à quai, puis on vous laisse débarquer. C'est le règlement égyptien.

Je suis donc retourné à la cafétéria, dont l'ambiance commençait maintenant à nettement évoquer la chute de Saigon. Tous les passagers étant regroupés dans cet espace avec l'ensemble de leurs bagages, il devenait presque impossible de bouger. J'ai trouvé un coin où je pouvais plus ou moins respirer et j'ai essayé de prendre mon mal en patience. Soudain, une main s'est posée sur mon épaule. Je me suis retourné. Youssouf était là.

— C'est toujours comme ça ? l'ai-je interrogé.

— Ah, c'est la faute aux Libyens, tout ça ! a-t-il rétorqué. Ils viennent chez nous et ils provoquent plein de problèmes, les Libyens. C'est pour ça qu'on doit faire très attention à nos frontières. C'est pour ça qu'il faut attendre que tous les passeports aient été vérifiés. C'est pour le bien de l'Égypte.

À cet instant, les machines du bateau se sont remises à gronder et tout le monde s'est battu pour atteindre les portes. Comme chacun allait s'en rendre rapidement compte, toutefois, l'*Espresso Egitto* ne disposait que d'une seule et unique passerelle, dont l'accès s'est transformé en une sorte de veine variqueuse menacée d'embolie, chacun poussant pour se rapprocher imperceptiblement de la libération. Alors que le bateau touchait quai et que l'espoir rendait la foule encore plus agitée, la situation s'est encore dégradée quand deux Égyptiens qui rentraient au pays avec une petite machine à laver ont essayé de forcer le passage. Deux ressortissants grecs ont protesté bruyamment, et même tempêté lorsque les autres ont laissé échapper leur lourd fardeau, manquant de justesse fracturer un ou deux pieds hellènes. Des menaces furent proférées mais elles ont été emportées par le flot humain et soudain je me suis retrouvé sur la passerelle, ébloui par le soleil matinal d'Égypte.

Arriver dans un pays inconnu en avion, c'est avoir pour première impression l'inévitable et déprimant spectacle des stations-service, des zones industrielles et des banlieues glauques qui encerclent tous les aéroports du monde. Arrivez en bateau, au contraire, et vous entrez sans transition dans cette nouvelle réalité, dans la ville qui attend au-delà des barrières du port, prête à vous aspirer au sein de son existence quotidienne.

En ce qui concerne Alexandrie, vous quittez l'enceinte portuaire dans la sécurité d'un taxi, pour mieux plonger au milieu d'un tourbillon.

D'abord, il y a eu les klaxons. Stridents, insistants, ils modulaient toute la gamme des sons jusqu'à vous donner l'impression d'avoir échoué parmi une fanfare prise de folie. Après s'être forcé un chemin dans une rue bondée, le taxi a atteint ce qui me parut être l'œil du cyclone : un souk en pleine cohue de la mi-journée. Ici, les ruelles étaient envahies par les étals des commerçants et les carrioles à mulet des marchands de fruits qui se faufilaient dans le désordre automobile, les boutiques dégorgeaient leurs produits jusqu'aux caniveaux et la puanteur des légumes pourrissants se transformait en une substance gluante qui collait à mes vêtements, à mon visage et à mes cheveux. Des femmes tout en noir réalisaient des performances d'équilibriste en marchant avec leurs courses empilées sur la tête. Un mendiant dont l'œil gauche était voilé par une membrane de peau s'est approché de nous, mais le chauffeur l'a fait déguerpir en actionnant à nouveau son klaxon.

Au-dessus de nous, des mères de famille campées sur leur balcon appelaient à tue-tête leur marmaille en train de jouer en bas. Plus loin, un agent réglait la circulation et essayait vainement d'apporter un semblant d'ordre à ce chaos tandis que le concert de klaxons reprenait de plus belle, atteignait un apogée délirant dans cette fournaise décidément absurde. Là, j'ai commencé à comprendre qu'en Égypte la rue n'était pas tant un moyen de communication et un lieu d'échanges commerciaux qu'un immense théâtre auquel chacun se doit de participer.

En quelques minutes, nous sommes parvenus à un grand boulevard bien dégagé et la commedia dell'arte égyptienne a soudain cédé la place à un décor de scène fin de siècle sérieusement décati, une succession de demeures patriciennes dont les moulures rococo étaient mangées aux mites. Dans cette partie de la ville, Alexandrie aurait pu être n'importe quelle capitale d'Europe de l'Est, avec le même délabrement architectural qu'à Bucarest ou Prague, quand les vestiges d'un passé impérial viennent apporter une contradiction morose à l'idéologie du régime en place. Mais ces images de pacte de Varsovie se sont bientôt dissipées lorsque nous sommes parvenus au principal quartier commerçant de la cité et que la vue de magasins pleins à craquer des reliquats de l'Occident m'a ramené à la réalité mercantile et bigarrée de l'Égypte moderne.

Quant à mon chauffeur, il faisait de son mieux pour m'amener à mon hôtel mais son véhicule, une Lada qui avait dépassé depuis longtemps l'âge de la retraite, refusait de coopérer, toussant et sifflant comme des poumons de fumeur, arthritique au dernier degré et même guettée par l'infarctus, ainsi qu'elle l'avait prouvé quand elle avait calé à deux reprises dans le souk. Juste au moment où elle allait être frappée par un arrêt cardiaque définitif, la Lada a tourné brutalement et s'est arrêtée devant l'hôtel Cecil, place Saad-Zaghloul.

Le Cecil occupe une place à part dans la tradition alexandrine, celle d'un point de rencontre international et interlope où se croisent des hommes énigmatiques et des femmes qui ont vécu, une casbah cosmopolite dont l'air est à jamais imprégné par le doux parfum de la corruption. C'est en tout cas la description hypnotisante qu'en donne Lawrence Durrell dans *Justine*, celle d'un « hôtel moribond » où « les palmiers s'étiolent et reflètent leurs frondaisons immobiles dans les miroirs à cadre doré », où des hommes d'affaires syriens fument du haschich entre deux tasses de café. De nos jours, toutefois, cet établissement est à peu près aussi décadent qu'un relais routier pour représentants de commerce en plein milieu de l'Irlande. Certes, la façade garde l'allure imposante et coloniale d'un palais de gouverneur général. À l'intérieur, pourtant, la solennité édouardienne a pris une tonalité plus que mélancolique avec ses palissandres fatigués, ses lourds fauteuils au tissu troué de brûlures de cigarette, son grill-room imprégné de graisse de mouton brûlée et ses chambres caverneuses dont le mobilier a été réduit au strict nécessaire. Seuls le célèbre miroir doré du hall ainsi que l'ascenseur-antiquité ont survécu… Après quatre nuits dans ma cellule de l'*Espresso Egitto*, la présence d'un lit digne de ce nom et d'une baignoire m'a fait oublier tous les doutes qui auraient pu m'assaillir pour avoir choisi de séjourner dans ce palace défraîchi et pourtant encore fort onéreux.

Après avoir mariné dans un bain tiède pendant une heure, je suis tombé sur le lit et j'ai allumé ma radio portative. Sur la BBC (World Service), le journaliste vedette Bernard Levin évoquait son livre consacré à Hannibal pour les auditeurs de la Méditerranée orientale. J'ai tourné le bouton des fréquences : une leçon d'anglais offerte par Voice of America. « Que vas-tu faire à Miami ? » demandait une voix en détachant chaque syllabe ; une deuxième a répondu : « J'appellerai mon cousin dès que j'arriverai. J'habiterai chez lui pendant mon séjour. Nous irons à la plage très souvent. Je vais revoir tous mes anciens amis. » « De belles vacances en perspective », approuvait la première voix ; « Amuse-toi bien, alors. » « Merci, Ahmed. Je t'enverrai une carte postale dès que je serai là-bas. »

Laissant Ahmed attendre sa carte postale de Miami, j'ai allumé le poste de télévision en couleurs. Emplissant tout l'écran, un cheikh offrait la récitation coranique de l'après-midi. Je me suis assoupi au son de ses phrases cadencées et quand je me suis réveillé, plusieurs heures plus tard, il avait été remplacé par Martina Navratilova en train de battre à plate couture son adversaire sur le court de tennis d'un pays lointain. Abasourdi par ce choc de civilisations, j'ai estimé qu'il était temps d'aller faire un tour.

Alexandrie, comme toutes les cités portuaires, est une création hybride, un mutant culturel. Il y a d'abord eu les Grecs, conduits ici par Alexandre le Grand en 331 av. J.-C. Grâce à l'architecte Dinocrate, qui se trouvait parmi eux, ils ont transformé ce terrain vierge en un port spectaculaire dont toute la Méditerranée a bientôt parlé. À la mort d'Alexandre, son bras droit, Ptolémée Ier Sôter, a fondé une dynastie sous laquelle Alexandrie est devenue un important comptoir commercial et une destination de détente favorite des intellectuels grecs. Quand il ne passait pas son temps sur la plage, Euclide y a créé une école de mathématiques qui allait fonctionner sept siècles durant. Plus tard, Démétrius de Phalère, disciple d'Aristote et orateur réputé, a été chargé par Athènes d'y constituer la bibliothèque la plus célèbre de l'Antiquité, si bien qu'en débarquant ici en 48 av. J.-C. César et les Romains se sont emparés d'une ville qui n'avait pas sa pareille en matière d'influence commerciale et d'érudition dans tout le monde connu.

Antoine et Cléopâtre y engendrent des jumeaux. Par la suite, on dit que saint Marc s'est arrêté à Alexandrie en l'an 45 ap. J.-C., ouvrant une ère au cours de laquelle la ville deviendra un centre de rayonnement chrétien pour toute la Méditerranée. Si les Perses l'occupent un moment, c'est l'arrivée des troupes arabes du calife Omar en 642 qui va changer profondément et durablement la face de l'Égypte : graduellement mais inexorablement, la population se convertit à l'islam, l'influence de l'Alexandrie « chrétienne » s'amenuise et, lorsqu'une nouvelle métropole est construite sur les rives du Nil en 969, Le Caire, la cité côtière prestigieuse qu'est Alexandrie entame un déclin de huit cents ans.

Bien qu'elle soit réduite à une bourgade de cinq mille habitants lorsqu'il y parvient avec son corps expéditionnaire en 1798, Napoléon a l'ambition de redonner à Alexandrie son ancienne splendeur et décide d'en faire le centre de son empire oriental, mais l'amiral Nelson va venir mettre fin à ces plans grandioses et c'est Méhémet Ali qui, quelques années plus tard, réalisera ce rêve. Albanais de Macédoine et fin politicien, celui-ci arrive à persuader le sultan de Turquie de le nommer vice-roi d'Égypte en 1805 ; à partir de là, il fonde un clan politique qui restera à la tête du pays jusqu'à la révolution de 1952 et entraînera l'Égypte dans la modernité. Alexandrie occupe une place centrale dans les projets d'Ali, qui entend en faire une fenêtre sur le monde et, à nouveau, l'un des principaux ports de la Méditerranée. Un architecte français est chargé de remodeler les bassins, les chantiers navals se peuplent d'ingénieurs et d'ouvriers italiens et grecs tandis qu'Ali, désormais maître de la moindre parcelle de terre arable de ce vaste pays, offre aux courtiers européens de vendre la production égyptienne sur les marchés étrangers. Des ghettos d'expatriés se développent, la ville s'étend et prospère. Très vite, après des siècles de somnolence, Alexandrie s'impose comme le centre cosmopolite du nord-est de l'Afrique.

L'ambiance multiculturelle de la ville survivra aux bombardements de la marine britannique en 1882, puis à l'occupation de l'Égypte par les forces de Sa Majesté. En 1929, le guide Baedeker de l'Égypte indique que les Européens représentent jusqu'à vingt pour cent de la population d'Alexandrie. Et cette mosaïque de communautés parvient à se maintenir intacte même pendant la Seconde Guerre mondiale, alors que Rommel et Montgomery font le coup de feu non loin de là, à El Alamein. C'est Gamal Abdel Nasser qui lui portera un coup fatal en 1957, quand à la suite de la crise de Suez le colonel ordonne aux derniers ressortissants français et britanniques de quitter l'Égypte. Après avoir laissé parader les envahisseurs venus d'ailleurs, Alexandrie subit alors une invasion de l'intérieur. Avec le socialisme panarabe à la Nasser, le port perd l'énergie et la tolérance morale de ses années cosmopolites. La cité méditerranéenne vibrante de contrastes n'est plus.

De tous les récits de voyage récents que j'avais lus avant mon départ, l'impression que l'on retirait d'Alexandrie était en effet plutôt morne. Mais peut-être est-ce le sort des villes qui ont eu un passé aussi remarquable ? La version actuelle n'arrive jamais à soutenir la comparaison avec l'image fabuleuse que l'histoire et la littérature ont imprimée dans notre esprit, et toute visite se termine dans la déception, parce que telle ou telle cité nous avait attirés avec la promesse d'un charme ancien que nous n'avons pas trouvé. Ce que nous avons tendance à oublier, c'est que les villes restent rarement immuables, qu'elles sont constamment modifiées par le contexte économique et politique de la période. L'histoire d'Alexandrie est un exemple type de ce principe, parce que le port a connu à la fois la grandeur et l'oubli, que son identité s'est vu sans cesse transformer afin de répondre aux exigences de régimes successifs. En quittant l'hôtel Cecil pour me faire ma propre idée, j'étais curieux de voir comment elle s'accommodait du climat incertain qui régnait dans l'Égypte du milieu des années 80.

Ce sont les panneaux publicitaires qui m'ont tout de suite frappé. Il y en avait des dizaines, qui transformaient la place Ramleh – la principale station de tramways de la ville – en une sorte de 42e Rue à l'échelle réduite. Au-delà des pubs en néons clignotants pour Canada Dry ou Orange Crush, mon œil a particulièrement été attiré par les affiches géantes annonçant les dernières nouveautés du cinéma égyptien. Toutes avaient été peintes par quelqu'un versé dans l'art commercial le plus criard, avec un penchant évident pour le mélo de bas étage. Sur l'une d'elles, un père furibond brandissait son poing sous le nez de sa vaurienne de fille tandis qu'au second plan son épouse l'exhortait silencieusement à la clémence ; sur une autre, une femme attaquée par les flammes hurlait à gorge déployée, ce à quoi on pouvait s'attendre, au grand amusement d'un type en costume trois pièces à l'air diabolique. Et, à côté de ces énormes placards payés par les studios cinématographiques, on voyait encore tout un puzzle de publicités de taille plus modeste s'étalant sur les côtés des immeubles vieillissants qui entouraient la place, par exemple pour le « Dr Samir Fayed Youakin (ancien chirurgien à la clinique dentaire Eastman, Londres) », pour des avocats, des comptables, voire un médecin spécialisé dans les maladies vénériennes et les inflammations buccales… Au niveau des trottoirs, le mercantilisme n'était pas moins virulent, d'autant qu'il était sept heures du soir, le moment où les villes égyptiennes se réveillent de la sieste : partout sur la place, des vendeurs à la criée proposaient, entre autres, de la crème à raser, des cigarettes, des exemplaires du Coran ou des photographies retouchées à la main du président Hosni Moubarak. Je me suis arrêté devant un étal où un portrait de Nasser était en vente.

— Est-ce que les gens continuent à acheter des photos de Nasser ? ai-je demandé en anglais au marchand ambulant.

— Nasser toujours très populaire, a-t-il affirmé. Bonnes affaires, avec lui.

— Et Sadate ? Vous en vendez encore beaucoup ?

— Ah, celui-là ! – Il a ri. – Personne en veut dans sa maison, celui-là.

— Et Moubarak ?

— Je vends un peu. Il me rapporte un petit peu, lui.

— Donc c'est toujours Nasser qui se vend le mieux ?

— Oh non ! Qui je vends le mieux, c'est Michael Jackson.

— Pardon ?

— Très, très populaire en Égypte ! Tu veux photo ? Je te vends Michael Jackson, bon prix !

Je déclinai l'offre.

Reprenant ma marche, je me suis rappelé que lors de mon séjour au Caire en 1981, les autorités auraient jugé offensant que l'on vende des photos de Nasser dans la rue, et encore plus celles d'une star de la pop music américaine. Seuls les posters d'Anouar el-Sadate étaient visibles, et l'omniprésence du président m'avait frappé dès la sortie de l'aéroport, avec un immense Sadate debout sur le terre-plein de l'échangeur routier, les bras ouverts pour m'accueillir tel un père bienveillant qui m'aurait fait entrer dans la maison de ses enfants. Éclairé par deux spots surpuissants, il avait le message suivant au-dessus de la tête : « Je vous souhaite la bienvenue en Égypte… Patrie de la paix ! » Un kilomètre plus loin, j'avais encore croisé le « Raïs », cette fois sur un grand panneau où il paraissait bien moins jovial, ressemblant plutôt à un personnage de l'Ancien Testament sévère, renfrogné, et sanglé dans le genre d'uniforme porté habituellement par les généraux argentins. Avant de parvenir au centre du Caire, j'avais décompté une bonne dizaine de placards dépeignant Anouar el-Sadate selon ses multiples humeurs, un déploiement qui était censé prouver la popularité et la stabilité de son régime mais qui, au contraire, déclenchait un signal d'alarme, celui du moment où un autocrate tiers-mondiste commence à perdre son contrôle sur les cœurs et les esprits de son pays.

Là, c'était au contraire l'absence de propagande visuelle agressive de la part du président en exercice qui était frappante. Les quelques affiches de Hosni Moubarak que j'ai aperçues çà et là autour de la place n'avaient rien à voir avec l'image d'un pharaon moderne faisant planer son regard impérieux sur ses sujets. Moubarak ne semblait pas éprouver le besoin de proclamer sa grandeur à chaque carrefour ni s'offusquer que son portrait se retrouve aux côtés de ceux de ses prédécesseurs. On était loin du culte de la personnalité que Sadate avait – vainement – tenté d'imposer. La vraie star du moment, c'était Michael Jackson.

Tournant le dos à l'agitation de la place Ramleh, j'ai tenté de traverser la rue. L'expérience peut se révéler éprouvante pour les nerfs, dans un pays où le Code de la route paraît comporter les règles suivantes : ignorer les feux de croisement, les panneaux « stop » et les passages pour piétons ; maintenir la plus vive allure même dans les artères embouteillées ; ne jamais indiquer un changement de direction, le klaxon devant toujours être préféré à l'usage des clignotants ; refuser systématiquement la priorité et considérer tout piéton comme une cible possible... Ayant eu la mauvaise idée de penser que le feu passé au rouge me garantirait une relative sécurité, j'ai découvert en plein milieu de la chaussée qu'une horde de véhicules se précipitait vers moi. Me sentant comme un vaisseau spatial étranger dans une partie de Space Invaders, j'ai fait machine arrière à toute allure, échappant de peu au courroux d'une Fiat. Un homme d'un certain âge, en *galabiya*, m'a aidé à me relever du trottoir sur lequel je m'étais affalé et, après m'avoir fermement saisi par le bras pour repartir dans la mêlée, m'a lancé : « Cette fois, je crois qu'on va y arriver, inch'Allah… »

« Si Dieu le veut » : l'invocation est apparemment inévitable dès qu'un engin automobile est concerné, en Égypte. La circulation semble dominée par un sombre fatalisme, la conviction que chacun a le droit de se montrer follement dangereux au volant, car Allah est le seul policier de la route digne d'être écouté et Lui seul peut décider si l'on sortira indemne ou non du prochain virage en épingle à cheveux. La passion du transport automobile chaotique est une indication du peu de considération que cette société accorde aux notions occidentales d'ordre et de sécurité, un trait culturel qui vous amène aussi à vous demander si tous les habitants de ce pays vivent constamment avec les nerfs à vif.

Une fois parvenus sans dommage de l'autre côté de la rue, j'ai remercié mon protecteur.

— Pas de problème, a-t-il répondu. Tu es le bienvenu en Égypte, mais il faut que tu apprennes à traverser chez nous !

Après m'avoir salué, il s'est glissé dans la foule des passants qui déambulaient rue Saad-Zaghloul, et je n'ai pas tardé à en faire autant. Nommée en l'honneur d'un très célèbre patriote du début du XXe siècle, cette artère d'Alexandrie est désormais surtout réputée pour la variété de parfums pour hommes qu'offrent ses nombreuses boutiques. Des groupes de mâles égyptiens étaient arrêtés devant les vitrines, discutant les mérites comparés de Paco Rabanne et de Chanel Homme, puis ils avançaient à la suivante et recommençaient avec les montres Oméga ou Seiko en devanture. Plus loin, c'était des caméras vidéo qui attiraient les badauds, ou des mixers et magnétophones de fabrication allemande. Au milieu de cet étalage de luxe technologique, des échoppes plus modestes proposaient du café, des tissus, des épices, et j'ai remarqué que si les promeneurs nocturnes se montraient très détendus en faisant leurs emplettes de première nécessité, ils devenaient presque intimidés, comme frappés de respect, face à un poste de télévision Sony dernier modèle. Quand j'ai appris plus tard que la majorité des salaires ne dépassait pas les trente livres sterling mensuelles, j'ai compris que ces produits occidentaux devaient en effet paraître pour la plupart des passants des trésors inatteignables : ce n'était pas seulement une vitre qui séparait les premiers des seconds, mais toute la réalité économique et sociale du pays, et cette vue nourrissait des aspirations à la « bonne vie » que l'État égyptien n'avait pas les moyens de satisfaire. Pour cette raison, Saad-Zaghloul était une zone de danger potentiel, puisque la société de consommation initiée par Sadate ne concernait encore que de rares privilégiés et que l'immense majorité devait se contenter de regarder ces vitrines avec un dépit silencieux. On ne pouvait que se demander si cette frustration collective ne finirait pas tôt ou tard par trouver son expression dans une forme de contestation violente, de celle qui peut donner aux dirigeants d'un pays l'idée de sauter dans le premier avion en partance.

M'étant engagé dans une rue de traverse, j'ai longé une sorte de terrain vague où la seule source de lumière était une pile d'ordures en train de brûler. Bientôt, je me suis retrouvé dans un dédale de ruelles sombres, un labyrinthe inextricable dont je me suis dit que je ne pourrais m'extraire qu'en revenant sur mes pas, lorsque mes oreilles ont perçu un bruit pour le moins inattendu dans ce contexte. De la musique, mais pas n'importe laquelle : Neil Diamond en train de chanter « Love on the Rocks ». J'ai décidé d'avancer dans la direction d'où elle provenait et, après avoir tourné dans une autre ruelle, j'ai aperçu une grande enseigne sur laquelle étaient peints un avion de chasse et un nom, le « Spitfire Bar ».

Dès que je suis entré, j'ai laissé l'Égypte derrière moi. On se serait cru dans le bar d'une petite ville universitaire américaine avec les inévitables calendriers de pin-up aux murs, des tables couvertes de nappes à carreaux rouges et blancs, des réclames de bière en néons colorés et une sono qui, après Diamond, diffusait maintenant les Rolling Stones. Il y avait même deux jeunes Américains blonds et proprets, installés avec trois amis égyptiens de leur âge qui voulaient se donner l'allure BCBG, pantalons à pinces italiens, polos Lacoste et chaussures Adidas. Aucun d'eux ne devait avoir plus de seize ans.

Je me suis assis à la table voisine et j'ai commandé une bière. Le garçon américain m'a envoyé une tape sur l'épaule.

— Hé, d'où tu es ?

— De New York, au départ, mais maintenant je vis en Irlande.

— Ah, ça c'est cool, parce que moi je m'appelle Brendan et ça fait un peu de moi une espèce d'Irlandais ! Je peux en avoir une ?

Sans attendre mon accord, il s'est emparé de mon paquet de Marlboro que j'avais posé sur la table.

— Qu'est-ce que vous faites à Alexandrie, exactement ? me suis-je enquis.

— En quelque sorte étudiant. Ça, c'est ma sœur, Suzy, et ça c'est des copains à nous de l'école américaine d'Alex', la Schultz. Et là-bas, c'est mon père. Il travaille sur le nouveau système d'égouts de la ville. Marrant, dans le genre.

— Dans le genre, ai-je approuvé.

Les égouts étaient aussi le sujet de conversation d'une tablée de quatre Anglais rougeauds assis autour d'au moins une trentaine de cannettes de bière. Leur visage était brûlé par le soleil et leur bedaine parvenue au-delà du point de non-retour. L'un d'eux était en train de raconter une histoire :

— Alors j'dis à ce foutu macaque : « Verse pas le foutu béton sur les foutus conduits, hein ? » Vous croyez qu'il écoute ? Non, bien sûr ! Il balance le foutu béton juste sur les conduits, et sur ma pomme !

À la table des gamins, Brendan évoquait pour l'un de ses copains égyptiens les peines de cœur typiques de l'adolescence :

— J'veux dire, j'ai dit à Ruthie que je l'aimais en quelque sorte, mais après je la vois faire les yeux doux à Hosni en cours alors, dans le genre, ça me scie sérieux, d'être traité comme ça…

— C'est où chez vous, l'ami ? m'a lancé l'un des Anglais.

— Dublin.

— Hé, les mecs, vous entendez ça ? On a un Irlandoche de Dublin ici ! Pas de foutue Guinness dans ce bar, l'ami !

— Vous travaillez à Alexandrie ? ai-je demandé.

— Ouais, WWCG : West Water Consultant Group. Les égouts, les dépuratrices, mec. On est spécialistes de la merde égyptienne.

J'ai fait signe au barman que je voulais payer. Les experts en tuyauterie m'ont imité, l'un d'eux criant à l'homme qui se tenait en silence derrière le comptoir :

— Hé, Abdallah ! Tu rajoutes tout ça sur la note, mon brave !

— Ça va lui donner du boulot, a commenté un autre.

Abdallah s'est approché pour faire le décompte des cannettes. Cela lui a pris un certain temps, car il y en avait quarante-quatre. Cent trente-cinq livres égyptiennes.

— Tu vas pouvoir payer le foutu loyer ce mois-ci, Abdallah…

J'ai décidé de m'en aller.

De retour à ma chambre d'hôtel, j'ai allumé la télé. Robert Redford, sous-titré en arabe, jouait un candidat au Sénat américain. Je me suis assoupi, puis réveillé en sursaut au moment où le dernier programme de la journée, une récitation du Coran, s'achevait. Quand le cheikh a eu terminé de chanter les louanges d'Allah, l'écran est devenu noir. Je me suis endormi pour de bon.

Le lendemain matin, j'ai changé d'hôtel : quittant le Cecil, j'ai traversé la rue avec mes bagages pour m'installer dans une petite pension, The New Capri. C'était en fait le huitième étage d'un immeuble de bureaux qui paraissait sur le point de s'effondrer. Pour traverser le hall d'entrée, il fallait slalomer entre des briques tombées au sol, de vieux sacs de ciment éventrés et une baignoire antique abandonnée en plein milieu. Quant à l'ascenseur, une boîte en bois au plafond transpercé, il se déplaçait péniblement avec force grincements et s'arrêtait avec une brutalité inquiétante. Une fois passée cette épreuve, la pension était propre, bon marché, et la fenêtre de ma chambre offrait une vue imprenable sur les toits de la ville.

Après avoir déballé à nouveau mes affaires, je suis ressorti et j'ai pris la direction du front de mer. Un autobus qui passait par là a stoppé brièvement au bord du trottoir et j'ai sauté dedans, attendant de voir où il m'emporterait.

La côte aux abords d'Alexandrie est un rêve de promoteur immobilier : vingt-cinq kilomètres de corniche suspendue le long de la Méditerranée, l'une des plus longues au monde, alors en plein processus d'urbanisation spéculative. Alors que les anciennes cartes postales du front de mer montraient une enfilade de palais baroques, ceux-ci avaient disparu et j'ai eu au contraire l'impression de traverser un interminable chantier, hérissé de grues et de piliers en béton armé tandis que le bus peinait vers l'est. Le Sheraton était une tour circulaire en verre et acier ; la chaîne Ramada avait édifié l'un de ses hôtels « Renaissance » qui font penser à une structure de parking public, des fast-foods Kentucky Fried Chicken ou Wimpy avaient poussé comme des champignons face aux vagues, tandis que des résidences et des immeubles d'appartements de vacances envahissaient chaque pouce de terrain constructible.

Depuis longtemps Alexandrie a acquis le statut de station balnéaire estivale – « le poumon de l'Égypte », a-t-elle été surnommée – où, durant la fournaise de juillet et d'août, les Cairotes aisés viennent se laisser rafraîchir par la brise méditerranéenne. Mais ce que j'ai vu ce jour-là annonçait un tout autre genre de tourisme, celui des voyages en groupe et des tour-opérateurs, sous la supervision intéressée de grands groupes hôteliers américains. Une sorte de Costa del Sol arabe.

Descendu aux jardins Montazah, j'ai pris un taxi pour retourner en ville. À mi-trajet, le chauffeur m'a annoncé qu'il devait prendre un client au British Council et il m'a déposé sans plus de cérémonie rue des Ptolémées, une artère étroite bordée de grandes villas fin de siècle. Comme je m'en suis aperçu, c'était également une véritable galerie commerciale des études linguistiques, où l'on pouvait choisir l'anglais type BBC au British Council, s'essayer à l'allemand à l'institut Goethe et, aux temps du colonel Nasser, apprendre à prononcer « Dasvidanyé » sans éternuer au centre culturel soviétique, celui-ci ayant fermé ses portes en 1972, lorsque Sadate avait expulsé du pays tous les conseillers russes.

Entré à l'institut Goethe, j'ai demandé à parler à son directeur. Dieter Vollsprecht, la cinquantaine grisonnante et décontractée, m'a reçu avec une grande cordialité. Quand je lui ai expliqué dans un allemand très rouillé que j'avais passé deux mois à Rothenburg ob der Tauber plusieurs années auparavant, dans le cadre d'un programme d'échange de l'institut, et que j'étais en termes amicaux avec son homologue à Dublin, Dietrich Kreplin, il m'a fait asseoir dans son bureau et m'a offert un café. Après avoir échangé quelques amabilités, nous avons été rejoints par le responsable de l'enseignement linguistique, Michael de la Fontaine. Blond, les yeux bleu acier, avec plus qu'une touche d'after-shave aristocratique, il s'exprimait à une cadence accélérée mais sans oublier d'articuler chaque mot.

— Vous êtes écrivain, donc ? a-t-il repris une fois que nous avons été présentés. Je touche un peu à l'écriture, moi aussi. Poèmes, paroles de chansons. Mais comme je ne peux pas gagner ma vie avec de la poésie et des couplets, j'enseigne l'allemand. Que pensez-vous d'Alexandrie ? Je dis toujours à nos visiteurs qu'ils ne doivent pas oublier que ce n'est pas notre culture, ici. C'est une autre planète, pour nous. En effet, nous…

Il allait se lancer dans une longue dissertation sur ce thème lorsqu'un nouveau venu a fait son apparition dans la pièce, Sarouat el-Bahr, que mes hôtes ont caractérisé comme « l'un des principaux peintres de l'Égypte actuelle », ce qui a conduit l'intéressé à lever les yeux au ciel et à allumer la première d'une longue série de cigarettes. Ainsi que j'allais m'en rendre compte en le connaissant mieux, Sarouat ne se prenait pas au sérieux et se montrait rétif à cette image publique d'« artiste », mais considérait son art avec la plus grande rigueur et exigence personnelle. Grand, imposant, il avait l'allure d'un ex-jeune premier qui ne se laisse jamais berner par les flatteries. Un garçon de bureau nous ayant apporté des tasses d'un café turc très épais, et M. Vollsprecht s'étant excusé car il devait rejoindre une réunion, le « docteur » de la Fontaine a repris son discours où il l'avait laissé, le bleu de ses pupilles plus métallique que jamais :

— J'étais sur le point de dire que l'Égyptien porte plusieurs masques. Chez lui, dans son pays, il a le masque autoritaire, musulman, patriarcal envers les femmes. Mais, dès qu'il vient en Europe, il adopte notre tenue vestimentaire, embrasse notre style de vie et, vous me pardonnerez ma crudité, saute « nos » femmes. Et ce sont des masques entièrement incompatibles. Quant aux jeunes, ils ont une vitalité... incontrôlable. Êtes-vous déjà allé dans une école égyptienne ? L'autre jour, je suis passé devant une cour et je me suis arrêté pour regarder un groupe de garçons en train de jouer. La manière dont ces gamins étaient contrôlés à coups de sifflet et à la baguette, on se serait cru à l'exercice dans une caserne !

Sarouat est intervenu :

— Vous devez comprendre qu'il existe différentes formes d'islam, dans le monde arabe. Il y a l'« islam pétrolier », celui qui sert aux Saoudiens pour contrôler les flux d'argent et maintenir les femmes en captivité, et puis il y a l'« islam pratique », celui qui se centre sur la prière et la vie de famille. Mais la religion musulmane vient du désert, où tout manque. Dans le désert, on doit avoir un rêve, le rêve d'Allah, parce qu'il n'y a rien d'autre. Et si vous enlevez ce rêve aux gens, s'ils le perdent, ils deviennent complètement perdus. En Égypte, Nasser a donné un rêve au peuple, celui de compter pour quelque chose dans le monde. Au moment où il a mené sa révolution, la plupart des pays comme le nôtre étaient encore occupés par la Grande-Bretagne ou la France ; maintenant, ils sont seulement occupés par le dollar. – Il m'a regardé en souriant. – L'Occident est très malin, oui, mais savez-vous pourquoi les Américains ne peuvent pas comprendre l'Égypte ? Parce qu'ils ne saisissent pas la signification du mot *maalesh*, « peu importe ». C'est le mot qu'il faut pour comprendre l'Égypte. En Amérique, c'est toujours « maintenant, tout de suite », gagner de l'argent « maintenant », faire carrière « tout de suite ». Mais ici, tout le monde croit en une vie après la mort, et donc tout ce qui arrive dans ce monde est *maalesh*.

Je lui ai demandé s'il avait l'impression que l'Amérique « occupait » son pays non seulement avec le dollar mais aussi avec sa culture de masse. Il a répondu en ces termes :

— Vous devriez aller jeter un coup d'œil au Sporting-Club d'Alexandrie. C'est pour les gens aisés. Les filles de familles riches se maquillent comme des stars de cinéma et restent assises dans leurs décapotables. Ces individus sont « creux », totalement vides. Ils connaissent toutes les chansons de ce fameux Michael Jackson, mais l'Égypte ? Ils ne connaissent rien à l'Égypte. Quand je dis « Égypte », je parle de mon pays, ma patrie. Mais pour ces jeunes, c'est juste la maison où ils habitent. C'est attristant.

Comme le Dr de la Fontaine devait reprendre ses occupations, Sarouat m'a proposé de venir voir son studio. De l'institut Goethe, nous avons marché quelques minutes avant de parvenir à un petit palais délabré. Un panneau doré sur le portail indiquait « L'Atelier ».

— C'était le siège du Conseil des arts d'Alexandrie. Il comptait un millier de membres, jadis. Aujourd'hui, nous ne sommes que cent cinquante et nous n'avons pas les moyens de restaurer ce bâtiment.

Le hall d'entrée, éclairé par une seule ampoule nue, était envahi par de la poussière de plâtre sous laquelle j'ai pu entrevoir çà et là les panneaux de marqueterie, les moulures en stuc raffinées et une étrange fresque murale représentant une maison de campagne dans un cadre bucolique. C'était comme pénétrer sur un site archéologique où les vestiges d'un élégant passé n'étaient accessibles que si l'on creusait dans les décombres.

Le studio de Sarouat, au rez-de-chaussée, m'a tout de suite séduit. Un canapé en cuir défoncé, des rayonnages couverts de tubes de peinture, des toiles inachevées posées contre les murs, des piles de livres d'art, une collection de cartes postales et de photos sur les murs écaillés, des bouteilles de whisky vides, des cendriers qui débordaient et quelques plantes en train de mourir tristement... J'ai trouvé que c'était le refuge idéal, avec son désordre revendiqué et son isolement du vacarme de la ville.

Après être allé remplir d'eau une bouteille de Ballantine's éclusée depuis longtemps, Sarouat est revenu arroser ses plantations assoiffées. En fouillant dans des cartons poussiéreux, il a réussi on ne sait comment à exhumer deux cannettes de Beck's, que nous avons ouvertes et sirotées en fumant.

J'ai désigné l'une de ses œuvres, une pyramide entourée d'un carré.

— Tu sais que le carré nous vient de la Grèce ancienne, m'a-t-il expliqué, alors que le triangle est oriental. Dans ce tableau, j'ai voulu exprimer l'énergie vitale de l'Orient enfermée dans la rationalité occidentale.

Prenant une pièce de papier, il a tracé un cercle, un triangle et un carré, puis m'a demandé de les placer les uns dans les autres en suivant mon instinct. J'ai saisi son crayon pour former un carré, ajouter un cercle à l'intérieur et terminer par un triangle au milieu.

— Donc, le carré est la logique, a-t-il repris, le cercle l'émotion et le triangle l'énergie vitale. Toi, tu considères le monde avec ta raison, ensuite avec tes émotions et tu contiens ton énergie dans tout cela. Quand je fais le test avec presque tous mes amis d'ici, ils réagissent de la manière exactement inverse, en commençant par le triangle et en finissant par le carré. C'est la différence entre un Occidental et un Égyptien. Pour vous, la logique est tout ; pour nous, pas grand-chose…

— Et le Coca-Cola, c'est beaucoup, pour toi ? ai-je demandé en désignant du menton une autre de ses peintures sur laquelle on voyait une momie serrer contre elle une bouteille de Coca.

Sarouat a lâché un petit rire :

— Au temps des pharaons, on les enterrait avec une pomme, ou une miche de pain, pour qu'ils aient quelque chose à manger s'ils avaient faim dans la vie après la mort. Dans l'Égypte d'aujourd'hui, ce serait avec du Coca.

Après deux autres bières apparues comme par magie, il m'a proposé de passer à nouveau le lendemain matin à l'institut Goethe, au sous-sol duquel il avait mis en place un atelier où de jeunes artistes pouvaient venir travailler.

— Ces peintres, ils aiment venir peindre à l'institut Goethe, parce qu'ils ont l'impression d'y respirer un autre air.

— Tu veux dire que pour continuer à être un artiste en Égypte il faut rechercher un environnement occidental ?

— Attends, je vais te raconter une histoire. Ma femme travaille au consulat d'Allemagne d'Alexandrie. Chaque jour, elle reçoit au moins cent personnes qui cherchent à obtenir un visa. Nombre des jeunes qui viennent là lui parlent en allemand, mais avec tellement de fautes et une prononciation tellement mauvaise qu'elle finit par leur répondre en arabe. L'autre jour, elle a posé la question à un type : « Pourquoi employez-vous une langue que vous parlez si mal ? » Et lui :

« Parce que j'essaie d'oublier l'arabe ! » Plein de gens ici trouvent une certaine liberté à employer une langue qui n'est pas liée à l'Égypte. Eh bien, pour un artiste, c'est pareil : il y a de la liberté dans les idées venues de l'étranger.

— Mais toi, Sarouat, tu pourrais quitter l'Égypte pour aller créer ailleurs ?

— Tu connais le circuit obligatoire, pour un peintre : Londres, Paris, Amsterdam, Rome, Munich, Berlin, New York. En dehors de ça, rien. Et dans tous ces endroits, on finit par se transformer en marionnette. Une marionnette avec laquelle quelqu'un aura envie de jouer pendant un mois, peut-être... Je trouve qu'il vaut mieux être un artiste ici qu'en Occident parce qu'ici, au moins, on peut peindre ce que l'on veut. – Il a lancé un regard pensif par la fenêtre en tirant longuement sur sa cigarette. – Le seul problème, en Égypte, c'est qu'on fait ce qu'on veut, mais en cage.

Sarouat m'a raccompagné au centre-ville en voiture. Je lui ai confirmé que je le retrouverais le lendemain matin et j'ai poursuivi ma flânerie le long des ruelles jusqu'à parvenir à une vaste place, Midan el Tahrir. Au lieu du petit restaurant que je m'étais proposé de trouver, je suis tombé sur une véritable curiosité architecturale sous ces latitudes, une église de style victorien qui avait l'air d'avoir été transportée d'un bloc depuis la banlieue londonienne jusqu'à ce carrefour d'Alexandrie. Une plaque m'a informé qu'il s'agissait de « l'église anglicane d'Égypte, Saint-Marc », dont l'officiant et aumônier était « le révérend H. Levett, ancien de King's College ». Comme les portes étaient ouvertes, je me suis aventuré à l'intérieur. Si le panneau d'annonces était en effet dans la plus pure tradition d'une petite paroisse de l'Église d'Angleterre – « thé de bienvenue » pour les fidèles récemment arrivés, vide-greniers en faveur des victimes de la famine en Éthiopie… –, j'ai constaté à la lecture du résumé historique affiché sur un mur proche que Saint-Marc était avant tout un résidu du passé colonial : consacré en 1855 par l'évêque anglican de Jérusalem, le temple de la communauté britannique d'Alexandrie avait été édifié grâce aux dons de personnages aussi illustres que la reine Victoria, le vice-roi d'Égypte et l'archevêque de Canterbury. Quand la marine britannique avait bombardé la ville au cours de la révolte d'officiers nationalistes conduite par Orabi Pacha et du soulèvement populaire qui avait suivi, l'amiral qui commandait la flotte avait ordonné que les tirs de canon épargnent la zone de l'église Saint-Marc, de sorte que ce symbole du christianisme impérial était resté debout au milieu d'une cité pratiquement rasée.

Alors que je terminais ma lecture, un Égyptien aux cheveux blancs est sorti de la chapelle. Se présentant comme l'administrateur du temple, il s'est enquis des raisons de ma présence. Pouvais-je m'entretenir quelques instants avec le révérend H. Levett, ancien de King's College ? Il allait me conduire au bureau de celui-ci lorsqu'un jeune Noir est apparu dans le vestibule. D'un ton nettement moins amène que celui qu'il avait employé avec moi, l'administrateur lui a demandé ce qu'il cherchait.

— Je dois voir le prêtre, a dit le visiteur.

Le vieil Égyptien m'a lancé un bref coup d'œil tout en me faisant signe d'emprunter la porte la plus proche.

— Le révérend n'est pas là, a-t-il annoncé.

Entré dans une petite bibliothèque, je suis resté non loin du seuil pour écouter leur échange. Le jeune Africain expliquait qu'il était originaire de Tanzanie, qu'il s'était rendu en Grèce avant de venir en Égypte et qu'un chauffeur de taxi du Caire lui avait volé tout son argent, de sorte qu'il avait gagné Alexandrie pour essayer de réunir de quoi payer son retour à Athènes.

— Donc, tu veux voir le pasteur pour lui demander de l'argent ? a fait l'administrateur.

— Je n'ai personne d'autre vers qui me tourner.

— J'ai une question, d'accord ? Si on t'a dévalisé au Caire, pourquoi es-tu venu à Alexandrie ? Pourquoi ne pas être allé à ton ambassade ?

— Je dois le voir, a répété le Tanzanien d'un ton maintenant insistant.

— Je t'ai dit qu'il n'est pas là !

— Mais je dois ! Je suis catholique !

— Imbécile ! s'est exclamé l'autre. C'est une église anglicane, ici. – Il a entraîné le jeune sur le seuil du temple et lui a montré quelque chose de son doigt tendu. – Là, c'est la cathédrale ! Si tu es catholique, ils écouteront peut-être ton histoire. – Après s'être débarrassé de lui, il m'a rejoint dans la bibliothèque. – Vous pardonnerez ma rudesse, mais nous avons des gens de cet acabit tous les jours, ici. Des imposteurs qui croient que nous allons faire la charité à n'importe qui parce que nous sommes une église. Voyez-vous, je suis un directeur de banque à la retraite et donc je « sens » dès que quelqu'un vient ici pour soutirer de l'argent. J'ai l'œil pour ça !

Il m'a fait traverser la nef et m'a prié d'entrer dans un petit bureau aux murs couverts de livres de comptes et de recueils de prières. Pendant que le révérend Levett terminait une conversation téléphonique, il m'a présenté au trésorier de l'église, un ancien capitaine de la Navy lui aussi retraité. À l'une de mes questions, celui-ci a tenu à préciser :

— Je ne suis pas anglican, non, mais presbytérien.

Ces deux messieurs parvenus au crépuscule de leur vie et servant la cause de l'Église d'Angleterre dans un pays majoritairement musulman constituaient un paradoxe qui frisait l'absurde. Tandis que nous buvions une tasse de thé et qu'ils m'entretenaient de questions ecclésiastiques – « Il faut que vous lisiez notre bulletin, *L'Anglican d'Alexandrie*, très enrichissant ! –, j'ai essayé d'esquisser un portrait imaginaire du révérend H. Levett, ancien de King's College. Sans aucun doute, il devait s'agir d'un gentleman issu d'une famille patricienne mais sans fortune personnelle qui, après avoir consacré sa vie à l'Église, était sur le point de la terminer au milieu de quelques ouailles dans un coin reculé de l'Empire moribond. Jovial à l'excès, il allait manifester un enthousiasme débordant en évoquant les projets de sa paroisse, la récente quête pour la rénovation des orgues de la chapelle, mais les manches élimées de son costume noir et ses yeux fatigués ne pourraient masquer une déception existentielle. N'ayant pu obtenir une situation en vue dans la hiérarchie anglicane au pays, il avait probablement dû se rabattre sur cette mission obscure. Aigri, sans illusions, il s'adonnait en secret à la boisson, une bouteille de gin toujours cachée dans la penderie où il gardait ses habits sacerdotaux ; tard le soir, il s'enfermait dans son bureau personnel, écoutait la BBC le regard perdu sur les photos jaunies du Devon ou des Cornouailles en face de lui, et se laissait aller à une crise spirituelle archétypale tout en attaquant son dernier flacon de Beefeater's acheté en duty-free…

Alors que j'apportais encore de nouvelles touches à cet hypothétique portrait, le révérend Howard Levett est sorti de son bureau, faisant voler en éclats tous mes a priori. Pas tout à fait quarante ans, chemise blanche empesée, barbe clairsemée, lunettes à monture dorée, il m'a salué avec une courtoisie presque guindée avant de me faire entrer dans une pièce aux murs couverts de lambris et de livres. Une fois assis dans le fauteuil en cuir qui faisait face à sa table et où il m'avait invité à m'asseoir, j'ai senti son regard m'évaluer avec soin, de la même façon qu'un maître-assistant considérerait le nouvel étudiant qui vient de se joindre à son groupe de travaux dirigés. Précis, méticuleux, ce ministre de Dieu prenait de toute évidence son rôle au sérieux, mais n'étalait pas pour autant sa piété aux yeux de tous. C'était quelqu'un qui paraissait avoir soupesé toutes les questions concernant sa foi et sa mission de prêtre anglican, même les plus difficiles, et qui en avait jugé certaines insolubles, certes, mais avait aussi accepté que la lutte entre ses convictions et ses doutes fasse intrinsèquement partie du terrain spirituel qu'il avait choisi d'occuper. Comme l'église d'Alexandrie à laquelle il était attaché, le révérend H. Levett était clairement un vestige.

— Alors, qu'est-ce qui vous amène à Saint-Marc ? m'a-t-il demandé.

J'ai répondu que je marchais rue Midan-el-Tahrir, là, que j'avais aperçu l'église et que la curiosité m'avait poussé à l'intérieur.

— Je vois…, a-t-il lâché sur un ton de confessionnal qui laissait entendre qu'il ne me croyait pas deux minutes et que je ferais mieux d'être franc avec lui.

En conséquence, j'ai décidé d'arrêter de jouer au touriste nez en l'air et je lui ai dit que j'accomplissais un voyage en Égypte.

— Ah, donc vous êtes écrivain, a-t-il aussitôt déduit.

En deux minutes, je lui avais donné le nom de mon éditeur, résumé les pièces de théâtre que j'avais écrites, énuméré les magazines et quotidiens pour lesquels j'avais pigé. Sans qu'il ait besoin de m'interroger, j'avais instinctivement senti qu'il fallait d'abord que je me présente, si je voulais qu'il me parle de son travail et de sa paroisse. Juste pour que nous soyons sur un pied d'égalité. Ce révérend n'était décidément pas tombé de la dernière pluie.

— Et donc vous avez été surpris de trouver une église anglicane ici, à Alexandrie, a-t-il repris.

— Un peu intrigué, oui. Votre paroisse ne doit pas être très grande, j'imagine ?

Il a eu un rapide sourire.

— Ma paroisse est toute l'Afrique du Nord. Je suis l'archidiacre anglican de l'ensemble de la région, ainsi que de l'Éthiopie et de la Somalie. Mon évêque est un Égyptien qui réside au Caire. Ici, à Alex', nous avons une communauté d'environ cent cinquante personnes. Des expatriés, surtout anglais et américains, mais aussi une forte proportion d'Égyptiens. Je prêche ici, et le vendredi à All Saints, c'est l'autre église anglicane de la ville, dans la baie de Stanley. Donc, entre mes responsabilités ici et tous mes voyages dans le diocèse nord-africain, je n'ai guère de temps libre.

Il résidait à Alexandrie depuis cinq ans. Lorsque je lui ai demandé combien de temps il comptait rester encore, il m'a répondu :

— Cela dépend de plusieurs facteurs : Dieu, les curateurs de cette église, mes supérieurs en Angleterre, et moi-même.

Tout en parlant, il jouait avec une carte postale sur sa table, la photo d'un « cottage » au toit de chaume entouré de collines et de vallons tout aussi anglais. Cela paraissait très loin, vu d'Alexandrie…

— Ici, vous n'avez pas les joies habituelles d'une petite paroisse, cette impression d'appartenir véritablement à une communauté, a-t-il continué d'une voix songeuse, sans lâcher la carte. La gratification est autre, en Égypte.

— Par rapport à votre poste précédent, vous voulez dire ?

— Mon poste précédent était en plein milieu de Londres. Quartier de l'Éléphant et du Château. C'est amusant, n'est-ce pas ? Passer de l'éléphant et du château aux chameaux et aux pyramides…

Le soir même, j'ai repensé à ma rencontre avec le révérend Levett, alors que je sirotais une bière dans un café grec de la rue Ramleh. Et à la facilité avec laquelle je m'étais adonné au péché des idées préconçues. En découvrant une église anglicane dans un port égyptien, j'avais immédiatement présumé que son titulaire serait l'archétype du prédicateur imbibé, négligé, avachi dans la canicule africaine, je m'étais construit un personnage et j'avais fini par me retrouver devant l'opposé de ce stéréotype… J'ai soudain eu le pressentiment qu'Alexandrie était précisément le genre de ville qui pousse à se « raconter des histoires », à fabriquer de la fiction. Le souk était une fiction en soi, qui vous charmait par ses effluves byzantins puis poussait aussitôt sous votre nez une caisse de magnétophones Sony ; la corniche en était une autre, cette promesse de splendeur rococo qui vous assénait soudain la vue d'un Kentucky Fried Chicken. Même dans cette salle de café chargée de moulures et de décorations, je pouvais percevoir la confrontation entre le mythe romantique et la réalité contemporaine. Avec ses hauts plafonds, ses lustres en cuivre, ses sols en marbre, ses tables en acajou et ses colonnes grecques au couronnement doré, l'Athineos était un café de cinéma, l'endroit idéal pour un rendez-vous avec Ingrid Bergman, mais il suffisait que le chef de rang en smoking s'approche de votre table pour que vous basculiez dans un système bureaucratique ubuesque : il prenait votre commande, la remettait à une serveuse qui elle-même la tendait à un aide-serveur chenu, lequel réapparaissait quelques minutes après avec un plateau qu'il présentait à la serveuse ; celle-ci avait alors pour charge de poser une bouteille de bière et un verre devant vous, et à ce moment le chef de rang surgissait afin de décapsuler la bouteille et de vous verser à boire.

Trois personnes pour servir une bière ! Du coup, j'en ai oublié l'atmosphère envoûtante de l'Athineos, la scène m'obligeant à m'interroger sur l'étrange hiérarchie sociale qui structure l'Égypte d'aujourd'hui. Pas étonnant que de nombreux touristes détestent Alexandrie : chaque fois qu'ils sont sur le point de prendre une bouffée de nostalgie, l'Égypte actuelle fait irruption et leur gâche le moment. Peut-être s'agissait-il d'un jeu que cette ville roublarde jouait avec le nouvel arrivant, le forçant à succomber à l'appel du mythe pour s'empresser de détruire cette illusion avec l'exposition la plus crue de sa réalité présente. Ce faisant, cette cité portuaire avertissait le voyageur qu'il venait de mettre le pied sur le territoire du paradoxe et de l'incongru, et que s'il voulait comprendre un tant soit peu le pays, il allait devoir abandonner ses préjugés, oui, et cesser d'être séduit par les échos du temps jadis.

« Ne te grise pas d'images convenues et d'archétypes », semblait me dire Alexandrie ; « ici, rien n'est comme ce qui paraît être. Tout est en mutation et tout est à prendre. »

Quittant le café, j'ai marché le long du front de mer. Il était tard et la promenade presque déserte. Une brume nocturne pesait sur la mer et, hormis les halos de quelques réverbères, la ville était voilée dans ses ombres. Moi qui venais de me jurer de ne plus me laisser tromper par l'Alexandrie fantasmée, je me sentais à nouveau attiré par ses fantômes. Mais soudain, venue des ténèbres, une voix très réelle et très actuelle a dissipé ces chimères :

— Mon ami, mon ami !

Je me suis retourné à ce chuchotement. Un homme en manteau militaire fatigué, qu'il portait sur un pantalon de pyjama à rayures, brandissait un paquet allongé, enveloppé dans du vieux papier journal.

— Tu veux ça ?

Il a écarté l'emballage. C'était une bouteille de whisky Vat 69 qui devait circuler depuis dix ans, au moins, et dont j'ai entendu le contenu bouillonner lorsqu'il l'a secouée encore une fois.

— Quinze livres !

J'ai repris ma marche.

— Dix livres ! a-t-il crié, mais j'ai continué à marcher. Cinq !

J'avais déjà traversé la route. Je me suis laissé engloutir par la pénombre de la place Saad-Zaghloul.

À la table du petit déjeuner au New Capri, le lendemain, un autre client de l'hôtel, visiblement un homme d'affaires, m'a montré du doigt le quotidien qu'il était en train de lire. « L'Amérique est très bête », m'a-t-il déclaré. Levant les yeux de mon café et de mon petit pain, je lui ai demandé ce qui avait pu le conduire à cette conclusion.

— Quoi, vous n'êtes pas au courant, pour le bateau ?

— Quel bateau ?

— Mais l'*Achille Lauro* ! Un paquebot de croisière italien. Il a été détourné par des Palestiniens après avoir quitté Alexandrie il y a deux jours. Ne me dites pas que vous n'êtes pas au courant !

— Je n'ai pas ouvert un journal depuis des jours, ai-je avoué.

— Vous avez raté une sacrée histoire, alors. Les Palestiniens, ils s'emparent du bateau, ils disent qu'ils vont tuer tous les passagers, ils en tuent un, un Américain, et ils le jettent par-dessus bord. L'Amérique et l'Italie demandent de l'aide à l'Égypte, l'Égypte parle aux Palestiniens, leur dit : « Si vous mettez fin au détournement, on vous évacue en avion. » Les pirates acceptent, plus personne n'est tué et l'Égypte les met dans un avion pour Tunis, mais après le décollage ce cow-boy-là, Reagan, il envoie ses chasseurs et ils interceptent l'avion.

— Il fait quoi ? me suis-je exclamé, stupéfait.

— Il envoie ses chasseurs et ils forcent l'avion égyptien à atterrir en Sicile, pour que les pirates soient arrêtés.

— C'est ridicule !

— Bien sûr que c'est ridicule. Mais Reagan est ridicule, non ? Et maintenant, il a beaucoup fâché l'Égypte. C'est pour ça que je dis que l'Amérique est vraiment très bête.

Après m'être excusé, je suis remonté au galop dans ma chambre. Il était neuf heures moins cinq. Tournant en hâte le tuner de ma radio portable, j'ai eu juste le temps de tomber sur le bulletin d'informations, l'affaire de l'*Achille Lauro* était le premier titre. Le film des événements correspondait à ce que mon voisin de petit déjeuner m'avait raconté. Ronald Reagan s'était mis en tête de venger la mort de Leon Klinghoffer, le touriste américain assassiné, et de montrer aux terroristes qu'ils ne pouvaient échapper à la justice américain, où qu'ils aillent. Le problème, c'est qu'en faisant intercepter l'appareil égyptien civil qui transportait le commando, il s'était fort peu soucié de ce que les autorités égyptiennes en penseraient. On avait là une nouvelle preuve de cette « diplomatie de la gâchette » qu'il prisait tant, et cette fois les répercussions pour le régime de Hosni Moubarak étaient incalculables. L'Égypte n'était-elle pas alors le plus proche allié des États-Unis au sein du monde arabe, et une voix modérée dans une région toujours plus en proie aux extrêmes ? En signant les accords de Camp David avec Israël, elle avait choisi de renoncer à sa position dirigeante traditionnelle dans la famille musulmane, et même si Moubarak tentait de restaurer peu à peu cette influence la paix avec

Jérusalem avait jusque-là tenu bon, de même que l'engagement diplomatique égyptien du côté américain.

Là, avec ce seul coup d'éclat risqué, Reagan avait mis en danger la fragile stabilité de l'Égypte. Du coup, je me suis posé la question : les dirigeants américains avaient-ils tiré la moindre leçon de l'assassinat de Sadate quatre ans plus tôt ? Avaient-ils oublié que celui-ci avait été la victime d'extrémistes musulmans infiltrés dans l'armée qui lui reprochaient d'avoir conclu la paix avec Israël et d'avoir pactisé avec les États-Unis ? Est-ce que les experts de Washington ignoraient que, depuis cette date, le fondamentalisme islamiste égyptien était une industrie en plein essor, et s'affirmait déjà comme une menace potentielle pour le régime de Moubarak ? N'avaient-ils pas noté les réactions égyptiennes courroucées à l'invasion israélienne au Liban, puis au bombardement du QG de l'OLP à Tunis par l'aviation de l'État hébreu, et le fait que nombre d'Égyptiens s'interrogeaient maintenant sur le bien-fondé de Camp David ? Ne voyaient-ils pas qu'avec l'arraisonnement de l'avion égyptien dans l'espace aérien méditerranéen ils ne pouvaient que blesser l'amour-propre d'un allié, discréditer son rôle de médiateur dans la région, mais aussi nourrir la propagande anti-occidentale des islamistes ?

Il ne faisait pas de doute que les conseillers de Reagan avaient envisagé de telles retombées, et qu'ils savaient également que l'Amérique profonde applaudirait chaudement à cette démonstration de force. Mais ils avaient certainement calculé que Moubarak, après quelques jours de protestations indignées, finirait par revenir à la réalité, notamment celle de la dépendance de son pays vis-à-vis des près de trois milliards de dollars que l'Amérique lui consentait chaque année en aides diverses. C'est bien le problème, quand on est un État vassalisé, on hésite à deux fois avant de mordre la main de la superpuissance qui vous nourrit. Et donc Reagan avait suivi son penchant pour la publicité facile, infligeant une grave humiliation à l'Égypte au passage. Le pays allait-il réagir avec une vague de protestations antiaméricaines ? Le gouvernement égyptien allait-il faire front face à son puissant « parrain » et réclamer des excuses ? Et si Moubarak ne réagissait pas ainsi, ses administrés y verraient-ils un signe de faiblesse ? En écoutant les commentaires de la BBC, il m'est venu nombre d'interrogations, et au moins une certitude : j'avais choisi un moment intéressant pour venir en Égypte.

Dans le sous-sol de l'institut Goethe, il n'était pas question de bateaux détournés ou d'avions interceptés, mais de la dernière exposition de Sarwat au Caire. Un groupe de jeunes peintres et d'amateurs enthousiastes s'était retrouvé dans ce qui m'a paru être leur salon hebdomadaire, et c'est au milieu de cette petite foule que j'ai fait la connaissance de Moustapha Mehrez. Avec sa chemise de cow-boy à carreaux et ses bretelles violettes, il faisait penser à un chanteur de « country » sur le retour, mais mon attention a moins été retenue par son curieux accoutrement que par son regard fou et son rire excentrique, caractéristiques qui me l'ont immédiatement signalé comme un original digne d'être connu. Notre conversation a pourtant démarré sur un mauvais pied, car j'ai eu la bêtise de lui dire que je venais d'apprendre l'histoire de l'*Achille Lauro*.

— Vous savez ce que je pense de tout ça ? a-t-il répliqué du tac au tac. Je pense que c'est de la crétinerie. Crétinerie américaine, crétinerie égyptienne... La politique est un jeu pour demeurés mentaux.

Comme je n'allais visiblement pas l'attirer sur le terrain de l'état actuel des relations internationales, j'ai changé de cap en lui demandant ce qu'il pensait de la vie culturelle à Alexandrie. Cela s'est révélé être une autre erreur :

— Vous voulez mon avis sur la culture égyptienne ? Je vous réponds : « quelle » culture ? Il n'y a pas de culture, ici. Il n'y a que la danse du ventre et de la chansonnette idiote. Ce n'est pas de la culture, c'est de la saloperie.

Sarouat, qui avait écouté cet échange avec un sourire malicieux, m'a pris à part un instant pour me chuchoter à l'oreille :

— Il ne faut pas le prendre trop au sérieux, tu sais. Il aime exagérer, provoquer. Mais fais-le parler de musique classique et tu verras, ce sera tout autre chose...

Revenu vers Moustapha, je n'ai dit que deux mots :

— Gustav Mahler.

Sa réaction a été tonitruante.

— Quoi, vous aimez Mahler ? Vous êtes un mahlérien ! – Il a entonné d'une voix de stentor les dernières mesures de la symphonie *Résurrection*. – Ici, à l'institut, j'ai donné au moins cent conférences sur la musique. Mais quand je parle de Mahler, je ne m'exprime pas juste à propos d'un compositeur parmi d'autres : je parle de Dieu !

Son adoration pour Mahler m'a fait penser qu'il était sans doute musicologue professionnel : en réalité, il était comptable, et travaillait comme consultant pour une société étrangère. Mais la musique classique était clairement sa drogue, et en l'entendant comparer l'interprétation de la Cinquième de Mahler donnée par Bernard Haitink avec celle de Bruno Walter, j'ai compris qu'il évoluait dans un univers mental entièrement européen, au point de se sentir en manque culturel dans sa patrie.

— Sous Sadate, les analphabètes ont triomphé, m'a-t-il affirmé ; ils sont devenus millionnaires, malgré leur ignorance crasse. L'Égypte d'aujourd'hui, c'est une pyramide à l'envers. Pas de sommet, tout est plat !

— Donc, apprécier Mahler, c'est un goût plutôt minoritaire, en Égypte ? lui ai-je demandé.

— Évidemment ! Pourquoi s'intéresseraient-ils à la grande musique quand ils ont la danse du ventre ?

— Il y a bien un orchestre symphonique au Caire, non ?

— Vous l'avez entendu ?

— Non.

— Si cela vous arrive, vous comprendrez tout de suite que c'est tout sauf un orchestre symphonique. Ils sont d'une nullité inimaginable. Mais que peut-on attendre d'autre ? Il y a bien un conservatoire qui forme des musiciens au Caire, seulement l'orchestre les paie quarante livres par semaine au mieux, et donc après avoir joué Rachmaninov ils doivent faire les night-clubs de la route des pyramides pour accompagner les danseuses du ventre. Rachmaninov et la danse du ventre, vous voyez, ça ne colle pas !

Consultant sa montre, il m'a dit qu'il devait aller rejoindre une amie, qui suivait un cours d'allemand dans les étages. Ils avaient prévu d'aller déjeuner ensemble au parc Montazah ; avais-je envie de me joindre à eux ?

Après avoir dit au revoir à Sarouat, nous sommes remontés au rez-de-chaussée qui venait de se remplir d'étudiants. À l'autre bout du hall, une jolie fille d'une vingtaine d'années, à la tenue et à la coiffure délibérément occidentales, a fait signe à Moustapha. Elle s'appelait Nadia mais dès que mon nouvel ami nous a présentés elle a dit : « Je préfère Nelly, s'il vous plaît. »

Nous sommes partis dans la Peugeot de Moustapha. En roulant vers la corniche, il a cherché une cassette dans une boîte fixée sur le tableau de bord, l'a glissée dans le lecteur, et un concerto pour flûte de Vivaldi a résonné dans l'habitacle. Nelly m'a expliqué qu'elle avait vécu à Londres, où elle était allée perfectionner son anglais et avait pu trouver un emploi de secrétaire dans une société dirigée par un lointain parent d'origine libanaise. Elle avait habité Acton Town, puis Putney, et même si elle n'avait pas été convaincue par le caractère obtus de certains propriétaires d'appartements elle avait été enchantée de son existence à Londres, de son permis de travail britannique et de la liberté qu'elle ressentait hors d'Égypte. Et puis l'Égypte l'avait rattrapée : ses deux frères l'avaient accompagnée, mais quand ils avaient dû retourner à Alexandrie sa mère avait commencé à soulever des objections et à s'inquiéter. Pensez, une jeune fille toute seule à Londres, dans un univers étranger, exposée à toutes sortes d'influences inquiétantes… La pression familiale avait monté jusqu'à ce que Nelly finisse par céder et rentrer au pays.

— Aujourd'hui encore, je suis restée dix minutes à regarder la carte du métro londonien, m'a-t-elle confié. Je me demande si je retournerai jamais là-bas.

— Ah, la famille égyptienne ! a commenté Moustapha d'un ton sarcastique.

— Vous croyez que vous n'avez aucune chance de retourner en Angleterre ? l'ai-je interrogée.

— Je voudrais tellement… Mais maintenant ma mère s'inquiète parce que je ne suis pas mariée. Elle n'arrête pas de me pousser à me décider, mais il y a très peu d'hommes égyptiens qui me plaisent.

Par la suite, Moustapha allait me dire que Nelly avait reçu plusieurs propositions matrimoniales, mais qu'elle redoutait de se retrouver derrière les barreaux d'une vie conjugale traditionnelle. Une liaison durable non consacrée par le mariage était absolument exclue et j'ai nettement perçu chez elle l'angoisse que le filet se referme très vite autour d'elle si elle n'arrivait pas à rencontrer quelqu'un qui partagerait ses vues émancipées en matière de relations hommes-femmes.

Nous sommes arrivés à Montazah, un très agréable parc agencé autour de la résidence d'été que le khédive Abbas avait fait construire en 1892 pour la famille royale égyptienne. De nos jours, l'un des deux palais étant devenu un casino, il fallait acquitter un modeste droit d'entrée aux portes des jardins.

— C'est l'un des rares endroits d'Alexandrie qui n'ont pas encore été défigurés, a déclaré Nelly.

— Ils défigurent tout, en Égypte ! a surenchéri Moustapha alors que nous roulions le long d'une allée ombragée.

— Vous avez faim ? m'a-t-elle demandé. Vous pourriez manger un hamburger ?

— Pardon ?

En face de nous, sur un parking circulaire, il y avait un Wimpy Bar ; à côté, la pelouse roussie accueillait une troupe de lycéens réunis autour d'un pique-nique de cheeseburgers et de Coca-Cola, avec une radio portable qui beuglait le Top Ten local. Pendant que Nelly allait chercher notre déjeuner à emporter, Moustapha a remonté toutes les vitres de la voiture afin de combattre le tube cairote du moment avec son Vivaldi.

— Je ne suis pas du tout emballé par les hamburgers, a-t-il soupiré, mais Nelly, elle, est une inconditionnelle. Ça lui rappelle Londres.

Quand elle est revenue avec les burgers, nous avons mangé dans l'auto en écoutant les ultimes notes du concerto, puis nous sommes allés à un café du bord de mer où nous avons bu des jus de goyave mousseux en regardant les vagues. Moustapha, qui fredonnait tout bas l'ouverture de la Quatrième de Mahler, m'a dit soudain :

— Il faut que tu viennes à la maison. Je te ferai écouter la version de Tennstedt, ou de Solti, ou de Bernstein. Et j'ai toutes les cassettes des émissions musicales de la BBC. Ah, tu n'imagines pas à quel point c'est difficile de rencontrer quelqu'un qui s'intéresse à la musique classique, dans ce pays.

— Tu n'as aucun ami qui partage ta passion ?

— Si, il y avait quelqu'un. Un médecin. J'avais pris rendez-vous pour un bilan de santé et qu'est-ce que je vois sur son bureau ? Un disque d'un enregistrement de l'orchestre symphonique de Londres ! Évidemment, ça m'a rendu fou de joie, et lui aussi ; il a été tellement content de rencontrer enfin un mélomane qu'il a dit à sa secrétaire de fermer le cabinet pour le reste de l'après-midi, et on s'est mis à écouter du Chostakovitch… – Il a eu un petit rire à ce souvenir, puis s'est rembruni : – Il a émigré en France l'an dernier, le toubib.

Nelly a dit qu'elle en était venue à apprécier la musique classique grâce à Moustapha mais que Mahler restait « un peu beaucoup », pour elle. Ils s'étaient liés d'amitié à la faveur d'un cours d'allemand à l'institut Goethe et de toute évidence la jeune fille le considérait à la fois comme une sorte d'oncle indulgent, un compagnon en non-conformisme et quelqu'un capable d'apprécier un monde qui n'était pas égyptien et de s'identifier à lui.

Peu après, nous sommes retournés en ville et, après avoir déposé Nelly devant la maison de ses parents, nous nous sommes bientôt retrouvés dans les embouteillages. Moustapha a engagé une autre cassette dans le lecteur, une cantate de Bach, et nous avons écouté en silence, les yeux perdus sur ces voitures à l'infini.

— Tu connais l'expression « l'absurdité de la vie » ? m'a-t-il soudain interrogé. Regarde Nelly : une fille merveilleuse, qui a tout ce à quoi j'aspire, et voilà, je l'ai connue trente ans trop tard. Dans notre dos, à Alexandrie, tout le monde raconte que nous sortons ensemble. Ils n'arrivent pas à comprendre qu'on puisse être amis, simplement.

Et c'est là qu'il m'a raconté une histoire déchirante. Pour résumer, Nelly avait eu une liaison très sérieuse avec un ingénieur suédois basé à Alexandrie. L'amour fou, de part et d'autre. Il avait même accepté de se convertir à l'islam afin de pouvoir l'épouser, et ce alors que « la religion n'avait aucune importance pour Nelly », selon Moustapha. Les préparatifs de la noce avaient commencé, « la robe et les chaussures de la mariée déjà achetées », quand l'ingénieur avait décidé de s'offrir, en guise d'enterrement de sa vie de garçon, un petit voyage en Inde en solitaire, et à son arrivée à

Simla il avait cédé à la bonne vieille tentation du mysticisme. Des lettres étranges étaient parvenues à Nelly, dans lesquelles il s'épanchait longuement sur l'inanité d'une existence petite-bourgeoise et sur sa répugnance à prendre des engagements dans ce sens. Elle lui avait répondu mais les missives du Suédois extatique s'étaient faites de plus en plus rares, et de plus en plus hermétiques. Puis cela avait été le silence : aucun signe en provenance de Simla, et Nelly effondrée à Alexandrie.

— Quand je l'ai connue, elle était littéralement brisée, m'a confié Moustapha. Elle pleurait sans cesse, elle n'arrivait à penser à rien d'autre. Maintenant elle va mieux, elle a des tas de prétendants qui viennent frapper à sa porte, même si aucun d'eux ne lui plaît. Je me fais du souci pour elle. Il y a quelqu'un qu'elle trouve acceptable, un ingénieur égyptien, mais elle n'est pas emballée. Il travaille en Arabie saoudite. Il veut qu'elle l'épouse et qu'elle parte vivre avec lui là-bas. Elle y réfléchit, parce que sa mère lui met la pression pour qu'elle se marie et elle veut lui faire plaisir. Moi, je lui dis : « Si tu fais ça, tu te retrouveras là-bas avec le voile sur la tête, à jouer la bonne petite femme arabe. » Ce serait la prison, pour elle.

— Un choix pas très gai, apparemment, ai-je dit.

— Bien sûr que ce n'est pas gai, a rétorqué Moustapha. Mais aujourd'hui, quels sont les choix d'une femme en Égypte ?

— Fais pas ça, a chuchoté Ted Wallace.

— Quoi ?

— Croiser les jambes comme ça…

— Pourquoi pas ?

— Parce que… – Il a encore baissé la voix tout en me montrant discrètement la femme toute en noir assise en face de nous. – … Parce que tu lui montres la semelle de ta chaussure.

— La grande affaire, ai-je répliqué.

— Ça sera une grande affaire si elle le remarque, oui. Tu ne sais pas que c'est une insulte vachement grave en Égypte, de montrer la semelle de sa chaussure à quelqu'un ?

— Qui t'a raconté ça ?

— Ma boîte. Ils nous font suivre tout un cours sur ce genre de trucs, avant de nous envoyer ici.

— Qu'est-ce qu'ils vous ont dit de ne pas faire, aussi ?

— Jeter le mauvais œil. C'est un très, très mauvais plan, dans ces coins.

— Je prends note.

— Ouais, et pendant que tu y es, si tu reposais ton pied par terre ?

Il était comme ça, Ted Wallace. Toujours suivre les instructions. S'en tenir à une approche extrêmement pointilleuse et prudente du pays. Arriver au bout de sa mission ici sans avoir jamais exhibé la semelle de ses pompes à quiconque.

Ted Wallace était un Canadien de Vancouver, un analyste système travaillant pour l'un des géants mondiaux de l'informatique, basé en Égypte depuis à peine un an. Nous avions fait connaissance la veille. Alors que j'achetais des cigarettes à un kiosque de la place Ramleh pendant l'après-midi, il m'avait abordé en me demandant si je parlais anglais. Nous avions engagé la conversation et l'avions poursuivie dans un café proche. Il m'avait expliqué qu'il n'avait pas l'habitude d'approcher de parfaits inconnus dans la rue, mais que ses employeurs venaient de le transférer du Caire à Alexandrie et que sa femme écossaise et lui se sentaient un peu isolés. Je l'avais quitté avec une invitation à dîner chez eux le lendemain soir. Et voilà pourquoi nous étions maintenant tous deux dans un tram en route vers le quartier résidentiel où ils habitaient.

Désireux de lui faire abandonner le sujet des semelles de chaussures offensantes, j'ai demandé à Ted comment un garçon de Vancouver comme lui en était arrivé à épouser une Écossaise. Sa réponse refléta une nouvelle fois la logique toute mathématique de son esprit :

— J'étais étudiant en sciences informatiques à l'université de Colombie-Britannique et un soir mon colocataire me dit : « Tu aimerais venir à une fête ? » Bien sûr, je réponds. Il continue : « Ce n'est pas un problème si j'amène une fille que je connais ? » Bien sûr que non, je réponds. Et lui : « Elle a une amie qui vient d'Écosse. Un programme d'échanges internationaux entre facs, tu sais ? Je lui dis de l'amener aussi ? » Pourquoi pas, je réponds. Et cette fille, c'était Angela. On est allés à cette fête, on a dansé, on a parlé, à la fin je lui ai proposé qu'on se revoie, elle a dit oui, on s'est revus, c'est devenu une relation sérieuse et environ un an après on était mariés.

Pas follement romantique, à vrai dire. Mais la passion n'était pas le point fort de Ted. Il faisait partie d'une nouvelle race d'expatriés installés en Égypte, celle des émissaires de l'Ouest technologique. Contrairement aux générations d'étrangers venus à Alexandrie en quête de plaisirs sensuels, il n'éprouvait aucune fascination particulière pour la ville. Il appartenait à un univers de puces informatiques et de circuits intégrés. En l'entendant évoquer son existence antérieure et son contrat de deux ans ici, j'ai eu nettement l'impression que la vie était à ses yeux un processeur complexe dont il était décidé à percer les arcanes.

Dès que nous sommes arrivés à son appartement, toutefois, il m'a paru clair que Ted avait un gros problème d'interface avec les réalités conjugales. Angela, vingt-trois ans, native de Morningside à Édimbourg, était une « rose d'Écosse » prématurément fanée, d'une minceur inquiétante et d'une nervosité qui transparaissait dans une consommation de cigarettes implacable. Après avoir effleuré la joue de Ted d'un baiser contraint, elle a attrapé son paquet de Benson and Hedges.

— Quoi de neuf, chérie ? lui a-t-il demandé après nous avoir présentés.

— J'ai fait du jus de carotte, a-t-elle annoncé d'un ton morne.

— Hé, Doug, viens un peu à la cuisine. Il faut que je te montre ce petit gadget supercool que je viens d'acheter.

Sur l'un des plans de travail trônait une centrifugeuse à grande vitesse qui paraissait fonctionner sur pile nucléaire et, d'après ce que j'ai compris, transformait en effet n'importe quel fruit ou légume qu'on lui présentait en une myriade de particules atomiques.

— C'est ma réponse aux prix prohibitifs des jus de fruits frais en Égypte, m'a expliqué fièrement Ted. Vu les quatre dollars qu'ils prennent pour un litre de jus d'orange à l'épicier du coin, je me suis dit qu'il devait y avoir un moyen plus futé d'avoir ma dose quotidienne de vitamine C. C'est la meilleure centrifugeuse du marché. Le seul hic, c'est qu'ils se servent de merde humaine en guise d'engrais, ici ; résultat, il faut laver tous les produits frais avec une solution de potassium, et ensuite les laisser tremper dans l'eau froide. C'est bien ça, chérie ?

— M'en parle pas, a grommelé Angela. Je viens de passer deux heures sur ces foutues carottes.

— Ouais, et tu as pris les mauvaises, en plus.

— Hein ?

— Tu t'es servi de petites carottes. – Il s'est tourné vers moi. – Je lui dis toujours d'utiliser les « grosses », mais elle n'écoute pas ! – Angela s'est forcée à une ébauche de sourire avant d'allumer une nouvelle clope. – Et si on offrait un verre à Doug ? a continué joyeusement Ted.

Nous sommes retournés au salon. Angela a apporté un plateau couvert de ramequins de salades et d'amuse-gueules, ainsi qu'une bouteille de vodka, une autre de scotch et une carafe de jus de carotte. Après m'avoir servi une généreuse rasade de whisky, elle s'est préparé une vodka-jus de carotte tandis que Ted se limitait à un verre d'eau.

— Si tu as besoin de quoi que ce soit d'autre, Doug, demande et elle s'en chargera.

Il avait cette habitude étonnante de ne se référer à sa femme que par ce « elle » distant. Ainsi, quand Angela a mentionné qu'ils avaient habité à Héliopolis au temps où ils étaient au Caire, un quartier huppé et excentré, Ted a coupé :

— Ouais, mais elle n'a pas aimé, là-bas.

— C'est faux ! a protesté Angela. Ce que j'ai détesté, c'est le club féminin auquel tu as voulu que je m'inscrive.

— Mais c'était pour t'occuper !

— Tu parles d'une occupation ! Bavasser avec des Anglaises ou des Américaines frustrées qui passaient leur temps à se plaindre de l'Égypte et de leurs femmes de ménage, ou à organiser encore une vente de charité débile…

— Eh ! Il n'y a rien de mal à s'occuper de ventes de charité.

— Si. C'est barbant.

— Ah, tu es bien placée pour critiquer. Ce boulot que tu as, qu'est-ce que c'est ? De la charité payée !

J'ai tiqué. Angela a jeté un regard glacial à son mari puis écrasé sa cigarette dans le cendrier.

— Je sais que tu ne penses pas que donner des cours de rattrapage d'anglais soit un travail digne de ce nom. Et je sais aussi que ce que je rapporte à la maison n'est pas plus que deux ronds, d'après toi. Mais au moins c'est un boulot, et un boulot que je me suis trouvé, et un boulot qui me plaît.

Ted s'est hâté de faire machine arrière.

— Écoute, chérie, j'ai bien conscience du mal que tu t'es donné pour trouver ce travail, même si ce n'est qu'un mi-temps, et c'est génial que tu l'aies, vraiment génial. Tout ce que je disais, c'est que tu ne devrais pas te moquer de ces bonnes femmes d'Héliopolis. Après tout, si tu pouvais en faire autant, rester à la maison sans rien faire…

— Mais je ne reste pas à la maison sans rien faire, a répliqué Angela d'une voix qui laissait maintenant transparaître sa colère.

— Ce n'est pas ce que je voulais dire. Je voulais dire que ces femmes d'Héliopolis ne passent pas leur temps à se tourner les pouces. Elles font des choses.

— Une troupe de théâtre amateur, c'est « faire des choses », pour toi ?

— Il n'y a rien de mal à faire du théâtre amateur en Égypte, a rétorqué Ted.

Pendant qu'Angela se versait une autre vodka-jus de carotte et allumait une énième cigarette, j'ai tenté de détendre l'atmosphère en leur demandant s'ils avaient eu l'occasion de rencontrer d'autres étrangers à Alexandrie.

— Des enseignants, essentiellement, m'a répondu Angela. Et la bande d'ingénieurs classique, que je fuis autant que possible. Comme ils ont presque tous laissé bobonne à la maison, ils courent le jupon nuit et jour. Toutes les prostituées d'Alex les connaissent par leur prénom. Et si ce n'est pas les professionnelles, ils essaient toutes les femmes qu'ils croisent. L'autre jour, j'étais à un pot et j'ai demandé à l'un de ces types où je pourrais prendre des cours d'arabe. Il m'a répondu : « Je vous donne mon numéro de chambre. »

Ted s'est brusquement redressé dans son fauteuil.

— Merci pour la nouvelle ! Je n'étais pas du tout au courant…

Je me suis absenté quelques minutes aux toilettes. En revenant dans le couloir, j'ai capté une réplique courroucée d'Angela : « Ne me dis pas que tu vas recommencer avec tes scènes de jalousie ! »

Nos verres à nouveau pleins, Ted a continué à discourir sur « tous ces mecs qui courent après ma femme ».

— Il y a eu par exemple un photographe égyptien qui travaillait pour un hebdomadaire de potins du Caire. Il ne voulait plus la lâcher ! Complètement accro. Il n'arrêtait pas de venir chez nous. Un jour, il s'est pointé avec un déshabillé, il voulait la prendre en photo avec ça. Il me téléphonait même au boulot, en me demandant où était ma femme.

— Ce n'était qu'un gamin, Ted.

— Ouais, et comment on s'est débarrassés de lui ? En déménageant ! Deux fois !

— Tous les hommes égyptiens deviennent des gosses, dès qu'une femme étrangère se trouve dans les parages, a tranché Angela.

Vers onze heures, Ted a consulté sa montre et déclaré qu'il était temps d'aller se coucher.

— Je me lève tous les matins à cinq heures et demie, tu comprends, donc je ne suis pas un noctambule. Mais je ne veux surtout pas gâcher la fête, hein ? Et si tu veux passer la nuit ici, il y a une chambre d'invités. Elle te donnera des draps et tout.

Il est parti sans dire bonsoir à Angela. Dès qu'il eut refermé la porte derrière lui, elle a poussé un profond soupir :

— Il est excessivement protecteur, la vache ! Et maintenant il se fait un sang d'encre à cause des réactions antiaméricaines après ce que Reagan a fait.

— Pourquoi ça ? me suis-je étonné. Il est canadien.

— Il pense qu'on va le prendre pour un Américain. – Encore une libation de vodka à la carotte, encore une cigarette. – Je n'arrête pas de me dire que je devrais me tirer d'ici, me trouver un appart. Je ne crois plus réellement au mariage, en fait.

— Mais tu as bien dû y croire, à une époque…

— J'avais vingt ans. Ted a été le premier garçon de toute ma vie à prendre au sérieux la perspective d'une relation stable avec moi. Résultat, quand mon année s'est terminée et que j'ai dû me préparer à retourner à Édimbourg, le mariage m'a paru un choix sensé, pratique. Ted pourrait travailler en Grande-Bretagne, on pourrait voyager ensemble. Et puis il a eu ce poste ici, il est parti en Égypte et je suis restée pour terminer ma licence.

— Vous avez été séparés combien de temps ?

— Un an. Ça ne fait que deux mois et demi que je l'ai rejoint.

Angela a saisi la bouteille de vodka et, comme celle-ci était vide, s'est rabattue sur le scotch. Elle m'a confié qu'au bout de quelques semaines sans Ted à Édimbourg elle s'était sentie seule, avait commencé à beaucoup sortir et à avoir des liaisons amoureuses. À la première visite de Ted depuis son départ, elle lui avait raconté ce qui s'était passé – parce qu'elle « ne croyait pas aux mensonges » – et il avait fort mal réagi. Ils avaient surmonté cette crise, mais quatre mois plus tard elle avait « rencontré quelqu'un à l'aéroport de Bucarest ».

— Tu veux dire que tu as rencontré un Roumain ?

— Non, un Anglais. J'allais voir Ted au Caire, j'avais trouvé un billet pas cher sur un avion de la compagnie roumaine, avec une escale à Bucarest, et c'est là qu'on s'est retrouvés à parler en attendant la correspondance pour Le Caire. On s'est assis côte à côte dans l'avion. À l'arrivée, il m'a demandé mon numéro de téléphone en Angleterre, je le lui ai donné. Peu après mon retour, il m'a appelée, il m'a dit qu'il devait passer à Édimbourg, il a proposé qu'on prenne un verre. Et bon…

Elle a avalé une longue gorgée de scotch. C'était un peu prendre une cuite avec une Madame Bovary expatriée. Lorsqu'elle a commencé à me décrire les séances chez le conseiller conjugal auxquelles Ted l'avait traînée au Caire, j'ai invoqué l'épuisement et je l'ai priée de me montrer la chambre d'amis.

— Te... T'es fatigué ? s'est-elle enquise, la langue pâteuse.

— Mort.

— Tu peux pas être aussi crevé que moi, a-t-elle soutenu sombrement. Impossible.

Après une courte et mauvaise nuit, je me suis réveillé en jurant de ne plus jamais toucher au scotch. Angela et Ted étaient déjà partis au travail, ils m'avaient laissé un mot m'indiquant où je pourrais trouver le café soluble. Tout en sirotant une tasse de Nescafé insipide et en allumant leur radio, réglée sur la BBC, je me suis approché de la fenêtre. En bas, un petit marché local battait son plein. Je me suis dit que c'était exactement cela, la vie d'un expatrié en Égypte : la voix de Londres sur le tuner d'un appartement cossu pendant que deux hommes sur votre trottoir sont occupés à décapiter un poulet. Après avoir griffonné un mot de remerciement à mes hôtes, je me suis hâté de retourner dans le centre d'Alexandrie tandis que la ville retrouvait son rythme quotidien.

— Connaissez-vous la meilleure nouvelle égyptienne que l'on ait jamais écrite ? a demandé Saïd ; elle ne fait que dix mots. Écoutez : « Oh mon Dieu ! Je suis enceinte ! Qui est le père ? » – Il m'a adressé un sourire malicieux. – Vous comprenez ce que ça veut dire ?

— Je ne suis pas sûr.

— OK, je vous explique. « Oh mon Dieu ! » : la religion. « Je suis enceinte ! » : le sexe. « Qui est le père ? » : l'inconnu. Vous voyez ? C'est la nouvelle égyptienne parfaite. Il y a tout ce qu'il faut, là-dedans.

Nous étions chez Moustapha, à prendre le thé. Saïd, l'un de ses amis, était un romancier et un auteur de nouvelles tenu pour être l'un des meilleurs représentants de son art en Égypte.

— Vous savez comment ils me considèrent, au Caire ? Ils disent : « Saïd, tu es parmi nos meilleurs jeunes écrivains, un talent qui promet »... J'ai quarante-neuf ans, j'ai publié sept romans et cinq recueils de nouvelles, et ils m'appellent « jeune » écrivain, là-bas ! Pourquoi ? Parce que je vis à Alexandrie. Si tu veux être reconnu, dans ce pays, il faut habiter Le Caire. Autrement, tu es « provincial ».

C'était une doléance que j'avais déjà souvent entendue, particulièrement de la part d'écrivains installés à Dublin : le constat frustrant que l'on peut être un homme de lettres respecté dans une cité jugée « mineure » et rester pratiquement ignoré dans la jungle littéraire de la « grande ville ». Si Saïd ne voulait pas quitter son Alexandrie natale, il savait que Le Caire était l'endroit où l'on construisait sa réputation littéraire, au Moyen-Orient. Ou du moins où les écrivains avaient gardé longtemps un certain crédit car de nos jours, affirmait-il, il n'était pas sûr qu'il existe encore des lecteurs en Égypte.

— Un écrivain égyptien se confronte aujourd'hui à trois problèmes. Le premier, c'est que 70 % de la population est analphabète ; sur les 30 % qui restent, seuls 10 % auraient l'idée de consacrer un moment à un livre. En conséquence, nous n'écrivons que pour une infime partie du pays, et donc notre public est très, très limité. Le deuxième problème, c'est l'invasion télévisuelle. Les gens qui auraient pu lire dans le passé s'assoient maintenant dans leur salon et regardent les images défiler sur l'écran. J'écoute les jeunes dans le tram : ils parlent des clips musicaux ou des matchs de foot qu'ils ont vus, mais vous n'en verrez pas un avec un livre ouvert devant lui. Nous sommes devenus un pays de non-lecteurs.

» Le troisième problème est l'état de l'édition en Égypte. Il y a une compagnie d'édition étatisée au Caire, plus quelques maisons privées, mais toutes ne sont intéressées que par l'argent. Cela veut dire qu'aucun éditeur ne prendra le risque de soutenir un auteur, surtout s'il est jeune. Un écrivain égyptien n'a donc pas les moyens de se consacrer entièrement à l'écriture. Moi, par exemple, je suis ingénieur chimiste ; Youssouf Idriss, notre meilleur auteur de nouvelles, est journaliste ; Naguib Mahfouz, notre plus grand romancier, était fonctionnaire… Même les plus doués sont obligés d'avoir un travail en plus.

Moustapha l'a interrompu pour suggérer que nous poursuivions cet échange dans un restaurant proche du souk. Avant de sortir, toutefois, il a tenu à me montrer sa collection de livres, un curieux assortiment d'anciennes éditions américaines, françaises et anglaises qu'il avait pour l'essentiel achetées au rabais après l'expulsion des ressortissants étrangers ordonnée par Nasser en 1956, quand les bouquinistes d'Alexandrie avaient soudain été submergés d'ouvrages rares. Puis il a sorti d'un petit placard quatre grosses liasses de feuillets qu'il m'a présentées avec beaucoup de cérémonie :

— L'œuvre de ma vie, m'a-t-il dit.

— Un roman ?

— Non, un dictionnaire. Le premier dictionnaire de la musique classique en langue arabe. J'y ai consacré des années et des années et si je le vois publié, je mourrai heureux.

Le manuscrit, qui atteignait déjà plus de sept cents pages, était magnifiquement calligraphié, avec les noms propres en caractères latins et les notices biographiques ou historiques en cursive arabe. C'était un monumental ouvrage de référence pour tout le monde arabophone, mais verrait-il seulement le jour ? Moustapha n'était pas épargné par le doute lui-même, puisqu'il m'a confié :

— Il m'a fallu six ans pour l'écrire mais parfois je me dis : « Tu es complètement fou. Personne dans tout le Moyen-Orient ne s'intéresse à ça. Aucun éditeur du Caire n'en voudra. »

— Inch'Allah, tu en trouveras un, a voulu le réconforter Saïd.

— Allah ne s'intéresse pas à Gustav Mahler, a répliqué son ami.

C'est la Deuxième Symphonie de son cher compositeur qu'il a choisie comme musique de fond du trajet en voiture jusqu'au restaurant. À un moment, Saïd m'a montré une photocopie de sa récente nouvelle que venait de publier *October Magazine*, la revue en langue anglaise la plus prestigieuse d'Égypte. Il l'avait traduite lui-même, m'a-t-il expliqué, et même si son anglais écrit était loin d'être parfait, le message de son texte était aisément compréhensible.

Émigré au ciel est un conte philosophique qui a pour acteur principal une créature en partie humaine et en partie surnaturelle, Clod. Celui-ci apparaît un beau jour dans une région de notre planète, qui n'est pas précisée. Son état d'esprit et sa vision de la vie présentent « maintes caractéristiques du comportement humain qui prédominait avant le début de ce siècle ». Il se manifeste d'abord dans une usine où les ouvriers sont très surpris de découvrir ce géant en train de tripoter les commandes de leurs machines. Un contremaître s'approche et lui dit : « Qu'est-ce que tu fiches là, imbécile ? » La réaction de Clod est de pousser l'individu dans les mâchoires d'une rotative. Les ouvriers regardent, stupéfaits, mais personne ne tente de venir à la rescousse du contremaître, chacun préférant s'inventer des excuses pour sa propre passivité. Clod les jauge d'un air « ironique, profondément méprisant », puis arrête la machine ; le contremaître en sort indemne, les ouvriers le félicitent d'avoir échappé de si peu à la mort et Clod s'en va après avoir soupiré : « Pauvres hommes… »

Ensuite, Clod débarque dans une église, interrompant l'officiant au milieu de son sermon.

— Qu'est-ce que tu fais ? lui demande-t-il.

— Je prêche à ces gens, répond l'autre.

— Regarde-les. La moitié d'entre eux sont endormis, et les autres bavardent.

— Voilà des dizaines d'années qu'il en est ainsi, cher monsieur.

— À quoi bon ne t'adresser qu'à toi-même, alors ? insiste Clod.

— Pour faire mon devoir, pour remplir mon office.

— Tu parles dans le vide.

— Existe-t-il un autre choix ? interroge le curé.

Le même jour, Clod s'arrête à une mosquée et pose à l'imam les mêmes questions à propos de la passivité de ses fidèles, sans recevoir plus de réponses. Puis il rend visite au gouverneur local, qui s'apprête à séduire une femme dans son palais au luxe ostentatoire. Il fait irruption dans la chambre à coucher au moment critique, le notable tente d'appeler la police pour le faire arrêter, mais Clod s'évanouit dans les airs avant d'être pris. La rumeur publique s'empare de cet événement, les gens déplorent le comportement scandaleux du riche et puissant prévaricateur, mais lorsque celui-ci se présente peu après à une réunion publique la foule l'entoure et clame : « Longue vie à notre gouverneur ! »

En réalité, Clod ne s'est pas dissipé comme par magie, il a réellement fui le palais et, au cours de l'enquête, la police découvre le manteau qu'il a perdu dans sa fuite. Une note trouvée dans l'une des poches indique : « Tout te rapetisse dans ce pays, Clod. Pourquoi ne t'envoles-tu pas ? »

Finalement, Clod redescend sur terre. Retourné au palais, il convainc la femme du gouverneur de lui ouvrir son lit. Les cris d'extase de cette dernière finissent par attirer toute une horde qui se saisit de Clod et le moleste. Arrivant à se dégager de ses assaillants, il leur fait face et proclame : « Peuple, n'attends pas de nouveaux prophètes ! » Et il disparaît encore. Quelques jours plus tard, le corps inanimé d'un géant est retrouvé. Bien qu'une équipe d'experts médicaux soutienne qu'il s'agit bien de Clod, des habitants de cette contrée affirment l'avoir vu dans le ciel, penché sur la terre. Le nouveau gouverneur nommé après ces incidents s'empresse de promulguer une loi punissant de mort les citoyens qui oseront parler de Clod. Celui-ci ne se manifeste plus jamais.

Derrière l'hyperbole, il était facile de capter la signification contemporaine de l'histoire de Saïd : un être mythique, personnifiant les valeurs de l'Égypte du siècle dernier, explore l'hypocrisie dans laquelle la nation se débat aujourd'hui, un pays où la religion est une supercherie, les personnalités publiques sont corrompues et la vaste majorité des gens se complaisent dans la passivité. L'Égypte vue par Saïd, en pleine débâcle morale, ne devait pas s'attendre « à de nouveaux prophètes ». En criant cet avertissement à la populace, Clod leur dit : « Regardez autour de vous. Voyez à quel point votre foi est sans vie, voyez la vénalité de vos dirigeants, voyez comment vous permettez à un système injuste de se perpétuer, voyez le désert éthique que vous habitez. »

Saïd a paru apprécier mon interprétation de sa nouvelle, ajoutant :

— Oui, c'est un sombre tableau que je trace de mon pays.

— Sombre mais vrai, est intervenu Moustapha. L'Égypte est une catastrophe.

Saïd l'a considéré avec un sourire indulgent, puis :

— Tu pourrais vivre ailleurs ?

Après quelques secondes de réflexion, Moustapha a reconnu :

— Non, sans doute pas.

— Ah, tu vois ? Nous avons tous peur pour l'Égypte, nous avons tous peur de l'avenir, mais aucun d'entre nous n'irait vivre ailleurs. Quelle relation aberrante avec son pays !

— Et tu resteras toujours à Alexandrie ? ai-je voulu savoir.

— Je pense m'en aller, parfois, a reconnu Saïd. Youssouf Idriss, cet écrivain dont je parlais, n'arrête pas de me dire : « Viens vivre au Caire, travaille dans un journal et tu seras un auteur connu. » Mais je ne supporte pas le bruit et la cohue du Caire ; c'est trop, pour moi. Alexandrie est en train de devenir pareille, j'admets. Une si belle petite ville, dans le temps… Maintenant, nous sommes près de trois millions, on se bouscule, ça vire à la maison de fous. Mais c'est « ma » maison, alors je reste.

— Qu'est-ce qui te manquerait le plus, si tu partais d'Alexandrie ?

— La mer. Et les histoires. Alexandrie est un endroit qui fourmille d'histoires. Tu en as entendu beaucoup, depuis que tu es là ?

— Trop. Ce sera dur de m'en aller.

— Alors, reste ! a suggéré Saïd. Reste un moment.

L'offre était tentante. Avec son charme de photo sépia, Alexandrie était incontestablement une ville attirante. Il y avait quelque chose de confortable dans son délabrement, quelque chose qui vous invitait à explorer votre tendance à l'oisiveté, une fois que vous aviez percé à jour ses mythes trompeurs. Je me serais bien vu m'installer un moment au New Capri, traîner tous les matins au café Athineos, écouter du Mahler chez Moustapha, me joindre au salon hebdomadaire de Sarwat, et me laisser aller à la paresse. C'était un danger inhérent à cet endroit, cette langueur qui finissait par décourager toute ambition ou désir d'aller de l'avant. La ville était toujours sous le coup d'une grandiose gueule de bois historique, et comme le fêtard qui se réveille le matin après avoir abusé de la dive bouteille elle restait encline à se dire qu'elle était différente de celle qu'elle avait été la veille. Tout en se proclamant cité égyptienne, elle tournait le dos au reste du pays et regardait vers la mer. Rester à Alexandrie, cela aurait été s'abandonner à rêver à ce monde qui s'étendait au nord et dont la ville s'affirmait encore partie prenante tout en sachant, au fond d'elle-même, qu'elle en avait été bannie. Pour moi, qui venais d'arriver de ce monde-là, il était temps de m'en détourner et de regarder en direction du désert. Par conséquent, j'ai répondu à Saïd que je partais le lendemain.

— Tu reviendras, m'a-t-il assuré. Et Alexandrie sera toujours là. Tu sais pourquoi ? Parce qu'elle raconte des histoires. Tant qu'elle en aura, Alexandrie vivra.

3

Zones militarisées

Le receveur de l'autobus avait une conception très personnelle de la prononciation anglaise. Pour lui, cette langue devait se parler en une rapide succession de points d'exclamation : « Tu veux aller à Mersa Matrouh ! Pas problème ! Quatre heures avec bus, c'est tout ! Tu vas à Siwa demain ! Pas problème ! Cinq heures avec bus, c'est tout ! »

Son collègue, le chauffeur, était jeune et suicidaire. Il manifestait une véritable obsession à l'égard des camions-citernes : dès qu'il en voyait un devant lui, il mettait le pied au plancher, précipitait son véhicule bringuebalant au cul du camion rempli d'essence et effleurait le pare-chocs arrière. Ce n'était pas un geste d'affection, mais un appel énergique à libérer la voie.

Comme mon siège était à l'avant, je disposais d'une vue imprenable non seulement sur notre kamikaze en pleine action mais aussi sur le vaste pare-brise, et il ne m'a pas fallu longtemps pour me dire que rien ne m'empêcherait d'aller finir dans cette gigantesque plaque de verre si notre chauffeur tardait à freiner lors de sa prochaine explication avec un camion-citerne. Cramponné à l'accoudoir, j'ai préféré baisser les yeux et observer mes phalanges crispées virer au blanc.

Après avoir quitté les derniers faubourgs d'Alexandrie, nous sommes entrés dans une zone industrielle hérissée de raffineries de pétrole. À la suite de notre première rencontre avec un camion-citerne, le conducteur a glissé dans le lecteur une cassette composée de récitations de passages édifiants du Coran. « Au nom d'Allah », psalmodiait l'imam tandis que nous approchions à une vitesse inquiétante d'un endroit où la route faisait une fourche. Au tout dernier moment, le chauffeur s'est décidé à obliquer à droite si soudainement que, pendant quelques éprouvantes secondes, les roues gauches ont quitté le sol. Et l'imam à continuer d'invoquer le « nom d'Allah, le Tout Miséricordieux, le Très Miséricordieux »…

Les raffineries ont disparu. Nous avons filé au milieu d'une plaine broussailleuse, puis le désert a commencé à nous étreindre. La mer, référence constante sur le côté droit de la route, a fini par échapper à la vue et il n'y a bientôt plus eu qu'une immense étendue de sable brunâtre s'étendant de toutes parts.

Un autre camion-citerne a reçu cet indicible baiser sur le derrière tant prisé par le chauffeur, qui, ensuite, a lancé son engin à cent trente kilomètres à l'heure pour tout le reste du voyage, ne ralentissant qu'une seule fois dans le but d'observer les lieux d'un accident tout récent, une collision frontale entre un autobus et un semi-remorque. Ça n'était pas beau à voir.

— C'est arrivé hier ! m'a assuré le receveur d'une voix de stentor. Trois morts !

Je me suis cramponné un peu plus. Le soleil sanguinolent a laissé la place à la nuit tandis que le chauffeur nous faisait une nouvelle démonstration de son impétuosité en dédaignant d'allumer ses phares. C'était curieux, cette sensation de foncer dans le noir : comme piloter un petit avion dans le brouillard, sans doute. Heureusement, la route est restée vide un long moment, jusqu'à ce que j'aperçoive soudain deux pinceaux de lumière avançant vers nous. Loin de manifester sa présence, le chauffeur a appuyé sur l'accélérateur déjà proche du plancher, provoquant un long coup de klaxon de la part de l'autre conducteur affolé ; alors que je me préparais à me jeter sous mon siège en prévision du choc, notre kamikaze a brusquement mis pleins phares, aveuglant l'importun qui n'a eu d'autre recours que de se rabattre précipitamment sur le bas-côté envahi par le sable. Enchanté par sa victoire, il a aussitôt éteint de nouveau ses lumières afin de poursuivre sa course folle dans le noir. J'ai jeté un coup d'œil aux autres passagers. Sans doute habitués de cette ligne, ils faisaient preuve d'une impassibilité admirable, mais ce stoïcisme inébranlable n'a pu me rassurer. C'est donc avec le plus grand soulagement que j'ai constaté que nous arrivions à un barrage militaire, au-delà duquel la faible lueur d'une agglomération promettait la fin de cette épreuve.

À première vue, Mersa Matrouh était un gros village constitué de blocs en béton armé et de rues poussiéreuses, qui ne sortait de sa torpeur qu'aux heures du marché local. Une inspection plus poussée ne révélait rien de plus et pourtant ce bourg avait quelque chose de rafraîchissant, après le vernis cosmopolite d'Alexandrie. C'était un avant-poste endormi à l'orée du désert occidental qui se satisfaisait de ses petites épiceries, de ses étals de légumes et de ses ruelles ensablées.

L'été, Mersa Matrouh devient cependant une station balnéaire, une alternative à la corniche alexandrine pour les moins fortunés. Ce port fondé au temps d'Alexandre le Grand a reçu son statut de lieu de villégiature estivale lorsque Cléopâtre y a entraîné César pour quelques week-ends de débauche. Plus récemment, Nasser aimait venir se reposer ici quand la lourde tâche de bâtir une Égypte socialiste lui était trop pesante, et son portrait trône encore dans plusieurs magasins et cafés de l'artère principale. Le visiteur le plus célèbre de la bourgade reste sans doute le maréchal Erwin Rommel, qui s'était installé dans une caverne à l'extrémité ouest de la ville pour préparer son plan de bataille de Tobrouk. De nos jours, cette grotte est un musée et les citoyens de Mersa Matrouh ont honoré la mémoire du chef militaire nazi en donnant son nom à un petit hôtel.

C'est donc au Rommel House Hotel que j'ai posé mon sac, dix livres égyptiennes par jour me conférant un lit propre et une cuvette de W-C qui puait l'égout encrassé. Aussitôt ressorti, je suis tombé sur un convoi de jeeps militaires en train de cahoter sur la chaussée défoncée de la rue principale. J'ai aussi remarqué deux soldats en faction près de l'hôtel et, après avoir marché un peu, les antennes-radars dernier cri qui hérissaient plusieurs de ces bâtiments trapus. Tout cela venait rappeler que la Libye était proche et que Mersa Matrouh était désormais presque une ville de garnison, un QG militaire proche de la frontière occidentale. Celle-ci, qui se trouvait à trois heures de route le long de la côte, était fermée depuis des années. Ainsi s'expliquaient également les chicanes et barrages à toutes les entrées de l'agglomération, et le fait que la région entière était une zone militaire. Même certaines portions de la plage étaient interdites aux civils, tout cela parce que le colonel Kadhafi se trouvait juste à deux cent vingt kilomètres de là. Mersa Matrouh était le « Fort Apache » de l'armée égyptienne.

Dans la grand-rue, néanmoins – prévisiblement appelée « rue d'Alexandrie » –, la somnolence de la morte-saison n'avait aucun accent martial. Quelques cafés restaient ouverts, des Bédouins passaient de temps à autre sur des charrettes tirées par des mulets, et tous les commerçants qui n'avaient pas fermé étaient devant leur téléviseur, captivés par le dernier feuilleton égyptien en vogue. Même Théo, le tenancier de la taverne grecque locale, paraissait fort bien s'arranger de l'absence de clientèle. Lorsque j'ai passé la tête dans la salle déserte et que je lui ai demandé s'il servait encore à dîner, il a haussé les épaules et soupiré : « Bon, je vais vous trouver quelque chose. »

Grec d'Égypte, Théo était un homme râblé, sanglé dans un costume avec saharienne très nassérien et perpétuellement perché sur un haut tabouret en face d'un pupitre de style victorien. On aurait cru un personnage de Dickens échoué sur ces rivages de la Méditerranée.

— Qu'est-ce que vous voulez ? Du poisson ? C'est tout ce qu'on a, donc c'est ce que vous aurez. OK ?

Au moment où il me détaillait ainsi son menu, un grand type est entré et a salué le patron de la taverne très aimablement :

— *As salam aleikoum*, fils de pute ! Ça boume, sacré vieux Théo ?

Un Américain. Comme je le regardais s'asseoir à une table, il s'est adressé à moi :

— Hé, tu veux ma photo ? Viens plutôt par ici et prends une biérette avec moi.

J'ai obtempéré. Il m'a tendu la main :

— Jack Bradshaw. Écoute, faut m'excuser si j'ai l'air un peu ouf, mais j'ai pas arrêté de picoler de toute la putain de journée.

Soudain, un autre Américain a fait son apparition. Celui-ci portait des lunettes épaisses comme des culs de bouteille et paraissait avoir eu un ballon de football greffé sur le ventre.

— Hé, Hank, c'est quoi ces conneries que tu te balades à dos de mulet ? lui a lancé Jack.

— J't'l'avais dit, mec. Avant d'partir d'ici, j'voulais faire un tour sur un putain d'âne.

— Hank sur un mulet ! C'est trop, ça ! Fais gaffe à pas te casser la gueule de c'baudet, tu m'entends ?

Quand Hank est ressorti d'un pas chancelant pour aller voir sa monture, Jack m'a expliqué :

— Ce zigue, il bosse pour une boîte pétrolière de Houston, putain de Texas. Il est venu ici pour des repérages ou je sais pas quoi et demain il repart au Caire, alors ce soir fallait absolument qu'il monte sur un mulet. Pas croyable, hein ? – Deux bouteilles de Stella Artois ont été posées devant nous. – Comment t'as dit que tu t'appelais, déjà ?

Ingénieur en travaux publics employé par une société de construction du Colorado, Jack était un vétéran des missions à l'étranger puisqu'il avait travaillé auparavant en Iran, au Vietnam, en Malaisie, en Arabie saoudite et au Soudan. Spécialiste des coins paumés tels que Mersa Matrouh, il se portait toujours volontaire pour des postes dans des régions isolées.

— J'ai passé des mois sur un projet dans l'trou du cul du Soudan, m'a-t-il raconté. À vivre avec les négros dans la putain de savane. Pas d'eau courante, nulle part où poser sa crotte tranquillement, rien ! Eh bien, ça a été le meilleur moment de ma vie ! Des gens super, les Soudanais. Tu trouveras pas mieux sur toute la planète. Mais, bon Dieu, maintenant le pays est complètement par terre, avec ces histoires d'islamisme. Une foutue tragédie, là-bas. Ici, c'est tranquille. Plus que tranquille, ce qui me va au poil. Comparé au putain de Soudan, c'est la civilisation ! – Il a baissé la voix. – Mais un conseil, p'tit : méfie-toi des Égyptiens. Arrogants comme pas possible ! J'veux dire, tu embauches un gus qui traînait dans la rue et au bout de quinze jours il veut t'expliquer ton boulot ! Ma boîte pense investir dans le coin, mais les locaux, ils se comportent comme si c'était eux qui te faisaient une fleur…

Il a vidé sa bière d'un trait, en a commandé deux autres :

— T'es marié, p'tit ? s'est-il enquis.

— Oui.

— Combien de fois ?

— Juste une.

— Juste une fois ? Eh, mec, t'as encore le lait qui te pisse du blair ! Tu veux marquer quelque chose dans ton calepin ? – Il a posé le doigt sur mon bloc-notes, transformé pour l'heure en dessous-de-verre. – Moi, j'ai eu six femmes ! Marié à une Américaine, d'abord, et ensuite à une dame française, et ensuite une Iranienne, suivie par une Vietnamienne… – Il s'est arrêté, l'air perplexe. – Attends, je me goure pas, là ? Non, la Vietnamienne « avant » l'Iranienne, et après encore une autre Viet. Présentement, je suis à la colle avec une

Malaise… Ouais, c'est comme ça qu'on dit pour les nanas de Malaisie. – Il a sorti de son portefeuille une photographie de son épouse actuelle tenant dans les bras un bébé. – Ça, c'est mon premier gosse. Un fils.

— Rien qu'un ? Je suis étonné.

— T'es pas le seul ! Pendant des années, les toubibs m'ont répété que j'étais stérile, et puis je rencontre cette Malaise et après deux mois de mariage, bang ! À quarante-neuf ans, la vache ! Mais j'ai eu un gosse.

Il a souri derrière sa bouteille de Stella.

— Où sont-ils ? lui ai-je demandé.

— À Kuala Lumpur. Ils viennent me rejoindre ici dans un mois. Une femme fantastique, ma bourgeoise. Pas très éduquée mais une mère exceptionnelle !

Au cours des trois heures suivantes, j'ai eu droit à une conférence sur le monde selon Jack Bradshaw, un journal de voyage parfois incohérent et souvent tordant. Cela a commené par les USA, où il s'était presque brisé l'échine pendant un entraînement au saut en parachute avec les Bérets verts. L'étape suivante, il s'est retrouvé au Vietnam, travaillant dans les communications par satellite, et il s'était débrouillé pour photographier l'offensive du Têt du haut d'un pylône de transmission. Ensuite, on est arrivés à Téhéran et à une dissertation sur les tendances suicidaires des chauffeurs de bus iraniens. Puis on a filé en Arabie saoudite, avec un exposé sur les dangers de la conduite en état d'ivresse à Djeddah. Il a immédiatement enchaîné sur le récit, d'une précision cinématographique, d'un vol à travers une tempête de sable à bord d'un appareil de la compagnie aérienne soudanaise, avant de revenir à la péninsule arabique pour cette histoire :

— Dans un café de Riyad, je commence à causer avec un ingénieur anglais et tu sais pas ce qu'il me dit, ce branleur ? Il me fait : « Un jour, je me suis assis sur les murailles de La Mecque, Jack. » Et moi, tu sais ce que j'y réponds ? « Si c'est vrai, mon pote, je veux voir les impacts de balle que tu dois avoir dans les fesses ! »

C'était un tour organisé dans cette partie du monde où les professionnels du tiers-monde dérivent d'un pays sous-développé à l'autre, sur une route intercontinentale que Jack parcourait depuis vingt ans. Bien qu'outrageusement américain, il était devenu apatride : « Je retournerai jamais aux States, mec, c'est trop rasoir pour moi. » Par conséquent, il vivait en transit permanent entre des hameaux frissonnants de malaria et des villages assommés par la canicule, ajoutant de nouvelles entrées à son journal de voyage, poussant chaque fois un peu plus loin vers les derniers confins des terres habitées.

Il était minuit lorsque Théo nous a finalement mis dehors. Nous avons titubé le long de la rue d'Alexandrie, remplis de bière. Jack s'est arrêté pour considérer la piste silencieuse qui, au-delà du bourg, allait se perdre en zigzaguant dans le désert.

— Tu sais quoi, p'tit ? a-t-il soufflé. C'est pas une mauvaise vie que j'ai…

Nous nous sommes dit bonsoir. En le regardant s'éloigner, j'ai pensé que dans chaque petite ville tassée au bord du néant comme celle-ci, il y aura toujours un Jack Bradshaw.

Penchez-vous sur une carte de l'Égypte, forcez vos yeux à se détourner de la colonne vertébrale formée par le Nil et laissez-les errer à l'ouest, sur une région presque dépourvue de noms. Presque au milieu de cette toile vide, vous remarquerez une petite constellation de points s'étendant vers le sud et reliés entre eux par une fine ligne rouge. Il s'agit des oasis de Bahariya, Farafra, Dakhla et Kharga, et la ligne est la piste qui les unit au fleuve. À première vue, ce sont les seuls signes de vie humaine dans cet immense bac à sable, mais si vous regardez encore plus loin à gauche, vous découvrirez un point à quelques centimètres de la frontière libyenne, très frappant parce qu'il se détache au centre de nulle part, isolé du reste du pays. Comment une ville, une communauté régie par un ordre social, peut-elle survivre dans une solitude aussi extrême, aussi menaçante ? vous demanderez-vous. Est-ce que cette tache infime, Siwa, peut être habitée ?

C'est la question que je m'étais posée en étudiant la carte de l'Égypte quelques mois avant mon départ. Aussitôt, l'isolement absolu de ce lieu dont je n'avais pas soupçonné l'existence m'avait attiré et je m'étais mis à chercher des informations sur cette bizarrerie géographique, au-delà de l'au-delà. Mes premiers résultats ont été maigres. Dans mon guide Baedeker de 1929, j'ai glané quelques indications historiques, et notamment le fait que l'oasis de Siwa avait jadis été le siège de l'un des plus célèbres devins de l'Antiquité, l'oracle d'Amon, qu'Alexandre le Grand en personne était allé consulter en l'an 331 av. J.-C. Ensuite, aucun Européen n'avait mis les pieds à Siwa jusqu'en 1792. D'après le guide, et d'autres ouvrages qui mentionnaient tout aussi brièvement cette oasis perdue, le lieu était peuplé essentiellement de Berbères qui communiquaient dans une langue parlée par eux seuls.

C'est seulement à mon arrivée à Alexandrie que je suis tombé sur un livre traitant exclusivement du microcosme de Siwa : le premier des trois volumes que le Pr Ahmed Fakhry a consacrés à l'histoire et à la culture des oasis égyptiennes, une véritable mine d'informations non conventionnelles à propos de Siwa. Étude historique des plus sérieuses, le travail du Pr Fakhry contient également un grand nombre d'anecdotes « piquantes » que l'on trouve plutôt dans la presse à scandale, et bien que l'auteur ait cherché à relativiser les aspects les plus baroques des mœurs de Siwa il m'est vite apparu que, jusqu'à une période très récente encore, cette oasis avait eu une réputation assez sulfureuse.

Malgré son rayonnement durant l'Antiquité en raison de son fameux oracle, Siwa a disparu de la carte avant de revenir à la vie au début du XIIIe siècle. C'était à l'origine une forteresse entourée de murs derrière lesquels deux tribus coexistaient dans une ambiance très peu fraternelle. Peut-être les noms auxquels répondaient l'une et l'autre factions rivales dérivaient-ils de leurs difficiles relations, puisqu'ils s'appelaient respectivement « Orientaux » et « Occidentaux ». Dans un contexte moderne, il peut sembler ironique que « l'Est » et « l'Ouest » se soient trouvés rassemblés dans la même enceinte au lieu d'être séparés par un mur, comme en Europe. Même si l'histoire de Siwa abonde en récits d'affrontements entre les deux clans, qui devaient se poursuivre jusqu'au XIXe siècle, les « Orientaux » et les « Occidentaux » ont oublié leurs différends et serré les rangs chaque fois que leur citadelle était menacée par des forces extérieures. De plus, ils partageaient au moins un trait commun : une méfiance tenace à l'encontre du reste du monde.

Ajoutée à l'isolement complet de l'oasis, cette xénophobie persistante a permis aux gens de Siwa de réécrire à leur façon les règles morales acceptées par la majeure partie de l'humanité. Le Pr Fakhry cite ainsi un inspecteur régional de l'Empire britannique qui, ayant eu à se rendre à Siwa plusieurs fois au début du XXe siècle, décrivait en ces termes les mœurs sexuelles de ses habitants : « Ce n'est pas qu'ils soient immoraux, c'est qu'ils n'ont simplement aucune notion de la moralité. (…) Ils considèrent apparemment que tous les vices leur sont autorisés. » Le représentant de l'Empire se référait ici notamment à la coutume qui permettait aux hommes de se marier entre eux. Si le roi Fouad allait mettre fin à cette pratique durant sa visite à l'oasis en 1923 – « La fête est finie, les garçons », l'imagine-t-on déclarer à la population mâle de Siwa –, un contrat de mariage entre deux personnes du sexe masculin avait jusqu'alors été tenu pour un document parfaitement légal. Que les « Zaggalah », la classe servile de la citadelle, aient eu l'interdiction d'épouser une femme avant d'atteindre l'âge de quarante ans n'était sans doute pas étranger à la popularité des unions homosexuelles. Quoi qu'il en soit, Siwa a été longtemps perçu comme le San Francisco du désert occidental.

Cette atmosphère de libertinage n'existait plus de nos jours, affirmait le spécialiste des oasis à ses lecteurs, mais ce n'était pas seulement sa notoriété passée de cité ultra-permissive qui me donnait envie de traverser une formidable étendue désertique pour me rendre à Siwa : il y avait aussi sa situation géographique rarissime, l'attraction romantique que les villes du désert exercent toujours sur nous. Et puis, j'étais curieux de voir si celle-ci avait été affectée par la modernité qui s'étendait peu à peu par-delà ses frontières sablonneuses.

Comme j'allais vite m'en rendre compte, toutefois, aller à Siwa n'était pas une sinécure. En raison de la proximité du territoire libyen, l'oasis se trouvait en zone militaire et le voyage nécessitait une autorisation spéciale du gouverneur de Mersa Matrouh. L'obtention de celle-ci n'avait rien d'évident, non plus, et les informations les plus contradictoires m'étaient données sur le délai nécessaire pour recevoir le précieux sauf-conduit : alors que Jack Bradshaw m'assurait que l'un de ses amis l'avait obtenu en moins de six heures, un autre ingénieur avait dû ronger son frein à Mersa Matrouh pendant trois jours avant de pouvoir se mettre en route. Tout dépendait de l'humeur des bureaucrates le jour où l'on déposait sa demande, ainsi que de l'état toujours volatil des relations égypto-libyennes ; si le colonel Kadhafi faisait encore des siennes, on pouvait oublier le voyage à Siwa car l'oasis était aussitôt coupée du reste du monde.

Le siège du gouverneur de Mersa Matrouh était une bastille victorienne du désert à laquelle ne manquaient ni les remparts en pierre, ni les tours de vigie crénelées. Un petit groupe de soldats montaient la garde à l'entrée ; à mon approche, l'une des recrues a pointé son fusil vers moi, me décourageant d'avancer d'un pas de plus.

— Un permis pour aller à Siwa ? ai-je tenté tout en remarquant que le soldat avait du mal à trouver la détente de son arme.

Comme il ne semblait pas comprendre, j'ai répété ma question mais il a continué à me viser, droit à la tête. Nous sommes restés ainsi, immobiles comme les personnages d'un tableau, jusqu'à ce qu'un jeune officier fasse son apparition et ordonne au conscrit de retourner à l'intérieur.

— Je suis désolé, a-t-il dit en venant à moi. C'est un nouveau et il est très zélé. Vous venez demander un permis pour Siwa ? – J'ai hoché la tête. – Vous avez une autorisation de nous ?

— Euh, non. C'est pour ça que je suis ici.

— Vous devez avoir d'abord l'autorisation pour obtenir votre autorisation.

— Et où dois-je demander cette autorisation pour votre autorisation ?

— Là où ils donnent les autorisations.

Un silence inconfortable a suivi. Je fixais l'officier, interloqué, en me demandant pourquoi je m'arrangeais toujours pour me retrouver confronté à ce genre de conversation. Il a fini par piger :

— Vous ne savez où demander l'autorisation d'abord ?

— Je viens d'arriver à Mersa Matrouh.

Sortant de sa poche un bout de papier, il y a griffonné quelque chose avant de me le tendre.

— Vous allez là pour la première autorisation. Ensuite, vous allez au studio du photographe et ils font une photo de votre passeport. Ensuite, vous revenez ici et nous vous donnons la deuxième autorisation. C'est très simple, vous voyez ?

J'ai rebroussé chemin, passant devant un tas d'ordures en train de se décomposer au soleil. Deux chevrettes se battaient avec un essaim de mouches pour le contrôle d'une carcasse de poulet – les mouches semblaient avoir le dessus. Plus loin, assis sur le perron d'un poste de commandement militaire, deux soldats dormaient. Je les ai enjambés et je suis entré dans une petite cour où deux étrangers battaient la semelle sous un palmier.

— Siwa ? leur ai-je demandé.

— Ouais, si le diable veut qu'on y arrive jamais, a bougonné l'un d'eux avec un accent australien.

Il s'appelait Geoff et il ressemblait à un guitariste de groupe de heavy metal tandis que son compagnon, Ian, était plutôt timide et réservé. Tous deux enseignants dans une école de langues du Caire, ils espéraient prendre la route de Siwa sur leurs motos dans l'après-midi. Nous sommes restés à bavarder pendant près d'une demi-heure avant qu'un officier fasse son apparition. Dans un arabe impeccable, Ian lui a expliqué que nous désirions tous nous rendre à Siwa. Il a pris nos passeports et il est reparti, revenant au bout de plus d'un quart d'heure avec une épaisse liasse de formulaires que nous devions remplir. Cela nous a demandé encore une bonne demi-heure, puis il s'est à nouveau éclipsé après nous avoir fait conduire dans un petit bunker en béton qui servait de salle d'attente. Geoff et moi commencions à être sur des charbons ardents, mais Ian paraissait s'accommoder de la lenteur du processus. Ainsi qu'on me l'avait dit, en Égypte la patience est une religion, et Ian s'y était de toute évidence converti.

Vingt minutes plus tard, notre interlocuteur est revenu avec les autorisations tant désirées. On nous a dit de nous rendre au studio du photographe, où se trouvait l'unique photocopieuse de la ville. Après avoir reçu une copie de la première page de nos passeports, nous avons pu retourner au fort du gouverneur. Cette fois, le soldat ne m'a pas menacé de son fusil et nous a conduits à un poste de garde décoré d'affiches qui exhortaient les conscrits à ne pas parler des affaires de l'armée en public, avec en arrière-plan des individus interlopes en gabardine se tapissant derrière des dunes de sable – les agents des ennemis de l'Égypte, évidemment. Un fonctionnaire a passé quarante minutes à remplir une autre série de formulaires et à prendre note de tous les visas étrangers présents dans nos passeports. Enfin, trois petits carrés de papier nous ont été remis : nos permis de résidence dans l'oasis de Siwa pendant quatre jours. J'ai regardé ma montre : cette course d'obstacles bureaucratique avait pris trois heures, mais en comparaison des histoires cauchemardesques que j'avais entendues à ce sujet nous n'avions pas à nous plaindre.

Devant le siège du gouverneur, j'ai souhaité bon voyage à Ian et Geoff. Après avoir démarré sa moto d'un coup de kick, celui-ci m'a lancé : « Si tu arrives avant nous, retiens-nous une chambre au Hilton, d'acc ? » Ils sont partis en slalomant entre les ornières de la piste tandis que je me hâtais de rejoindre la « maison Rommel », où j'ai fait rapidement mon sac avant de marcher jusqu'à la gare routière, à près de deux kilomètres de là. C'était un abri en parpaings entouré d'un grillage, qui donnait sur des latrines à ciel ouvert ; quelques rangs de chaises en plastique boulonnées au sol, sur lesquelles une petite poignée de soldats attendaient l'express de l'après-midi desservant l'oasis.

— Où toi vas ? m'a interrogé l'un d'eux.

— Siwa.

— Tu as permis ? – Je lui ai montré mon sésame, dont la vue a semblé le soulager. – Toi pas permis, ils te jettent du bus en plein désert. Pas bon, désert. Pas bon, Siwa. Pourquoi tu veux aller là-bas, toi fou ?

Je n'ai pas eu le temps de lui répondre car l'autobus venait de s'arrêter devant l'abri, un véhicule venu d'un autre âge qui faisait penser aux guimbardes charriant les travailleurs saisonniers à travers le Midwest américain au temps de la Dépression. Celui-ci était bourré de soldats, en majorité des bleus qui partaient accomplir neuf mois de service au milieu de cette mer de sable, perspective qui ne paraissait pas les réjouir. Comme tous les sièges étaient occupés, je suis resté debout dans le couloir, mais un officier tiré à quatre épingles a surgi, ordonnant à l'un des conscrits de libérer sa place. Malgré mes protestations devant ce traitement de faveur que je trouvais gênant, il m'a obligé à m'asseoir ; j'ai obtempéré en adressant un geste d'excuse au soldat évincé. Le bus avait déjà redémarré dans un bruit de tôles.

Après avoir traversé un marché en évitant des mulets livrés à eux-mêmes et des chèvres suicidaires, nous sommes parvenus à un contrôle militaire, où un soldat est monté dans le bus et a examiné mon passeport et mon sauf-conduit. Une pancarte sur un pieu de guingois indiquait : « Siwa 285 km ». Devant nous, un étroit ruban d'asphalte se déroulait à perte de vue dans le désert. C'était la version moderne de la piste caravanière qu'Alexandre le Grand avait lui-même jadis empruntée. Avant la visite du roi Fouad à Siwa en 1928, elle restait un simple chemin dans le sable et il fallait trois jours de route pour atteindre l'oasis depuis Mersa Matrouh ; le roi avait promis aux gens de Siwa une route digne de ce nom, mais les travaux s'étaient interrompus à mi-course, oubliés par l'administration cairote, puis des décennies s'étaient écoulées jusqu'à ce que l'arrivée au pouvoir du colonel Kadhafi à Tripoli réveille les autorités cairotes – le chantier avait alors été achevé en quelques années.

Le bus a pris de la vitesse et nous sommes entrés dans le néant. Du sable à perte de vue. Une plaine sans végétation, sans dunes, sans reliefs à l'horizon, dont la monotonie avait un effet hypnotique. Rien que le sable et cette ligne de macadam d'un noir intense qui nous tirait un peu plus à l'intérieur d'une vacuité sans limites. Nous nous trouvions maintenant dans un autre espace : l'équivalent visuel de l'infini.

Les cent premiers kilomètres, la route est restée complètement vide, mais brusquement deux silhouettes se sont matérialisées au loin : une bédouine et sa fillette, qui nous ont regardés passer comme si nous étions les envoyés d'un monde qui dépassait leur entendement avant de détourner la tête et de continuer à marcher dans le néant. À mi-chemin de Siwa, nous avons atteint l'unique bâtiment qui existe encore au bord de cette artère remontant à l'Antiquité, un petit bunker transformé en une buvette sordide où l'on trouvait du café, du thé, des assiettes de *foul* et des bouteilles d'orangeade couvertes de poussière. Tout le monde s'est rué dehors pour aller pisser sur le sable, en direction de la Libye. Je venais de finir de me soulager quand l'officier qui m'avait procuré un siège m'a fait appeler.

— J'ai vu que vous aviez un passeport irlandais, m'a-t-il dit. Vous êtes de Belfast ?

— Non, Dublin.

— Ah ! Alors, vous n'êtes pas habitué à avoir des soldats autour de vous comme quelqu'un de Belfast.

Il s'intéressait à la situation irlandaise, c'était clair. Nous nous sommes présentés. Le lieutenant-colonel Hakim était un militaire de carrière originaire d'Alexandrie qui allait bientôt achever une mission de trois ans à Siwa. Dès son diplôme universitaire obtenu, il avait été enrôlé en tant qu'officier – l'un des désavantages rencontrés par les diplômés en Égypte, car ils étaient automatiquement soumis à une conscription de trois années, beaucoup plus longue que celle de la majorité des jeunes. Quant à lui, il avait décidé de s'engager dans l'armée après avoir accompli son service et se satisfaisait de la vie militaire, même à Siwa. L'extrême isolement de l'oasis exerçait toujours sa fascination sur lui, et il y avait appris à se dispenser des plaisirs futiles de la vie urbaine.

Le patron du café nous a apporté une théière de thé à la menthe et deux petits verres. Comme le soir approchait, le breuvage brûlant a efficacement combattu le froid que je sentais monter du sol. Les yeux sur cette aridité sans limites, j'ai imaginé l'angoisse que devait éprouver celui qui s'y aventurait seul. Le lieutenant-colonel se faisait sans doute les mêmes réflexions car il a pointé du doigt le couchant et déclaré :

— Vous marchez tout droit dans cette direction pendant cent kilomètres et vous pouvez dire bonjour à notre ami Kadhafi.

Le chauffeur du bus nous a tous ramenés à bord d'un coup de klaxon. Le moteur a toussoté, craché, et nous avons entamé les trois dernières heures de route qui nous séparaient de Siwa. Le ciel avait été nuageux toute la journée, mais pour ses derniers instants le soleil nous a offert une sortie en beauté, quatre pinceaux de vive lumière qui balayaient la vastitude désertique. Des nuages, presque des fumerolles en fait, ont formé sur le ciel plombé ce qui ressemblait à une ligne de calligraphie arabe. Le soldat assis à côté de moi me les a montrés d'un geste :

— C'est beau, oui ?

— Très beau.

— L'œuvre d'Allah.

Rompant avec la tradition de sa profession, le chauffeur a allumé ses phares dès que la nuit a été complète. Puisque tous les plafonniers de la cabine étaient hors d'usage, il n'y avait rien d'autre à faire que patienter en contemplant le jeu des phares sur l'asphalte. Au bout de deux heures, j'ai remarqué une lueur incertaine à l'horizon, le signe d'une agglomération. Une jeep militaire est arrivée vers nous en nous adressant des appels de phare, le bus s'est arrêté en tressautant, le lieutenant-colonel Hakim est descendu et m'a adressé un au revoir de la main avant de monter dans la jeep. Nous étions à dix kilomètres de l'oasis, dont les lumières sont restées floues malgré notre approche, comme si elles se trouvaient derrière un voile de gaze. Je me suis assoupi quelques minutes, me réveillant en sursaut lorsque le chauffeur a klaxonné en immobilisant son bus devant une station-service.

Par la vitre, je n'ai distingué qu'une structure métallique et quelques véhicules de l'armée. Ramassant leurs paquetages, les soldats ont quitté l'autobus et, alors que je m'apprêtais à les suivre, le chauffeur a crié : « Vous, assis. » Dès qu'il a mis pied à terre, je lui ai désobéi et je me suis aventuré dehors. Était-ce Siwa, cette pompe à essence perdue dans la nuit ? Au bout de vingt minutes, le chauffeur est revenu. Quand je lui ai demandé où je pourrais trouver un hôtel, il m'a fait signe de remonter dans le bus et il a répété : « Vous, assis. »

Nous sommes repartis, traversant une place de village sans âme qui vive. La route s'est rétrécie, se transformant en une piste mal entretenue. Alors que je tentais à nouveau de lui demander où je serais en mesure de me loger, le chauffeur m'a offert sa réponse favorite : « Vous, assis. »

— Où on va ? ai-je insisté.

Silence. Cinq cents mètres plus loin, il a fait halte devant un bâtiment en béton.

— Tu descendre ici.

— Mais où suis-je ? ai-je voulu savoir.

— Descendre ici.

Il ne me restait plus qu'à obtempérer. Il a claqué la portière derrière moi et a redémarré. J'ai inspecté les alentours. « Centre de surveillance », indiquait un panneau fixé sur le bloc, mais le bâtiment était plongé dans l'obscurité, la porte et les persiennes fermées. Je voyais des immeubles un peu plus loin, eux aussi sans lumière. Une brise légère s'est levée qui a rapidement couvert mon sac et mes vêtements d'une pellicule de sable. Une main en visière sur les yeux pour me protéger du picotement de cette multitude de grains, j'ai encore regardé autour de moi. Le constat s'est imposé d'un coup : je n'avais nulle part où aller. C'était Siwa. Le bout de la route.

Une main s'est posée sur mon épaule, me faisant sursauter.

— Désolé de vous avoir fait peur, a dit un homme dont je ne distinguais pas les traits mais dont l'élocution anglaise était parfaite. Vous avez votre passeport et votre permis de séjour à Siwa ?

J'ai sorti machinalement les documents demandés et je les ai tendus dans sa direction.

— Je n'ai pas besoin de les voir, a fait la voix dans la pénombre. C'était juste une question.

— Vous voulez dire que vous n'êtes pas un militaire ?

— Si c'est ce que vous pensiez, vous avez une très piètre idée de mon intelligence.

La lune est sortie un instant des nuages. J'avais devant moi un type d'une vingtaine d'années, hirsute, mal rasé, hagard, mais avec une montre en or au poignet et une manière de s'exprimer qui révélait la meilleure éducation.

— Que faites-vous à une heure pareille dans un endroit aussi improbable ? a-t-il continué.

— Je viens d'arriver à Siwa pour y passer quelques jours. Nous sommes bien à Siwa, n'est-ce pas ?

— Hélas, oui. Puis-je vous poser une question personnelle ? Est-ce que vous êtes coutumier de ce genre de folies ? Venir dans une oasis absurdement perdue au fin fond de nulle part, par exemple ?

— Je voyage à travers le pays.

— Voulez-vous un bon conseil ? Repartez par le premier bus demain. Il n'y a rien, ici. Rien.

— Dans ce cas, pourquoi êtes-vous là ?

— Oh, ce n'est pas par choix, cher ami. – Du menton, il m'a indiqué une Land Rover aux portières couvertes d'autocollants de rallyes automobiles garée à quelques mètres. – Je me présente : Dr Sabry, du Caire. Je participe au rallye Rothman, six mille kilomètres à travers le désert d'Égypte. L'homme que vous voyez endormi par terre à côté de la voiture est mon chauffeur. Le châssis a cassé il y a quatre jours, en plein désert, et il nous a fallu tout ce temps pour nous traîner jusqu'ici. Nous avons eu de la chance de ne pas y rester.

Le Dr Sabry a poursuivi en m'apprenant qu'il était interne en pédiatrie dans un hôpital universitaire du Caire, « le plus grand de toute l'Afrique, avec un équipement de pointe ». Il m'a également laissé entendre qu'il n'avait cure de mon désir pressant de trouver une chambre :

— Aucun hôtel ne vous acceptera tant que vous n'aurez pas été interrogé et enregistré par l'officier de surveillance.

— Où est-il ?

— Un groupe de soldats est parti le chercher. Nous l'attendons depuis plus d'une heure. Cette partie de Siwa est touchée par une coupure d'électricité, comme vous le voyez, ce qui explique que nous soyons dans le noir et que le centre de surveillance soit éteint.

— Ah, génial.

— Alors, vous comprenez maintenant qu'un voyage à Siwa n'a pas été la décision la plus judicieuse de votre vie ? – Un paquet de Cleopatra et un briquet Cartier sont apparus dans sa main. – Voudriez-vous une cigarette ? Ils ne vendent rien d'autre que ces saletés égyptiennes dans un coin aussi perdu, et je ne puis donc pas vous offrir de Dunhill, ma marque préférée.

« Saletés égyptiennes. » La formule m'a marqué : aux yeux du Dr Sabry, à peu près tout ce qui provenait de son pays était déficient ; il se considérait comme un être à part, que seul un hasard sournois avait fait naître dans le tiers-monde, et tenait donc à marquer son éloignement de la réalité égyptienne en arborant des symboles du raffinement européen, montre suisse en or, briquet Cartier, cigarettes Dunhill… C'était une identité occidentale en trompe-l'œil, qui pouvait s'acquérir dans n'importe quel duty-free, mais à laquelle il s'accrochait parce qu'elle le distinguait du *fellah*, projetait l'image d'un homme libre qui avait les moyens de prendre part à un rallye international et maudissait maintenant le sable de Siwa, l'absence d'un hôtel digne de ce nom et la pauvreté des ressources de son kiosque à tabac. En l'écoutant pester dans son anglais châtié de lycée privé, je me suis dit qu'il était aussi étranger à l'Égypte que moi.

Nous avons fini nos cigarettes de marque inférieure. Quelques minutes plus tard, un soldat m'a escorté à l'intérieur du centre de surveillance en disant au Dr Sabry de continuer à attendre. Après avoir trébuché dans un escalier ténébreux, j'ai débouché avec mon escorte dans une pièce éclairée par une lampe à pétrole. Un civil grisonnant était assis derrière un bureau, occupé à hurler dans le combiné d'un téléphone de campagne, qu'il a bientôt raccroché brutalement. Il a fouillé dans la pile de papiers entassés devant lui, s'est remis à beugler, ce qui a fait rappliquer un soldat en faction à la porte, et le fonctionnaire a repris ses vociférations en me montrant du doigt. J'imagine qu'il disait quelque chose comme : « Vous m'amenez ce type à dix heures un dimanche soir ! », mais j'aurais été incapable de distinguer le moindre sens dans ce déluge de mots. Le conscrit a baissé les yeux sur ses chaussures, j'ai levé les miens sur un portrait de Hosni Moubarak qui observait la scène et ne paraissait pas vraiment amusé.

Le fonctionnaire s'est enfin tu. D'un pas accablé, il m'a entraîné dans une pièce adjacente, où il a aussitôt recommencé à tempêter, car le soldat avait oublié de lui apporter la lampe à pétrole, probablement la seule de tout le bâtiment. D'un claquement de doigts, il m'a fait comprendre que je devais lui remettre mon passeport et mon permis de séjour, puis il a ouvert en soupirant un énorme registre qui aurait été bien à sa place dans le bureau de Scrooge et a entrepris de recopier toutes mes données.

— Vous restez quatre jours, a-t-il grommelé.

— Non. J'ai l'intention de passer seulement trois jours à Siwa.

— Le permis est pour quatre jours, vous restez quatre jours.

— Mais je ne prévoyais que trois jours…

— Il faut quatre.

— Le permis m'autorise à passer « jusqu'à » quatre jours. Ça ne signifie pas que je sois obligé de rester tout ce temps.

— Vous restez quatre jours, a-t-il répété.

J'ai tenté une nouvelle tactique.

— D'accord. Est-ce que je peux rester cinq jours ?

— Non ! Quatre jours.

La lampe s'est éteinte. Dans l'obscurité, le fonctionnaire a produit une nouvelle salve de hurlements. Le jeune conscrit s'est bientôt précipité dans la pièce, porteur d'un bout de chandelle qu'il avait réussi à dénicher. La lumière revenue, notre entretien s'est poursuivi.

— J'ai une question, si vous voulez bien, ai-je risqué. Voilà, j'ai un visa égyptien d'un mois. Si je décide de ne séjourner que quinze jours dans le pays, est-ce qu'on va m'arrêter à l'aéroport du Caire et m'obliger à passer tout le mois ?

Il a réfléchi un moment, puis :

— Quatre jours. C'est tout. – Attrapant mon passeport sur la table, il l'a jeté dans un tiroir qu'il a refermé. – Je garde.

— Bon… Est-ce que je peux aller à un hôtel, maintenant.

— Vous attendez.

Sur ce, la chandelle est morte. Encore des beuglements, qui n'ont eu aucun effet cette fois. Le civil m'a ramené au bureau initial, désormais occupé par un militaire grassouillet sanglé dans un uniforme blanc et amidonné. « L'officier de surveillance », a annoncé le fonctionnaire. L'important personnage, qui faisait aller un chapelet de perles entre ses doigts, m'a souri et proposé du thé. Je lui ai expliqué notre léger différend quant à la durée de mon séjour ; le fonctionnaire s'est lancé dans une tirade indignée, accompagnée de grandes claques sur le front. Quand il s'est tu, épuisé, l'officier m'a adressé un nouveau sourire et il a prononcé calmement :

— Quatre jours.

Le thé est arrivé. L'officier m'a offert une cigarette. Bien que mon passeport ait été confisqué et que mon statut fût très proche de la résidence forcée, il fallait me traiter comme un hôte de marque. Toutes mes expériences avec la bureaucratie égyptienne se sont déroulées de cette manière : d'abord une plongée vertigineuse dans un labyrinthe de règlements qui défiaient toute logique, puis la découverte que mes geôliers étaient de simples humains qui ne comprenaient pas plus que moi la règle du jeu qu'ils jouaient et considéraient donc leurs fonctions comme une représentation théâtrale subtilement codée qu'il ne fallait pas prendre au sérieux. Plus encore que partout ailleurs en Égypte, la patience était la vertu essentielle, dès que l'on entrait dans un bâtiment administratif. Trépignez et invectivez le petit fonctionnaire, vous vous retrouverez dans une impasse ; partagez avec lui une tasse de thé et une cigarette, vous arriverez peut-être à le convaincre que vous n'avez pas besoin de passer plus de trois jours à Siwa. C'est la philosophie que j'ai adoptée ce soir-là.

— OK, a dit l'officier lorsque nous avons eu vidé la théière. Tu peux aller hôtel, maintenant. Le soldat va avec toi. Tu dois revenir ici à dix heures demain matin. Pour rencontrer ton guide.

— En fait, je ne pensais pas…

— Erreur. Tous les étrangers, ils viennent à Siwa, ils doivent avoir guide. C'est le règlement.

Il m'a serré la main avant de recommencer à jouer avec son chapelet. J'aurais voulu prendre congé du civil, mais il était à nouveau trop occupé à vociférer dans le téléphone.

La recrue m'a conduit à l'hôtel Siwa, le meilleur établissement de l'oasis : une simple cahute comportant deux chambres au sol en béton brut, chacune éclairée par une ampoule électrique dénudée qui, lorsqu'elle pouvait s'allumer, se transformait en centre de conférences pour une myriade de moustiques. Des lits paraissant venir d'un asile d'aliénés de l'époque victorienne envahissaient presque tout l'espace, leur matelas bourré de paille couvert d'un tissu jaunâtre et d'une couverture à l'odeur nauséabonde. En guise de toilettes, une guérite en boue séchée percée d'un trou au sol, d'un robinet et d'un bidon en fer. Une livre la nuit, l'hôtel Siwa se révélait très cher.

On m'a assigné la chambre où se trouvaient déjà deux occupants, des journalistes français travaillant en free-lance et basés au Caire. Jean-Claude Aunos, un photojournaliste habillé comme un correspondant de guerre à Beyrouth, devait repartir le lendemain pour Alexandrie, tandis que Patrick Godeau comptait rester jusqu'à la fin du mois d'octobre pour terminer son papier sur la vie dans une oasis. Tout en fumant et en nous passant une bouteille d'eau minérale, nous avons échangé nos vues sur la bureaucratie locale. Ils connaissaient bien le fonctionnaire hurleur – « un imbécile », selon Jean-Claude – et m'ont conseillé de ne jamais dire à un militaire que j'étais écrivain parce que l'armée me verrait alors comme un journaliste étranger, lequel, pour se rendre à Siwa, devait avoir une autorisation spéciale du Service de la presse internationale au Caire. J'ai eu un moment de panique silencieuse en imaginant le fonctionnaire grisonnant découvrir que j'étais ici sous le déguisement fallacieux du simple routard.

L'ampoule au plafond a commencé à faiblir. Les pannes d'électricité étaient une constante de la vie de l'oasis, m'a expliqué Patrick. Il n'y avait pas assez de générateurs à Siwa, et par conséquent ils ne fonctionnaient qu'une fois la nuit tombée sauf exception : par exemple le jour où un générateur d'urgence avait été installé sur la place principale afin que les habitants puissent suivre à la télévision la retransmission en direct depuis Le Caire d'un match de football important.

— Tu veux dire qu'il y a la télévision à Siwa ? ai-je demandé, incrédule.

— Depuis six mois seulement, m'a répondu Patrick. Disons qu'il y a trois ou quatre postes dans toute l'oasis.

La téloche dans ce vide désertique, dans une bourgade où l'électricité ne fonctionnait que dix heures par jour et où les responsables travaillaient à la lumière d'une lampe à pétrole… Tout était paradoxal, à Siwa. Des bédouins rassemblés devant un match de football, des bureaucrates pour qui un permis de séjour équivalait à une sentence de prison… Où était la logique ?

— La logique à Siwa ? s'est écrié Jean-Claude. Oublie ! C'est un défi à la logique, cet endroit.

L'ampoule s'est éteinte. L'oasis s'est enfoncée dans les ténèbres.

Je n'ai pas fermé l'œil de la nuit. La couverture de mon lit pullulait de moustiques que le serpentin d'encens de Patrick n'est pas parvenu à dissuader de lancer leurs raids en piqué. Vers six heures du matin, Jean-Claude s'est levé pour attraper le premier bus de la journée à destination d'Alexandrie et je suis resté dans mon lit tout habillé, écoutant le muezzin de la mosquée la plus proche appeler à la prière du matin. Une heure s'est écoulée. Enfin, j'ai pris mon courage à deux mains et j'ai résolu de tenter de prendre une douche.

C'était un cube en béton avec un robinet et un seau en fer rouillé. Comme les « toilettes » étaient juste à côté, le seul moyen de surmonter l'odeur suffocante des déjections humaines était de se laver tout en fumant une cigarette. Après avoir retiré mes vêtements, j'ai donc allumé une Cleopatra sur laquelle je me suis mis à tirer comme un malade en attendant que le seau se remplisse ; après avoir posé la cigarette sur une margelle, j'ai renversé d'un coup l'eau glacée sur ma tête et j'ai recommencé à fumer tout en me savonnant. La même opération s'est reproduite quand je me suis rincé. Patrick, maintenant réveillé, a souri en me voyant entrer dans la chambre tout mouillé :

— C'était bien, la douche ?

Peu après, nous sommes partis sur sa moto à la recherche d'un petit déjeuner. Je me suis rendu compte qu'il y avait en réalité deux Siwa : une place de marché prise entre deux quartiers d'habitation, et les ruines d'une ancienne cité à la conception architecturale des plus originales. Le centre de la première offrait quelques épiceries, une boucherie, deux cafés et une échoppe minuscule dans laquelle officiait un barbier. À cette heure, les rues étaient presque désertes, de sorte que le village faisait penser à un décor de cinéma monté à la hâte par un producteur pressé, et abandonné quand le tournage s'était déplacé ailleurs.

Après avoir mis pied à terre devant l'un des deux estaminets, nous avons eu un petit déjeuner de *foul* et de thé à la menthe sur une table construite par le patron. À un moment, un jeune gars d'allure peu commode, aux traits marqués par la petite vérole exprimant une humeur des plus maussades, s'est approché de nous et s'est adressé à Patrick dans un arabe aussi rapide qu'une mitraillette.

— Il dit qu'il s'appelle Abou, a traduit mon compagnon à mon intention, et que le centre de surveillance l'a chargé de te guider dans Siwa.

L'intéressé m'ayant adressé un sourire contraint, j'ai découvert à qui il m'avait fait penser depuis le début : un de ces petits truands qui abondent dans les films de Jean-Paul Belmondo, ces porte-flingues qui se chargent des sales boulots pour leur boss et donnent des raclées préventives aux prostituées sur les quais de Marseille. Patrick avait eu le même jugement, car il m'a soufflé à l'oreille lorsque nous nous sommes levés pour payer :

— Ce type n'est pas un guide. Il appartient à la police secrète, c'est sûr. Fais attention à ce que tu lui racontes.

Une fois que Patrick nous eut laissés, Abou m'a présenté le programme de la matinée :

— D'abord, on va à la vieille ville. Ensuite, la montagne. Ensuite, le temple. Ensuite, la piscine de Cléopâtre. C'est ça, le tour.

Son enthousiasme était vraiment communicatif.

Nous nous sommes donc rendus à pied aux restes de la forteresse médiévale édifiée en 1203 par les familles installées dans l'oasis afin de repousser les attaques de tribus bédouines hostiles. Le conseil des anciens de Siwa – les « agwad » – avait résolu que toutes les habitations devaient être construites à l'intérieur de l'enceinte, et que les femmes n'étaient pas autorisées à sortir de celle-ci. Le temps passant, cette mentalité d'assiégé allait créer de sérieux problèmes urbanistiques et conduire les édiles à trouver une réponse, très originale pour le XIIIe siècle, à la pression démographique grandissante : le gratte-ciel. Comme les urbanistes de Manhattan ou de Hong Kong bien plus tard, ils avaient compris que le seul moyen d'étendre la capacité d'accueil était de construire à la verticale, et par conséquent chaque famille avait reçu pour instruction de bâtir un nouvel étage chaque fois qu'elle s'agrandirait. Ainsi, si votre fils se mariait, le nouveau couple s'installait au-dessus de votre tête, et si votre bru avait des jumeaux cela impliquait de monter encore deux fois plus haut.

Il semble que cette version médiévale de la tour de banlieue ait satisfait ses habitants, du moins tant qu'il ne pleuvait pas. En cas de pluie, en effet, le matériau de construction utilisé à Siwa – le « karchif », boue séchée contenant une grande concentration de sel – s'effritait, se dissolvait, et toute la ville menaçait de disparaître dans un torrent de boue. Les braves gens de Siwa tablaient évidemment sur le fait que cette région du désert ne recevait pratiquement jamais de précipitations, mais les chroniques locales rapportent plusieurs orages inattendus sous lesquels la ville fortifiée avait fondu comme neige au soleil.

Les Siwanais ont continué à vivre dans leur enceinte pendant plus de six siècles. En 1820, cependant, les troupes de Méhémet Ali, ayant conquis l'oasis, avaient proposé un marché aux anciens : s'ils se plaçaient volontairement sous la protection du Caire, ils seraient protégés contre les bandes de pillards bédouins. Après six années d'escarmouches et de batailles, cette menace avait été enfin écartée et les « agwad » avaient commencé à autoriser les habitants à s'installer en dehors de la forteresse ; une nouvelle ville s'était développée peu à peu tandis que la citadelle, sous les averses sporadiques, se transformait en une tour de Babel à moitié écroulée et désormais sans utilité.

Avec Abou, j'ai escaladé le tas de blocs fracturés et de poussière de boue séchée afin d'atteindre le sommet de ce château mis à bas par les éléments. De là, on apercevait une forêt de palmiers, un grand lac salé, des mares d'eau de source scintillant au soleil, puis, au-delà, le tapis monotone du désert. Résolu à jouer mon rôle de touriste, je me suis disposé à prendre en photo la barrière de granit peu élevée qui s'étendait plus loin et sur laquelle des antennes de télécommunications avaient été installées çà et là. Aussitôt, mon guide a posé une main sur l'objectif de mon appareil.

— Pas cette montagne, s'il vous plaît. C'est pas autorisé.

Abou prenait son travail au sérieux. Siwa étant une zone sensible, tout visiteur devait être considéré avec méfiance. Je me suis demandé si la crainte de gestes hostiles de la part de la Libye justifiait à elle seule la manie du secret que les autorités militaires manifestaient ici, ou si elles avaient fini par succomber elles aussi au repli sur soi que cette oasis avait toujours encouragé chez ses habitants. De mon perchoir, je percevais bien comment l'immensité environnante avait poussé les Siwanais du Moyen Âge à se retrancher dans leur îlot, comment l'isolement avait conduit à l'insularité et au développement d'un ordre social spécifique. Malgré son équipement technologique moderne, l'armée égyptienne, venue à nouveau protéger l'oasis d'une menace extérieure, semblait se couler dans la tradition de l'ancienne forteresse comme si ce lieu faisait naître une réticence intime face à tout ce qui pouvait venir du reste du monde.

Abou, lui, ne semblait craindre qu'une seule chose : que mon objectif soit pointé dans la mauvaise direction. En redescendant la colline de décombres, nous avons croisé quelques familles qui vivaient encore dans des huttes en torchis à ses pieds. Je m'apprêtais à photographier une fille en train de traire une chèvre, mais une fois encore mon mentor m'a arrêté :

— Pardon, c'est interdit. Règlement militaire.

— Pourquoi le règlement militaire m'interdirait-il de prendre une photo d'une fillette qui trait une chèvre ? me suis-je étonné.

— C'est le règlement, mon ami.

J'ai remis mon appareil dans son étui, préférant ne pas risquer d'être jugé suspect parce que j'avais voulu immortaliser cette scène rustique. De retour au centre de la ville nouvelle, nous sommes passés devant une cour d'école où les élèves étaient alignés en rangs, comme à la parade. Un enseignant planté devant eux hurlait des ordres. Soudain, les enfants se sont mis au garde-à-vous et, tapant du pied sur le sol, ont scandé en rythme : *Misr ! Misr !* (« Égypte, Égypte ! ») Effectuant un quart de tour à droite impeccable, ils sont partis vers les salles de classe ; même à l'âge de huit ans, les futurs édiles de Siwan s'entraînaient à défendre leur territoire.

Une voiture devait nous conduire ensuite au temple de l'Oracle. Bien qu'ayant longtemps erré dans un dédale de bureaux poussiéreux, Abou n'a pas été en mesure de trouver le chauffeur et nous sommes donc revenus sur la place centrale où, après avoir parlementé avec un garçon en *galabiya* et pieds nus, il a réussi à le convaincre de nous louer sa charrette attelée à un mulet afin que nous puissions poursuivre notre exploration de l'oasis. Insistant pour prendre les rênes, il nous a conduits droit dans un mur ; un sérieux savon passé à la bête en arabe nous a permis de nous engager sur une piste en terre.

Celle-ci, qui cheminait sous les frondaisons tropicales des palmiers, n'était pas assez large pour que deux carrioles circulent de front. À un moment, nous avons dû nous ranger sur le côté pour laisser passer un autre attelage conduit par un sexagénaire chenu mais vigoureux, dont le visage faisait penser à un bas-relief craquelé. Sa jeune épouse, cérémonieusement assise à l'arrière, a remonté son voile sur ses traits et détourné la tête en nous croisant. Un peu plus tard, une volée de petites filles s'est abattue sur la piste ; courant autour de nous, elles criaient « Hello, hello ! » et envoyaient des baisers à mon cocher. Je n'ai pu m'empêcher de penser qu'elles aussi seraient un jour installées derrière leur seigneur et maître, et devraient cacher leur visage devant n'importe quel autre homme.

Le temple de l'Oracle était également une construction ceinte de murailles, tout aussi déserte que la vieille ville. Ici, Alexandre avait consulté le célèbre devin d'Amon, mais il avait refusé de communiquer la teneur de leur entrevue, même à ses plus proches amis. Encore des secrets, encore des énigmes… Siwa au passé énigmatique, dans ses moindres détails. Fière de son oracle aux dons surnaturels, l'oasis continuait à croire en ses mystères bien gardés. Le temple n'était plus qu'un vestige hanté où, jadis, on venait consulter un dieu capable de discerner le futur de chacun et auquel de nos jours on se rendait sous l'escorte d'un agent de la police secrète qui veillait à ce que l'on ne puisse surprendre aucun élément de l'avenir militaire de Siwa à travers l'objectif de son appareil-photo…

Après le temple, nous nous sommes arrêtés à un bassin naturel, alimenté par une source où la légende voulait que Cléopâtre se soit baignée. Une fois revenus péniblement en ville, j'ai payé la location de la carriole au garçon avant d'aller m'asseoir avec Abou sous l'auvent d'une épicerie, où nous avons bu du Coca-Cola. Demeuré taciturne et circonspect pendant toute la matinée, mon guide s'est un peu détendu, sachant que sa mission parvenait à son terme. Il m'a appris qu'il venait d'Alexandrie.

— Je veux retourner là-bas mais l'armée dit que je dois d'abord travailler ici. C'est mauvais, Siwa : pas cinémas, pas dancings, rien. Je deviens fou, ici.

Je ne pouvais que sympathiser avec lui, car trois années à Siwa en tant que sous-espion semblaient une punition excessivement dure, mais je n'arrivais toujours pas à le trouver sympathique. Son visage enfantin et grêlé avait une expression qui suggérait un bourreau en formation, ce que m'a confirmé la délectation avec laquelle il a suivi la scène qui s'est alors déroulée sous nos yeux. Poursuivant un petit chevreau autour de la place, le patron du magasin a fini par l'attraper, le lier par les pattes et le jeter à terre juste devant nous. Alors que le patron saisissait un grand coutelas rouillé, Abou s'est amusé à houspiller de son pied la bête affolée, ravi par ses bêlements terrorisés. Je me suis levé et je me suis éloigné. « Tu regardes pas ? » m'a-t-il crié. Je n'ai pas répondu. Les cris du chevreau se sont précipités, amplifiés par les façades autour de la place, puis il y a eu un bruit sourd auquel le silence a succédé.

Ma visite autorisée de Siwa venait de se terminer.

À deux heures de l'après-midi, le soleil était une boule de feu qui brûlait tout sans merci. Le marché s'est vidé et j'ai battu en retraite dans la chambre d'hôtel, où je me suis accordé une heure de sieste avant que Patrick, de retour, me réveille. Deux motards arrêtés dehors avaient demandé de mes nouvelles, m'a-t-il appris. J'en ai déduit que Ian et Geoff avaient finalement accompli leur périple.

— À peine dix kilomètres après avoir quitté ce foutu Matrouh, ma moto m'a lâché, m'a expliqué Geoff. On a dû faire demi-tour pour la nuit. On est arrivés il y a seulement deux heures.

— Qu'on a passées au centre de surveillance, a complété Ian.

— Avec un connard qui n'arrêtait pas de beugler dans le bigophone, a dit Geoff ; tu as eu affaire à lui ?

Un autre jeune sicaire de la police secrète est venu chercher les deux compères pour les amener à leur hôtel, notre modeste auberge de deux chambres étant déjà complète. Je suis retourné à mon grabat et à mes carnets de notes, mais comme quelqu'un s'était mis en tête d'écouter *Thriller* de Michael Jackson à fond les manettes dans la petite boutique qui flanquait notre refuge j'ai demandé à Patrick de me prêter son walkman. Comme il n'avait qu'une seule cassette – *Le Messie* de Haendel dirigé par sir Colin Davis –, j'ai écrit avec ce majestueux accompagnement. Levant les yeux, j'ai vu par la fenêtre un long convoi de l'armée passer devant l'hôtel au moment où le baryton se mettait à chanter :

« Partez droit dans le désert,

« Une grand-route pour notre Dieu... »

Patrick m'a interrompu :

— Viens, je vais te montrer Siwa by night !

La vie nocturne de l'oasis se résumait en un mot : télévision. Arrivés quelques mois plus tôt, les premiers postes avaient déjà produit une impression considérable sur la population. Dans le petit restaurant où Patrick m'a conduit, les rangées de chaises alignées devant l'écran accroché au mur avaient été prises d'assaut par des villageois et des bédouins de passage, et cet auditoire exclusivement masculin était en train de contempler dans le plus grand silence une brochette de jeunes Californiennes en shorts et mini-tops mâchouillant à l'unisson pour vanter les bienfaits du chewing-gum Dentyne. Les publicités suivantes étaient *made in Egypt* : un magasin de meubles du Caire spécialisé dans les imitations de causeuses à la Farouk, puis un spot présentant des bouchers qui chantaient en chœur, avec plusieurs gros plans sur des pièces de viande fraîchement débitées.

Les Siwanais étaient captivés par ces filles blondes et ces bouchers chantants. Une vaste majorité d'entre eux faisaient ainsi la découverte du cosmopolitisme clinquant de l'Égypte des grandes villes, sans se douter certainement que la lanterne magique de marque japonaise avait déjà transformé leur routine sociale : au lieu des conversations animées et des parties de trictrac qui marquaient jusqu'alors ces soirées entre hommes, la télévision obligeait chacun à se replier dans la contemplation individuelle de cet univers inimaginable. Après des siècles d'autodéfense, les gens de l'oasis avaient baissé la garde et permis l'entrée d'un envahisseur qui allait profondément modifier leur vision du monde et leur mode de vie. Et, contrairement à ses prédécesseurs, la télé avait pénétré au sein de la forteresse mentale sans avoir à livrer un seul combat.

Abandonnant les spectateurs au début du nouvel épisode d'un drame costumé égyptien, nous sommes allés dans un café plus traditionnel, où le silence n'était rompu que par quelques bavardages et par le bruit des fiches de dominos sur les tables. Après avoir accueilli Patrick à bras ouverts, le patron l'a informé que le chef du centre de surveillance de Siwa nous attendait dans un autre établissement de la place afin de boire une tasse de thé avec nous. Patrick lui a dit que nous allions d'abord en prendre une chez lui, car il préparait le meilleur thé de l'oasis, un compliment qui a paru mettre aux anges le digne cafetier.

— Il faut toujours faire ça, ici, m'a glissé ensuite mon compagnon de chambrée. Il y a une rivalité entre ces deux cafés, donc tu dois ménager l'amour-propre de chacun. L'amour-propre est la base de tout, à Siwa.

C'était une évidence chez le chef des services de surveillance de l'oasis, M. Badawi, que nous avons rejoint peu après. La trentaine, vêtu d'une saharienne couleur camouflage et taillée sur mesure, une Marlboro vissée dans un fume-cigarette en ivoire, il avait un visage étonnamment juvénile mais aussi un regard froid, implacable, qui semblait indiquer qu'il n'hésiterait pas une seconde à fixer des électrodes sur les parties les plus sensibles de votre anatomie s'il avait besoin de vous faire parler. Entouré par une cour de sous-fifres, il n'était pas sans rappeler quelque « parrain » sicilien recevant deux étrangers sur ses terres.

— Ah oui, vous êtes le gentleman qui vient d'Irlande, m'a-t-il lancé. J'ai vu votre passeport cet après-midi. – Le sourire entendu qu'il m'a adressé visait sans nul doute à me mettre mal à l'aise. – Alors, vous êtes ici en touriste ?

— En effet.

— Et en Irlande, quelle est votre profession ?

— J'écris des pièces pour la radio et le théâtre.

— Et un peu de journalisme, aussi ?

— Non, ai-je menti, rien que des dramatiques…

Ma réponse a dû lui plaire, car sa voix s'est radoucie :

— Très beau pays, l'Irlande.

— Vous connaissez ?

— J'ai été à Cork et à Rosslare. Et j'ai vécu un an à Londres.

Avec une fierté presque enfantine, il a sorti de son portefeuille deux souvenirs apparemment très précieux pour lui, une carte d'abonnement au métro londonien et une accréditation du Foreign Office. Ce dernier document était particulièrement intéressant puisqu'il montrait que M. Badawi avait été accrédité au titre de… chauffeur de l'ambassade d'Égypte au Royaume-Uni. J'ai consulté la date : février 1984. Comment l'ancien chauffeur s'était-il retrouvé chef du renseignement à Siwa à l'automne 1985 ? Ou bien son ascension avait été météorique, ou bien il avait eu des activités très particulières à Londres. Encore un autre secret de Siwa.

— Vous avez aimé conduire à Londres ? me suis-je enquis en lui rendant la carte.

M. Badawi a souri, découvrant des dents de requin, et j'en ai conclu qu'il était inutile de vouloir élucider ce nouveau mystère.

Il y avait encore de la lumière au centre de surveillance. Le fonctionnaire hurlait toujours dans son téléphone de campagne. En me voyant entrer, il a continué un instant avant de raccrocher violemment.

— Toi vouloir quoi ?

— Mon passeport, s'il vous plaît. Je quitte Siwa demain.

— Ton permis.

Je lui ai tendu le document déjà maintes fois étudié mais qu'il a contemplé à nouveau.

— Quatre jours.

À cinq heures du matin, j'avais l'oasis pour moi. Pas de convois militaires, pas de police secrète, pas de fonctionnaires acariâtres. Silence et pénombre. Je me suis tenu au milieu de la piste, fasciné par le calme et le ciel nocturne. Pour la première fois depuis mon arrivée ici, je n'étais ni surveillé, ni suivi, ni limité dans mes mouvements.

La nuit n'était pas un mystère, à Siwa. Elle était comme le désert, infinie et vide. Elle engloutissait tous les secrets, nivelait tous les obstacles. C'était le seul moment où l'oasis devenait compréhensible. Mais le jour qui pointait a réveillé les énigmes et redessiné leurs contours.

Une brise chargée de sable m'a obligé à me mettre en marche. J'ai longé pour la dernière fois la bâtisse cubique du centre de surveillance. Je suis monté dans un autobus rempli de soldats et de villageois. Le chauffeur a démarré. Dix heures de route pour Alexandrie.

Nous sortions des limites de Siwa quand la lumière s'est imposée sur la nuit. Le ruban noir de l'asphalte est apparu, tendu vers le nord. Nous avons pris de la vitesse. Je me suis retourné, mais je n'ai rien vu. Rien qu'un nuage de sable.

L'oasis s'était dissimulée à nouveau.

4
Mégalopole

Bud craignait des émeutes antiaméricaines. Il avait entendu à la radio que les étudiants d'une université cairote étaient descendus dans la rue pour protester contre l'arraisonnement de l'avion d'Egypt Air ordonné par Reagan ; d'après lui, la manifestation avait dégénéré et la police avait dû intervenir. « L'Égypte a vraiment les boules contre nous », analysait-il. Moubarak n'avait pas obtenu de Washington les excuses officielles qu'il réclamait, et même si un envoyé spécial américain se trouvait dans la capitale égyptienne dans le but d'apaiser les esprits, « ça n'allait pas arranger quoi que ce soit », affirmait-il, parce que les Égyptiens étaient « sérieusement braqués ». Bud a ajouté que si je voulais faire la route d'Alexandrie au Caire avec lui, il n'y voyait aucun problème à condition que je sois prêt à partir à huit heures du matin : « Si on s'en va assez tôt, on évitera peut-être les émeutes. » Décidément, cela le tarabustait…

Bud avait une Thunderbird, une bonne vieille Ford assemblée à Detroit. Elle venait avec son poste d'expatrié, contrôleur de qualité pour une société américaine. Quelques années plus tôt, il s'était porté volontaire lorsque ses employeurs avaient ouvert une antenne au Caire ; il venait de surprendre sa femme en flagrant délit d'adultère pour la deuxième fois, et après leur divorce son existence à Iowa City ne l'enthousiasma plus guère. Il voulait changer d'air. Il aimait l'Égypte. Un pays assez dingue, d'accord, mais les avantages étaient fantastiques : véhicule de fonction, aide au logement, salaire en partie défiscalisé... Ce n'était pas le genre de conditions qu'on aurait trouvé à Iowa City. Et puis la vie était incroyablement bon marché ici, surtout quand vous changiez votre argent au marché noir – ainsi qu'il le faisait lui-même, revendant ses dollars cinquante pour cent au-dessus du taux de change légal à un commerçant du quartier périphérique du Caire où il habitait. Bud calculait qu'en restant en Égypte encore deux ou trois ans il mettrait suffisamment de côté pour prendre sa retraite à cinquante ans et s'acheter le bateau dont il rêvait depuis toujours. Du coup, le quotidien égyptien se présentait sous des auspices plutôt favorables. À condition qu'il n'y ait pas d'émeutes. Les émeutes, c'était une perspective qui ne laissait pas Bud en paix.

Je l'avais rencontré à Alexandrie pendant les deux jours de repos que je m'étais accordés après mon retour de Siwa. Il était venu régler une affaire sans gravité pour sa boîte et comptait repartir au Caire le vendredi, ce qui était aussi la date à laquelle j'avais prévu de me rendre à la capitale, et j'ai donc saisi son offre de faire le voyage avec lui. Un vendredi matin, jour férié dans les pays musulmans, la circulation était fluide et Bud comptait être au Caire avant midi. Pourquoi midi ?

Parce que c'était l'heure où tout le monde serait à la mosquée, attentif aux prêches contre l'Amérique infidèle. Et ensuite, les émeutes risquaient de commencer.

Sur la route entre les deux villes, le désert est une sorte de zone industrielle interminable, ponctuée par les cheminées des raffineries et les panneaux publicitaires consacrés au cow-boy de Marlboro ou au bonhomme Michelin. Cette vue déprimante nous a été épargnée après une cinquantaine de kilomètres, quand une tempête de sable s'est levée, nous enveloppant d'un nuage impénétrable. Nous avons dû fermer toutes les vitres et ralentir. La tempête nous a poursuivis jusqu'au Caire, ne se calmant un moment que pour nous laisser apercevoir les pyramides de Gizeh au loin.

À l'approche de cette zone touristique, la route était flanquée d'un alignement de stations-service et d'hôtels. Soudain, Bud a annoncé qu'il avait « trop la dalle » et m'a proposé de faire halte dans un Holiday Inn appelé Le Sphinx. Dès le hall d'entrée, on se serait cru transporté quelque part aux États-Unis avec musique d'ambiance – « Raindrops Keep Falling On My Head », à notre arrivée – et photographies du directeur de l'établissement remettant la décoration de « l'Employé du mois » à deux réceptionnistes souriantes. Les serveuses de la cafétéria portaient toutes un badge avec leur prénom et employaient des expressions typiquement yankees telles que « Have a nice day ! ». Bud nous a commandé un déjeuner américano-égyptien : hoummous et *tahina*, puis chili burgers accompagnés d'un café aqueux. « C'est bizarre, mais ça me rappelle la Floride, chaque fois que je m'arrête ici », a-t-il constaté. Je n'ai pas pu le contredire.

Ensuite, nous avons traversé une succession de banlieues-bidonvilles. Nous sommes passés devant une mosquée dont les haut-parleurs diffusaient le sermon de l'imam ; ses intonations agressives se réverbéraient sur les façades environnantes.

— Il doit être en train de dire aux fidèles de casser de l'Amerloque dès qu'ils seront dehors, a affirmé Bud.

Si tel était le cas, ses recommandations n'étaient pas suivies, car nous nous sommes enfoncés dans une ville dont la quiétude et le silence surprenaient au point que j'aurais été tenté de taxer d'exagérations tous les portraits d'une métropole follement pagailleuse que j'avais entendus ou lus si je n'avais pas déjà connu Le Caire et sa physionomie des jours de semaine. Les vendredis, la cité observait un couvre-feu spirituel en l'honneur d'Allah, mais dès le lendemain elle serait à nouveau elle-même, embouteillée et chaotique.

Bud m'a laissé en plein centre, rue Talaat-Harb, avant de se hâter vers son appartement de célibataire en zone résidentielle. J'avais l'intention de lui offrir un verre, mais il n'a pas voulu s'attarder en ville. Au cas où les émeutes éclateraient…

J'ai pris mes quartiers à l'hôtel Lotus, qui occupait le septième étage d'un immeuble dont le rez-de-chaussée accueillait les bureaux de la compagnie aérienne libyenne. « Nous avons le bâtiment le mieux gardé du Caire », m'a déclaré fièrement le réceptionniste avant de me conduire à une chambre aux murs écaillés, avec vue sur une conduite d'aération. Ensuite, il m'a proposé de me servir d'agent de change mais je n'avais pas le temps de me livrer à des transactions financières. J'avais rendez-vous.

Je suis ressorti et me suis engagé sur le trottoir circulaire de la place Tahrir, centre géographique de la ville et excellent poste d'observation pour qui veut comprendre la configuration du Caire à l'ère moderne. Si l'on regarde vers l'est, les élégants minarets et les murailles de la cité islamique dominent l'horizon ; quand on tourne le dos à l'islam et que l'on porte son regard à l'ouest, on découvre un assemblage hétéroclite d'immeubles de bureaux et d'hôtels luxueux. À leurs pieds, une énorme cavité s'enfonce loin dans la terre. Un ouvrier est en train de repousser des détritus, retenant entre ses dents un faisceau de fils électriques et téléphoniques. Le trou dans lequel il s'active a été creusé depuis des années, preuve de l'ambition du Caire de devenir la première capitale africaine dotée d'un métro souterrain. Ce grand chantier n'est pas le symbole d'un pressant désir de modernité qui étreindrait l'Égypte de Moubarak, mais une tentative de réponse à des statistiques affolantes : huit millions d'habitants aujourd'hui – douze, selon des sources non officielles –, plus de seize millions prévus pour l'an 2000, une densité qui atteint déjà cent cinquante mille âmes au kilomètre carré... Le métro est l'une des solutions possibles à la congestion qui menace sans cesse la ville et risque de lui être fatale. En contemplant ce cratère béant sur la place Tahrir, je me suis souvenu de l'une des formules employées par Moustapha le mahlérien : « L'Égypte d'aujourd'hui est une pyramide inversée. » Et certes les pharaons marquaient jadis leur règne par des monuments qui partaient à l'assaut du ciel afin de proclamer leur immortalité, alors que leurs équivalents actuels n'ont plus d'autre choix que de creuser le sol.

J'ai hélé un taxi. Mon rendez-vous était à Matariyah, un quartier excentré du Caire, mais comme j'avais égaré l'adresse de la personne à laquelle je devais rendre visite j'ai dit au chauffeur de m'arrêter dans ce qui serait l'équivalent égyptien de la rue principale de Matariyah. La circulation cairote obéit aux règles du darwinisme social : seuls les plus forts survivent dans la jungle automobile. Et malgré le dédale d'échangeurs, de rampes, de voies aériennes qui s'est tissé autour de la métropole sous la pression de la mafia des quatre-roues, elle est de plus en plus impraticable : dans notre cas, il nous a fallu deux heures pour parcourir les douze kilomètres qui nous séparaient de Matariyah.

J'ai débarqué au milieu d'une ville dans la ville. Ce qui avait été une banlieue assoupie au bord du delta du Nil il y a vingt ans faisait maintenant penser au Lower East Side de Manhattan au début du XXe siècle, ses trottoirs défoncés envahis par la foule du vendredi soir. Sur la chaussée, le chaos était encore plus saisissant : un chauffeur de taxi, dont la portière avant venait d'être emboutie par un garçon à dos de mulet, était contenu par un groupe de passants alors qu'il tentait de se venger physiquement sur le responsable en brandissant un démonte-pneu sous le regard impassible du mulet ; plus loin, une voiture décorée de rubans nuptiaux tentait de se faufiler dans l'embouteillage, la jeune mariée et son promis encadrés l'un et l'autre par leurs parents, raides et embarrassés dans leurs tenues de cérémonie ; derrière, sur la plate-forme d'une camionnette, une dizaine de femmes tout en noir se tenaient debout, l'une d'elles occupée à négocier de son perchoir un bout d'intestin à un boucher à ciel ouvert qui venait d'éventrer une vache. Après avoir évité de justesse une bicyclette chargée de poulets en cage, j'ai demandé mon chemin à un affûteur de couteaux qui faisait tourner sa meule de pierre au milieu de ce capharnaüm. Le vacarme des klaxons était tel que nous avons dû crier pour nous faire comprendre. Il m'a montré une enceinte de hauts murs qui séparait une église du centre survolté de Matariyah.

C'était une église catholique et son curé barbu avait la carrure et l'attitude de quelqu'un qui ne craignait pas de survivre au sein de l'immensité banlieusarde du Caire. Après avoir sorti un paquet de Cleopatra de sa soutane, il a jugé que mon mauvais français était préférable à mon arabe exécrable, et c'est donc en estropiant la langue de Voltaire que je lui ai expliqué la raison de ma venue. Il a eu l'air surpris :

— C'est un peu tard pour une visite. Vous feriez mieux de revenir demain.

— Elle fait partie de la famille, mon père. Et il m'a fallu plus de deux heures pour arriver ici.

— D'accord. Je vais vous amener la voir. Tout seul, vous ne la trouverez jamais.

Nous avons parcouru une succession de ruelles en terre battue avant de parvenir à un muret en pierre couvert de graffitis arabes et nanti de deux lourdes portes en fer. Mon acolyte a tiré sur la clochette. À l'intérieur, une voix féminine a demandé qui venait à cette heure. Comprenant qu'il s'agissait du curé, la sœur a ouvert le vantail et l'a salué avec chaleur. Je lui ai donné le nom de la personne que je voulais voir ; elle m'a fait traverser une petite cour très propre, monter des escaliers en pierre et entrer dans une salle où quelques chaises faisaient face à une grille en bois derrière laquelle on distinguait des rideaux tirés. Elle m'a laissé là. J'ai attendu.

Soudain, une lumière est apparue de l'autre côté des rideaux et quelqu'un a lancé joyeusement :

— Eh bien, je me demandais quand tu allais finir par te montrer par ici !

C'était l'accent irlandais de Waterford, Irlande du Sud, dans toute sa pureté rustique. Les rideaux ont bougé, une main s'est faufilée entre les barreaux de bois. Je l'ai serrée en me disant que cette dame avait une sacrée poigne.

— Bonsoir, Breda.

Quarante ans plus tôt environ, elle avait été Breda O'Keeffe, une fillette de la bonne ville de Waterford, mais elle était devenue « Sister Margaret Therese » à dix-sept ans, quand elle était entrée chez les carmélites, à l'époque l'un des ordres catholiques les plus stricts puisque les nonnes n'avaient jamais le droit de quitter le couvent, une seule sortie provoquant l'excommunication, et ne pouvaient recevoir de visiteurs que derrière un lattis qui les rendait presque invisibles. C'était ce monde très fermé que Breda avait rejoint en 1942, dans un couvent de New Ross, comté de Waterford. Elle allait y rester vingt-trois ans, jusqu'à ce que les responsables de l'ordre soient contraints d'envoyer des religieuses dans leurs couvents d'Égypte menacés d'extinction. Mais à cette époque le nom de « Suez » suffisait à faire entrer les Égyptiens en fureur et les autorités nassériennes n'auraient jamais accepté des religieuses en provenance d'Angleterre ou de France, les deux pays impliqués dans la tentative militaire pour prendre le contrôle du canal ; les volontaires carmélites devaient donc venir d'un pays neutre comme l'Irlande.

Breda avait manifesté son intention de partir. C'était en 1965. Depuis, elle n'avait plus quitté Matariyah.

Si nous ne nous étions encore jamais rencontrés, nous avions échangé quelques lettres et nous nous étions parlé au téléphone en une occasion. Et nous étions maintenant parents, puisque j'avais épousé sa nièce quelques mois auparavant. Chaque fois que ma femme m'avait évoqué la vie de sa tante, j'avais été intrigué par l'idée d'un petit groupe de carmélites se vouant à la contemplation en plein milieu d'une ville aussi peu contemplative que Le Caire. N'étant pas catholique, et restant plutôt sceptique à l'égard de n'importe quelle religion, je ne pouvais imaginer le degré de conviction qu'il fallait atteindre pour choisir de se cloîtrer volontairement et de consacrer le reste de son existence aux arcanes de la prière. Je me demandais aussi quelle vision du monde Breda pouvait avoir après quarante-trois années d'isolement presque total, et dans le taxi qui me conduisait à Matariyah je m'étais préparé à ce qu'elle me bombarde de questions sur l'état de la planète : qui avait gagné la Seconde Guerre mondiale, finalement ? Est-ce que Staline était toujours vivant ? Qu'était-il arrivé à Harry Truman ? Eamon De Valera avait-il quitté la politique, après avoir été le premier président de l'Irlande ? Quant à moi, je ne savais pas qu'attendre de cette carmélite irlandaise qui signait ses lettres « Tata Breda »…

J'ai donc été surpris d'apercevoir entre les barreaux de bois une sexagénaire pleine d'énergie, dont l'habit monacal ne révélait que le visage ovale et des yeux extrêmement vifs. Je me suis vite rendu compte qu'elle aimait réellement communiquer, et qu'elle ne souhaitait pas être traitée avec révérence. D'une simplicité et d'une franchise désarmantes, elle gardait ses convictions religieuses pour elle.

— Alors, je vois que tu as été assez intelligent pour ne pas te trouver sur ce paquebot italien qu'ils ont détourné ! a-t-elle commencé.

— Comment êtes-vous au courant de ça ?

— Mais par la radio, voyons ! Nous écoutons les informations de la BBC plusieurs fois par jour.

— Vous avez la radio, au couvent ?

— Comment écouterions-nous la BBC, sinon ?

À son léger sourire, j'ai compris qu'appartenir à une congrégation cloîtrée ne signifiait pas que l'esprit l'était.

Après lui avoir transmis plusieurs lettres et messages de sa famille en Irlande, j'ai vu arriver de son côté deux autres nonnes irlandaises, sœur Veronica et sœur Agnes. Cette dernière portait un plateau chargé d'une théière et d'une assiette de scones qu'elle venait de confectionner. Elle l'a posé sur une plate-forme tournante à l'extrémité de la grille en bois, elle l'a fait pivoter. J'étais servi.

— Vous voulez le reste du thé comme chez nous ? s'est-elle enquise. Je parie que vous n'avez pas eu de vrais œufs au bacon depuis longtemps !

Il m'a fallu un effort pour me rappeler que j'étais en Égypte, non dans la campagne irlandaise, et qu'un mur de Berlin théologique me séparait de ces accueillantes religieuses. Comme la communauté médiévale de Siwa, les carmélites du Caire s'étaient bâti leur propre forteresse face à un environnement menaçant. Mais l'Égypte arrivait à traverser l'enceinte du couvent : Breda m'a ainsi expliqué en souriant que l'appel du muezzin de la mosquée la plus proche envahissait chaque jour leur silencieuse solitude, au point que les sœurs en étaient venues à plaisanter en disant qu'elles auraient aussi dû installer des haut-parleurs sur le toit du couvent et faire profiter le monde extérieur de leurs prières.

— Est-ce qu'il les écouterait ? l'ai-je interrogée.

— Nous devons faire très attention, ici, a répondu Breda. Nous suivons de près les affaires du pays, pour prévoir de quelle manière elles pourraient avoir un impact sur nous. Je vais te donner un exemple : du temps de Nasser, quand le gouvernement a décidé de réquisitionner toutes les propriétés appartenant aux étrangers, un groupe de soldats s'est présenté à la porte une nuit. Ils ont dit qu'ils voulaient inspecter le couvent pour voir si nous étions en sécurité, mais la mère supérieure a refusé de les laisser entrer, elle a fait prévenir le nonce, et finalement les soldats ont renoncé. Heureusement : s'ils avaient mis un pied ici, ils auraient condamné le bâtiment et nous auraient forcées à partir.

Gardait-elle des souvenirs de la guerre contre Israël en 1967 ? « Le bruit des réacteurs des chasseurs qui passaient en rase-mottes au-dessus de nous. » De la guerre du Kippour, en 1973 ? « Encore plus d'avions… On n'arrivait plus à dormir, tellement il y en avait. » De l'automne où le président Sadate avait été assassiné ? « C'était l'époque des affrontements entre musulmans et coptes. Quelqu'un a lancé un cocktail Molotov par-dessus l'enceinte du couvent. Grâce à Dieu, il a fait long feu. » Et maintenant ? Maintenant, elle voyait le pays se diriger vers le fondamentalisme islamique et des troubles confessionnels encore plus graves. Pour quelle raison ? Parce que leurs voisins musulmans avaient cherché à s'opposer à la construction de l'ermitage.

— Quel ermitage ?

— Les voisins nous ont traînées en justice, à cause de ça. Ils ont dit que bâtir un ermitage était contraire aux règlements d'urbanisme. Il a fallu se battre au tribunal, crois-moi. Ils ont fini par comprendre que c'était un bâtiment uniquement destiné à la prière. Quelle histoire ! Ça en dit long sur les relations entre musulmans et chrétiens dans l'Égypte d'aujourd'hui, hélas…

Malgré sa réclusion volontaire, Breda avait été capable de percevoir les mouvements de fond qui agitaient la société égyptienne. En raison de la difficulté particulière due à sa position, ses supérieurs lui avaient autorisé des libertés qui auraient été impensables dans un carmel européen. Par exemple, elle avait le droit d'aller voir sa famille en Irlande, de sortir du couvent de temps à autre si elle avait des formalités importantes à régler, et des visiteurs pouvaient se présenter en dehors des quelques heures normalement tolérées… Bref, les règles très strictes de la congrégation avaient été adaptées afin de rendre la vie à Matariyah plus tolérable. Mais Breda s'inquiétait du rôle joué par les carmélites d'Espagne auprès du Vatican, qui réclamaient un retour à la discipline draconienne de jadis dans tous les couvents de l'ordre et semblaient trouver des oreilles complaisantes à Rome. En fait, Breda était presque aussi troublée par la montée du fondamentalisme islamique en Égypte que par celle de l'intégrisme au sein de l'Église.

— Les vieux principes carmélites, a-t-elle expliqué, c'est très bien quand on vit dans un joli couvent européen, avec des jardins où se promener et un voisinage paisible. Mais ici, en Égypte ?

Les dirigeants de l'ordre – un groupe d'hommes qui se réunissaient régulièrement au Vatican, à l'instar du conseil d'administration d'une grosse entreprise – devaient trancher l'année suivante. Les sœurs du Caire priaient pour qu'ils ne se rangent pas du côté des ultra-orthodoxes. C'était dans la prière qu'elles trouvaient aussi la force de rester en Égypte. La prière était une vocation et un rempart face au monde extérieur.

J'ai jeté un coup d'œil à ma montre. Notre rencontre durait depuis plus de trois heures. Il était tard. Après avoir promis de revenir dans quelques jours, je suis retourné au monde séculier. Dans la ruelle du couvent plongée dans l'obscurité, j'ai trébuché sur une masse allongée par terre : un chien, mort, dont les pattes raidies et les mâchoires entrouvertes étaient couvertes d'un essaim de mouches.

L'univers protégé de Breda paraissait tentant tout à coup…

Le Dr Faouzi Al-Aziz m'a raconté une histoire :

— J'ai été marié, dans le temps. À une fille égyptienne. Nous sommes allés en Arabie saoudite, où j'ai eu un poste dans un hôpital. Au bout d'un mois, quelqu'un vient me trouver et me dit que ma femme se vend.

— Se… vend ?

— Qu'elle va au lit avec d'autres hommes pour de l'argent. Et elle gagne bien ! Quatre cents rials, à l'époque. Les autorités saoudiennes ont été au courant et j'ai dû la renvoyer en Égypte. Je lui ai dit : « Tu es folle. Ici, ils sont capables de te lapider pour adultère. Retourne au pays. » Je la mets dans l'avion. Deux jours plus tard, des soldats arrivent chez nous, à Djeddah. Ils veulent l'arrêter, mais moi je leur dis qu'elle est au Caire, alors ils me laissent tranquille. On divorce, bien sûr. Maintenant elle se marie à un Américain, elle a un enfant. J'accepte le divorce. C'était dans notre contrat de mariage. Je dois être le seul musulman à avoir jamais accordé ce droit à une femme. Tout le monde me dit : « Tu es cinglé, Faouzi ! » Mais je m'en fiche.

J'ai proposé une bière au docteur.

— Bien sûr, je la boirai ! a-t-il rétorqué. Je ne gagne pas beaucoup à ma clinique aujourd'hui. Deux livres, c'est tout. Minable, oui ? Mais je me moque de l'argent. Je le gagne, je le dépense. Maalesh.

Le Dr Al-Aziz était un habitué du café Riche, rue Talaat-Harb, un établissement connu au Caire parce que son bar et son restaurant étaient assidûment fréquentés par des journalistes et des écrivains. Ce n'était pas l'atmosphère littéraire qui attirait ici le Dr Al-Aziz : l'important était que le café se trouvait tout près de sa clinique, que la bière y était bon marché et qu'il restait ouvert tard la nuit. C'était pour cette même raison que j'y avais échoué : à mon retour de Matariyah, j'avais eu besoin d'un remontant et là, en face de mon hôtel, le Riche servait encore à boire. Assis à la terrasse non loin de moi, le Dr Al-Aziz m'avait vu sortir mon carnet de notes et m'avait demandé :

— Vous êtes écrivain ?

— J'imagine qu'on peut le dire, oui.

— Je vais vous expliquer ce qu'il faut pour bien écrire, m'avait-il chuchoté en venant s'asseoir à ma table : un remède local qu'on appelle le haschich. Moi, je le prends tous les matins avant d'aller au travail.

Même s'il n'en avait pas du tout l'air, le Dr Al-Aziz était pédiatre. La quarantaine, vêtu d'un costume marron constellé de taches de sauce, une barbe de quatre jours sur les joues, il pinçait une éternelle cigarette entre ses quatre dents restantes, saupoudrait de cendres son pantalon et couvrait ses épaules de cheveux morts chaque fois qu'il se grattait la tête, ce qui lui arrivait souvent. Bref, son hygiène plus que douteuse n'inspirait guère confiance en ses talents de médecin, bien qu'il m'ait assuré qu'il venait d'une famille vouée à Hippocrate, son père ayant été l'un des plus éminents pédiatres d'Égypte :

— Mon père, il travaille pour Nasser, il soigne ses enfants au palais présidentiel. Et moi aussi, je bosse là-bas, sauf qu'un soir… Je ne sais pas ce qui me prend, peut-être je suis un peu fou, peut-être un peu trop de haschich… Mais bon, je suis dans la voiture officielle et je dis au chauffeur de Nasser, comme ça : « Dis au président qu'il peut aller niquer un chien ! » Évidemment, ils me mettent dans un sanatorium, après, et ensuite je pars en Arabie saoudite avec ma femme, et il y a ce gamin, il a la polio, je lui fais une injection, il meurt et j'ai plein d'ennuis à cause de ça… Un endroit affreux, la Saoudie… Et là-bas je fume tout le temps du haschich, ce qui est pire que boire de l'alcool, pour les Saoudiens. Mais la police, ils pensent « Ah, c'est juste un fou d'Égyptien ! » et ils me laissent tranquille. Au bout d'un an, mon contrat est fini, je cours à l'aéroport et je crie : « Faites-moi sortir de ce pays de dingues. » Dans l'avion, je bois quatre whiskys et à l'arrivée j'embrasse le sol de l'Égypte.

Le Dr Al-Aziz avait eu une vie mouvementée, indubitablement. Il avait travaillé en Grande-Bretagne et en France, sans que les autorités médicales de l'un et l'autre pays semblent disposées à l'accueillir en leur sein. Après, cela avait été le Nigeria, une expérience qui ne lui avait pas laissé de bons souvenirs :

— Tu connais Lagos ? La pire ville du monde ! Que des Noirs ! Pas d'eau ! Les égouts partout ! Pendant que je suis là-bas, ils tuent un ami égyptien à moi. Sans raison. Un coup de revolver et bam ! Au bout de deux mois, je dis aux médecins de l'hôpital : « Vous me laissez repartir ou je brûle l'hosto ! » Et eux : « OK, pas de problème, on te met dans l'avion »… Ils ont cru que j'étais capable de le faire, ma parole !

Depuis son retour du Nigeria, il vivait chez ses parents.

— J'ai ma chambre à moi mais les parents, ils aiment pas que je fume le haschich. Mais je suis content d'être revenu en Égypte. Nous sommes le meilleur pays d'Afrique. Et du Moyen-Orient. Sadate, il a fait du bon boulot : boîtes de nuit, bars, télé, magasins de vêtements, tout très bien. Au temps de Nasser, c'est affreux, ici. Personne avait d'argent. Pas un café ouvert la nuit. Tout le monde chez soi à neuf heures du soir.

Afin de me donner un aperçu du marasme économique qui avait accablé le pays à l'époque nassérienne, le Dr Al-Aziz a eu recours à un indicateur de tendance peu courant : le prix des prostituées.

— Sous Nasser, ça allait si mal que tu pouvais venir dans ce café et te trouver une femme pour cinquante piastres. Trente *pence*, en monnaie de chez toi ! Cinquante piastres, tu l'emmènes en voiture dans le désert, tu la niques et voilà, pas de problème ! Tu pouvais coucher avec la meilleure danseuse d'Égypte pour cinq livres. Avoir une vierge pour toi, vingt livres. Tout est donné, en ce temps-là… Mais maintenant, les filles, elles veulent toutes le mariage et moi non, je me marie plus. – Il a allumé une nouvelle cigarette. – Maintenant j'ai pas couché avec une femme, huit ans ça fait. Pas marié, pas coucher. Je suis le bon musulman !

Et il a toussé un nuage de fumée de tabac.

Américaine d'origine égyptienne, Soraya Naafa vivait à l'hôtel Rialto du Caire depuis près de dix ans. Petite et mince, une crinière de cheveux noirs autour d'un visage très marqué, en pantalon noir collant et chemisier panthère, elle avait la voix rauque et profonde d'une fumeuse et enchaînait en effet les Cleopatra sans arrêt. Elle faisait penser à une actrice de Broadway qui aurait joué des rôles de garces new-yorkaises dans les années 50 avant de finir, fauchée, dans un hôtel de passage. Ce qui était exactement le cas du Rialto, un établissement qui avait connu des jours meilleurs, situé dans un bâtiment Belle Époque proche de la place Tahrir.

Son premier voyage en Égypte remontait à 1960. Après un divorce difficile à Chicago, elle avait résolu de montrer la patrie de son grand-père à son jeune fils. Immédiatement conquise par Le Caire, elle avait trouvé une maison et un poste d'enseignante d'anglais dans un petit institut de langues, complétant ses revenus en écrivant de temps à autre pour un quotidien de Chicago à propos de la situation égyptienne. Les années avaient passé, son fils était retourné aux États-Unis, mais Soraya était restée, renonçant à son confortable appartement pour des raisons qu'elle préférait ne pas commenter, venant s'installer dans une petite chambre du Rialto. Ce n'était pas que la vie à l'hôtel ait été moins onéreuse : non, j'avais l'impression qu'elle préférait l'anonymat de cette existence, qui reflétait peut-être l'image de femme sans attaches qu'elle avait d'elle-même.

C'était l'une de mes connaissances londoniennes qui m'avait recommandé de passer voir Soraya quand je serais au Caire. Je l'ai trouvée assise dans un fauteuil de la réception, un petit transistor pressé contre son oreille.

— J'essaie de capter la radio de Jérusalem, m'a-t-elle expliqué. Je voulais entendre la réaction israélienne à l'interception de l'avion d'Egypt Air, pour l'inclure dans l'article que je dois envoyer demain. Je vous assure que je suis renversée par la décision de Reagan. Cet homme, *taaban* (effectivement), il n'a pas la moindre idée des réalités de cette région du monde. Inch'Allah, il ne sera pas aussi idiot, la prochaine fois !

Soraya aimait parsemer ses phrases de mots d'arabe.

« Oh, *taaban*, ça a complètement changé ! », a-t-elle répondu quand je lui ai demandé si Le Caire était resté la même ville depuis les années 60. Et d'ajouter avec un accent américain des plus typiques : « C'est plus ce que c'était, plus du tout ! » Entre son passé à Chicago et son rôle de professeur d'anglais dans la capitale égyptienne, elle était écartelée entre deux mondes, confrontée au paradoxe que tous les expatriés de longue date connaissent, cette impression d'être chez soi à l'étranger et à l'étranger chez soi.

— Vous avez déjà envisagé de rentrer aux États-Unis ? l'ai-je interrogée.

— Je ne serais pas capable, non. Tout recommencer de zéro, à mon âge ? Avec le coût de la vie là-bas ? Je ne suis pas mal ici, au Rialto. Ce pourrait être mieux mais ce pourrait être pire, aussi. J'aime bien mon travail, même si je ne suis pas payée grand-chose… Non, ce pourrait être pire, bien pire.

J'ai lancé un regard circulaire sur le salon fatigué où nous avions pris place, les coussins usés, le vieux poste de télévision noir et blanc, les papiers peints jaunis. Et les pensionnaires de l'hôtel, des êtres déracinés, souvent venus passer ici une semaine avant d'y rester des années… Ce confort frugal et suranné au centre du Caire m'attirait. En partant, je me suis arrêté à la réception afin de réserver une chambre pour le lendemain.

— Combien de temps pensez-vous rester ? m'a demandé le préposé.

— C'est important ?

— Pas vraiment.

La chambre qui m'a été assignée correspondait parfaitement à mon humeur. Très spacieuse, elle accueillait une collection de curiosités aussi discutables qu'une paire de trônes style dynastie Ming aux bras sculptés en têtes de dragon, une écritoire victorienne parsemée de brûlures de cigarettes, un tapis oriental élimé, une grande tête de lit en bois ouvragé, où oranges et pommes se mêlaient au feuillage, et un placard en acajou assez grand pour dissimuler plusieurs cadavres. C'était une retraite conçue pour un dandy arrivé au dernier stade de la vieillesse, et à mes yeux la meilleure cachette possible si je voulais échapper à la pression surchauffée du Caire.

Une fois mes affaires déballées, j'ai eu la tentation de paresser une journée dans cette atmosphère préservée, mais une fois encore le grondement du chaos cairote derrière les fenêtres m'a attiré. Décidément, je n'arrivais pas à échapper à l'attraction de la capitale égyptienne, qui fonctionnait sur moi tel un gros roman du XIXe siècle dont l'intrigue à tiroirs et les longues digressions ne vous laissent pas en paix tant que vous n'avez pas découvert le mot de la fin. Le lecteur impatient que j'étais s'est donc retrouvé dehors en quelques minutes. J'ai arrêté un taxi :

— Tu vas où ? m'a interrogé le chauffeur.

— Je vais où vous allez, ai-je répliqué.

Il m'a dévisagé un instant.

— Tu as pas de destination ?

— Pas aujourd'hui, non.

Il a hésité encore, puis :

— Moi, je vais à Mohandessin. Ça te va ?

— Pourquoi pas ?

J'ai sauté sur le siège passager près de lui. Sentant quelque chose sous mon postérieur, j'ai passé la main sur le coussin ; quand je l'ai ressortie, je tenais un revolver. Le chauffeur a manqué nous projeter dans un autobus en me voyant lever cette arme et il me l'a prise d'un geste vif, la tenant sur le volant tout en conduisant.

— Pardon, j'ai oublié qu'il était là…

— Vous avez toujours un revolver avec vous ?

— Je suis policier.

— Un policier qui conduit un taxi ?

— C'est un travail à mi-temps. Policier, ça paie pas assez, alors je fais aussi le taxi. – Il a brandi son revolver. – Très bien, ce pistolet, non ?

— Magnifique. Et si vous le rangiez quelque part ?

— Pas t'inquiéter ! Il y a le cran de sûreté.

— Les armes à feu, ça me rend nerveux.

— D'accord, pour te faire plaisir.

Il l'a prestement lancé dans la boîte à gants.

— Merci.

— De rien. Tu es un chrétien ?

— Pardon ? ai-je fait, surpris par le tour inattendu de la conversation.

— Tu es un chrétien ? Tu sais, catholique, protestant, tout ça…

— J'imagine qu'on peut le dire, oui, ai-je admis, peu désireux de trop entrer dans les détails complexes de mon histoire religieuse.

Il s'est tourné vers moi, m'a saisi la main et l'a serrée vigoureusement :

— Je suis très heureux de rencontrer un autre fidèle de Jésus-Christ ! Je suis orthodoxe copte moi-même.

— Ah ? Un policier chrétien, ça ne doit pas se voir tous les jours, en Égypte…

— Non ! Tu l'as dit !

Ce copte armé conduisant comme s'il avait hâte d'atteindre la félicité éternelle, je n'ai pas été mécontent de nous voir arriver à destination.

— La bénédiction de Dieu sur toi ! m'a lancé le chauffeur quand je me suis extrait de son véhicule garé le long du trottoir, puis il s'est hâté de sortir son revolver de la boîte à gants et s'est mis à l'astiquer avec un chiffon huilé.

Qu'il m'ait conduit à Mohandessin était un hasard bienvenu, car c'était une partie de la ville que je n'avais pas visitée lors de mon premier séjour au Caire, en 1981. À l'époque, il ne s'agissait encore que d'un obscur faubourg pris en sandwich entre la zone résidentielle ultra-chic de Zamalek, le Beverly Hills cairote, et les immeubles pour classes moyennes de Sahafayin. En quatre ans, toutefois, la physionomie du centre-ville avait changé, entraîné dans un déclin dû à l'explosion démographique et à l'augmentation du trafic automobile. Abandonnant l'ancien haut lieu commercial constitué par les rues Talaat-Harb et Kasr-el-Nil, les investisseurs les plus malins étaient partis à la recherche de quartiers moins congestionnés sur la rive occidentale du fleuve. Peu à peu, les boutiques élégantes, les restaurants et les QG de grandes sociétés avaient migré dans des endroits comme Mohandessin, enclaves de modernité américanisée à destination des nouveaux riches.

J'ai emprunté l'artère principale du quartier, la rue Shehab. Des appartements flambant neufs, un restaurant indien dernier cri, « Samia Imports, la seule boutique américaine d'Égypte », un centre de danse et d'aérobic, le « café Saint-Germain et ses spécialités de France », un magasin de meubles proposant les dernières créations de designers danois...

J'ai décidé d'essayer un poulet au curry à un prix exorbitant chez l'indien. Un jeune couple égyptien assis non loin de moi bavardait en français, qui restait la langue des élites postcoloniales. Tous deux arborant de coûteuses vestes en cuir, ils parlaient de leur dernier week-end à Paris, de la nouvelle Mazda qu'ils venaient de se payer, du club sportif Guézira, devenu infréquentable le samedi depuis que ce jour avait été décrété férié comme le vendredi pour les fonctionnaires des ministères.

Leur aimable babillage ressemblait au quartier où il avait lieu, baigné d'une prospérité acquise de fraîche date mais sans substance. Originellement conçu comme un faubourg coopératif – son nom en égyptien signifie « la cité des ingénieurs » –, Mohandessin affichait une aisance fonctionnelle, dépourvue d'imagination, de fantaisie, de toute exigence architecturale. C'était un espace que le président Sadate aurait approuvé avec enthousiasme, le résultat de sa politique d'*infitah*, l'ouverture temporaire du pays aux investissements étrangers, qui avait profité à une nouvelle classe d'entrepreneurs et de spéculateurs. Si cette brève prospérité économique n'avait touché que marginalement l'Égypte, elle continuait à se manifester dans ce quartier de nouveaux riches où de nombreuses résidences en copropriété étaient en construction, où l'ouverture de centres de remise en forme était annoncée ici et là, et où des groupes de dames bien nanties se donnaient rendez-vous au restaurant à l'heure du déjeuner. La population de Mohandessin faisait comme si le style de vie offert par la doctrine économique du laisser-faire qu'avait prônée Sadate devait marquer à jamais son quotidien, comme si le marasme dans lequel se débattait le pays ne pouvait s'étendre jusqu'ici.

Devant un Kentucky Fried Chicken, j'ai hélé un taxi. La circulation se révélant étonnamment fluide, nous sommes parvenus à Matariyah en une demi-heure à peine. Alors que je m'engageais à pied dans la ruelle conduisant au couvent, une odeur pestilentielle m'a saisi à la gorge, m'obligeant à me couvrir le nez et la bouche d'un mouchoir pour refouler la nausée. En arrivant au coin, j'en ai découvert l'origine : quelqu'un avait mis le feu à la dépouille de chien mort sur laquelle j'avais trébuché deux jours plus tôt. Imperturbables, trois gamins regardaient la carcasse se consumer. Ils m'ont fait un signe de bienvenue en me voyant passer avant de se replonger dans la contemplation de ce bûcher nauséabond.

Se déplacer au Caire était toujours un voyage dans le temps et dans des strates sociales violemment contrastées. On passait en un clin d'œil d'un siècle à l'autre, de la richesse à la plus extrême pauvreté, de la modernité au primitif. Telles étaient les disparités volcaniques d'une mégalopole à la dérive, trop congestionnée et trop publique pour cacher ses misères, ainsi qu'y parviennent la plupart des grandes villes occidentales.

Quelques jours après ma promenade pédestre à Mohandessin, j'ai pu voir de plus près les paradoxes économiques du Caire juché à l'arrière de la moto de Brian Barnes. J'avais fait la connaissance de ce professeur de mathématiques au British Council lors de mon premier voyage, en 1981. À l'époque, Brian enseignait dans une école de langues de la capitale, mais il s'était installé dans un petit village aux abords du Caire, Embaba. Un soir, un ami commun m'avait emmené voir le surprenant cadre de vie qu'il s'était choisi. Après une succession de ruelles envahies par les poulets en liberté et les flaques d'eau où des marmots barbotaient allègrement, nous étions parvenus à un bâtiment sommaire, un bloc de parpaings carré dans lequel Brian louait trois pièces. Entrer dans sa retraite, c'était comme se retrouver au milieu d'un magasin Habitat pour le tiers-monde. Il avait complètement réaménagé les lieux à son goût : murs laqués en blanc, tapis en raphia, mobilier en rotin, une grosse stéréo, un réfrigérateur rempli de Stella, et même une petite chambre noire de photographe qu'il avait créée dans une alcôve. Bien qu'il nous ait reçus très aimablement, sa tentative de jouer les Terence Conran au milieu d'un hameau égyptien m'avait immédiatement conduit à le classer parmi les « tiers-mondistes » qui se donnent bonne conscience en allant crécher chez les « natifs ».

Lors de cette première rencontre, j'avais durement jugé Brian, mais quand nous sommes tombés par hasard l'un sur l'autre au bar de l'hôtel Atlas quatre ans plus tard j'ai commencé à changer d'opinion à son égard. Entre-temps, il avait épousé l'une de ses collègues et abandonné son existence expérimentale à Embaba pour prendre un appartement à Mohandessin. En buvant quelques bières avec lui et en l'écoutant me décrire ses récents voyages au Soudan, au Yémen et dans le « pays profond » égyptien, je me suis rendu compte à quel point je m'étais trompé sur ses motivations réelles. Ce n'était pas l'une de ces belles âmes occidentales qui se vantent d'avoir aidé par leur seule présence la moitié des nations en voie de développement mais quelqu'un qui, très humblement, était tombé sous le charme du monde arabe et ne serait sans doute plus jamais capable de retourner au train-train d'une existence britannique. Bien que sa compréhension des complexités égyptiennes ait été en tout point remarquable, il ne se posait jamais en spécialiste prompt à offrir des réponses toutes faites ; passionné par le sujet, il n'oubliait pas pour autant son statut d'observateur d'une culture qui n'était pas la sienne. Et c'est pourquoi j'ai sauté sur l'occasion lorsqu'il m'a proposé une visite à travers ce qu'il pensait être les aspects les plus significatifs du Caire.

Brian habitait une artère tranquille de Mohandessin, à quelques pas de la frime consumériste de la rue Shehab. Je l'ai trouvé en train d'achever quelques réglages sur sa moto tchèque, une Jawa. Après avoir avalé un verre de jus de citron sur le pouce, nous sommes partis dans une joyeuse pétarade. Notre premier arrêt fut le siège du British Council, où Brian devait récupérer son salaire du mois. Dans le hall bondé d'étudiants, le panneau d'affichage était plein de publicités d'écoles de langues en Grande-Bretagne : pour les élèves du Council – et des nombreux instituts linguistiques que Le Caire abritait –, la maîtrise de l'anglais représentait le passeport qui leur permettrait d'échapper à un marché de l'emploi égyptien où les personnes qualifiées restaient sous-payées ou sans travail. Chaque fois que j'étais passé devant les consulats américain, australien, canadien ou britannique, j'avais été frappé par les files d'attente de jeunes postulants à un visa de travail. Mais, alors que ces États occidentaux tentaient de réduire l'afflux d'immigrés, leurs chances de succès semblaient très minces ; en raison de la chute des prix pétroliers, même les pays du Golfe avaient commencé à limiter le nombre de *Gastarbeiters* égyptiens auxquels ils avaient eu largement recours. Les portes de la planète étaient en train de se fermer devant la plupart des professionnels égyptiens en début de carrière, médecins, ingénieurs, techniciens ou comptables. En observant ces étudiants entrer et sortir des salles de cours du British Council, je n'ai pu que penser à l'amère ironie de leur sort, puisqu'ils fréquentaient avec zèle un établissement dont le rôle était de promouvoir la langue et la culture d'un pays qui, par ailleurs, n'était aucunement décidé à les accueillir en son sein. Allaient-ils finir par se joindre aux files d'attente consulaires, eux aussi, et découvrir la cruelle réalité des lois de l'immigration ?

Ayant perçu son dû, Brian est revenu et m'a invité à me remettre en selle. Nous sommes partis vers le nord en longeant le Nil. Après avoir quitté très vite les avenues résidentielles d'Agouza et emprunté une série de rampes aériennes compliquées, nous sommes arrivés aux limites d'Embaba, cette banlieue défavorisée où mon pilote avait habité. Malgré ses HLM décaties, hérissées de linge mis à sécher dans les gaz d'échappement suffocants, on était encore loin de l'extrême pauvreté qui caractérisait les bidonvilles s'étalant sur les bords du fleuve.

Nous avons continué, passant devant une grande usine de briques aux cheminées évocatrices de l'industrialisation sauvage du XIXe siècle anglais, et bientôt la confusion urbaine a cédé la place à des champs verdoyants. Le delta du Nil est sans doute l'un des caprices de la nature les plus favorables à l'homme, une étendue de sol d'une richesse peu commune en Afrique au beau milieu d'étendues désertiques. Dans cet univers agreste, le passé n'était plus une contrée étrangère mais un présent familier : les femmes faisaient la lessive dans les canaux d'irrigation où leurs enfants se baignaient en s'éclaboussant, des vieillards retournaient la terre avec des bêches antiques tandis que les laboureurs poussaient leurs attelages de bœufs. Pas un seul exemple d'outil agricole moderne en vue : ce coin du delta continuait à vivre dans une ère révolue, et il était difficile de croire que nous n'étions qu'à vingt minutes de la mégalopole.

— Est-ce qu'elles ne risquent pas d'attraper la bilharziose ? ai-je demandé à Brian en lui désignant des villageoises dans l'eau stagnante jusqu'aux genoux.

— Elles l'ont sans doute déjà toutes, a-t-il crié dans le vent de la course. C'est très courant, ici. Ça se soigne bien, si c'est traité tout de suite. Le problème, c'est que les gens retournent se plonger dans ces canaux dès qu'ils sortent de l'hosto.

Prenant une piste en terre battue, nous avons traversé lentement un champ qui s'étendait à perte de vue.

Enfoncés dans le sol boueux, des paysans faisaient une pause, servis en thé par un petit garçon dans les narines duquel deux mouches s'étaient confortablement installées. Les pyramides de Gizeh se profilaient au loin, rappel de l'omniprésence du désert, toujours prêt à regagner aux hommes ce qu'il leur avait concédé. Comme la poussière devenait trop dense, nous avons rebroussé chemin. À l'entrée d'un humble hameau, une villa tapageuse récemment construite dominait les alentours tel un manoir féodal des temps modernes :

— Il y a plein de familles riches qui se construisent des résidences secondaires, par ici, m'a expliqué Brian. – Cela m'a laissé perplexe, car je ne voyais pas l'intérêt de venir étaler son opulence au milieu de communautés rurales qui vivaient dans la précarité. Interrompant mes réflexions, Brian a lancé : – Allez, on va ailleurs !

Nous sommes partis tout droit à travers la campagne. Après avoir quitté un moment le XXe siècle, nous l'avons vite retrouvé sous la forme de routes fraîchement goudronnées, d'hôtels bon marché et de boîtes de nuit prétentieuses. La circulation est redevenue très dense, aussi, mais Brian était désormais un expert de ce slalom risqué qui permet à un motard d'échapper aux embouteillages. Grâce à une sorte de périphérique qui contournait les franges de la ville, nous avons atteint ce que l'on appelle « Le Caire islamique », une forêt de minarets délicatement ciselés autour de cet ancien symbole du pouvoir autocratique qu'est la Citadelle, cet ensemble architectural commandité par Saladin deux siècles après la fondation de la ville et destiné à marquer le triomphe de la domination arabe sur l'Égypte. Bâtie sur une colline appelée *El Qahir* – « le Victorieux » –, la Citadelle, devenue la principale résidence des sultans, avait été assiégée par Méhémet Ali en 1805, lorsqu'il s'était autoproclamé pacha d'Égypte. Bien que le centre de l'autorité ait été transféré au palais Abidine à partir de 1850, la Citadelle et sa remarquable mosquée, qui porte le nom de Méhémet Ali, demeurent la manifestation de la victoire de l'islam sur l'Égypte animiste, une victoire que les fondamentalistes d'aujourd'hui aimeraient répéter.

Comme toutes les grandes œuvres d'architecture religieuse, les minarets de la ville islamique se tendent vers le ciel, leurs pointes effilées indiquant la voie qui conduit à la vie éternelle. Mais tout en bas, à leur pied, l'amère réalité de la condition humaine s'exhibait sans fard. Empruntant un dédale de ruelles, Brian est arrivé devant une porte derrière laquelle semblait commencer une ville dans la ville :

— Bienvenue à la cité des morts, a-t-il annoncé.

À première vue, ce n'était qu'un autre quartier déshérité du Caire avec ses pauvres petites bicoques, certaines sans toit, mais comme son surnom l'indique cette zone était avant tout un cimetière, une nécropole qui n'abritait pas moins de quarante mille êtres vivants [1].

Quelques statistiques permettent de comprendre pourquoi un champ de tombes s'est transformé en zone d'habitation dans la principale métropole d'Afrique. Au cours des deux dernières décennies, le taux de natalité en Égypte a augmenté dans des proportions telles que les experts avancent qu'un million de nouveaux habitants s'ajoute à la population totale… tous les dix mois.

1. On estimait en 2008 à deux cent cinquante mille habitants la population de la cité des morts.

Comme seuls quatre pour cent du territoire sont habitables, il est tout simplement impossible de trouver assez de place pour répondre à cette explosion démographique. C'est ce qui explique l'éclosion de villes nouvelles tout autour de la capitale depuis dix ans mais, outre que peu de gens sont attirés par ces oasis en préfabriqué, leur autonomie et leur viabilité économiques sont loin d'être assurées. Pour cette raison, Le Caire « Victorieux » est devenu le pôle d'attraction de toute une immigration intérieure, les pauvres de la campagne ne cessant de fuir leur triste sort en ville, qui n'a pas la capacité de les accueillir. Quelques années avant mon voyage, j'avais glané dans la revue *The Middle East* quelques chiffres qui en disaient plus long que bien des discours : la capitale égyptienne ne dispose que de deux millions de logements pour trois millions de familles, ce qui signifie que quarante-deux pour cent de la population vit dans des taudis d'une seule pièce ; et même si l'État construit entre cinquante-cinq et soixante mille nouveaux logements chaque année, il en faudrait soixante-dix mille de plus pour répondre à la demande.

Bref, où se loger dans un tissu urbain aussi saturé ? La réponse, nombre de Cairotes l'avaient trouvée à la cité des morts. La tradition égyptienne étant d'inhumer les défunts dans un sarcophage protégé par un mausolée, quelqu'un a eu l'idée, il y a fort longtemps, d'installer sa famille dans l'un de ces petits édifices, et bientôt le cimetière est devenu une ville entière, avec ses boutiques et ses écoles au milieu des cryptes. En déambulant avec Brian dans cette nécropole où les hommes jouaient au trictrac dans les cafés et où les bouchers suspendaient leurs quartiers de bœuf et de mouton au-dessus d'une tombe, j'ai été assailli par le dilemme qui guette tout Occidental confronté aux paradoxes du tiers-monde : fallait-il, tel un bon lecteur du *Guardian* pris de culpabilité socialisante tout en sirotant un verre de muscadet, s'indigner d'un système qui tolérait une vie aussi précaire et insalubre pour ses citoyens, ou accepter le fait que la cité des morts était une réponse obligée du pays à une crise du logement que ses ressources économiques ne lui permettaient pas de surmonter ?

Brian semblait favoriser la seconde approche, à en juger par le ton égal sur lequel il m'a communiqué quelques informations sur ce quartier. Ses longues années en Égypte lui avaient sans doute appris à ne pas imposer ses raisonnements d'Occidental aux réalités égyptiennes, à éviter de rejeter immédiatement des choix sociaux ou politiques sous prétexte qu'ils ne correspondaient pas à ce qui était la norme dans des pays plus développés. La cité des morts cairote était-elle fondamentalement différente de zones déshéritées comme Toxteth à Liverpool ou Ballymun à Dublin ? D'aucuns pourraient objecter que ces banlieues glauques disposent au moins de l'eau courante, d'un système d'égouts et de l'électricité, mais la persistance de pareils ghettos dans des sociétés parvenues à un haut niveau de prospérité n'est-elle pas, en soi, la preuve accablante que de sérieux problèmes demeurent ? Et donc, comment « condamner » l'existence de la cité des morts ? L'Égypte, cauchemar des économistes, présentait juste une forme de pauvreté plus brutale et plus radicale que la nôtre.

C'était un point de vue intéressant, qui m'aurait plus tenté si je n'avais pas vu l'opulence s'étaler dans les artères commerçantes de Mohandessin, ou les jeunes

Égyptiens de bonnes familles faire la queue pour entrer à la boîte de nuit du Hilton au Caire. Chaque société humaine a ses travers, évidemment, mais en circulant parmi ces mausolées où habitaient cinq ou six personnes, en humant les odeurs de cuisine montant des cryptes, on devait reconnaître que les divisions sociales, en Égypte, avaient pris des proportions inquiétantes. Traverser Le Caire ne revenait pas seulement à des allées et venues incessantes entre le XXe siècle et le passé : c'était aussi un passage entre différents cantons, certains occidentalisés, d'autres presque moyenâgeux. Et bien que leurs habitants aient partagé la même langue et la même nationalité, on se disait que ces discordances si marquées risquaient de conduire un jour à une explosion.

Nous ne nous sommes pas attardés à la cité des morts. Avant de repartir, nous avons fait halte devant une école improvisée. Des dessins réalisés avec des crayons de couleur étaient collés sur les croisillons en pierre qui faisaient office de fenêtres, miracles de l'imagination enfantine dans un contexte aussi désolé… Plus loin, la lumière hachée d'une télé couleurs posée sur une tombe donnait d'étranges reflets à l'un de ces caveaux-taudis.

Vingt minutes plus tard, nous prenions le thé chez Brian, à Mohandessin.

Assise dans le salon à l'hôtel Rialto, Soraya était en grande conversation avec M. Husseïni. Ce sexagénaire avait une cheville fracturée, accident survenu un matin lorsqu'il s'était débrouillé pour tomber de son lit. Depuis, il passait le plus clair de son temps sur une chaise dans le couloir devant sa chambre, en pyjama rayé et robe de chambre en soie usée, à fumer des

Cleopatra et à lire l'autobiographie d'Anouar el-Sadate. Cette lecture était certainement ardue, car plus de deux mois après, la veille de mon départ d'Égypte, je l'ai trouvé à cette même place et il n'avait avancé que d'une cinquantaine de pages dans les Mémoires du président défunt.

Soraya et M. Husseïni étaient tous deux des « pensionnaires à vie » du Rialto. Dans le même cas, il y avait aussi M. Alouane, un haut fonctionnaire d'Ismaïlia qui avait été muté au Caire contre son gré et, ne voulant pas transférer sa famille dans cette ville impossible, résidait au Rialto pendant la semaine avant de rentrer chez lui pour le week-end. C'était quelqu'un de très pointilleux, toujours tiré à quatre épingles, qui avait une forte tendance à répéter cent fois les mêmes histoires. Ayant appris que j'habitais Dublin, il s'était empressé de me raconter ses quinze jours de vacances en Irlande et depuis, à chacun de mes retours au Rialto entre deux expéditions dans le pays profond, il avait recommencé son récit comme si de rien n'était, si bien qu'en quittant l'Égypte j'avais dû l'entendre à six ou sept reprises.

Parmi les hôtes quasi permanents de l'hôtel, on comptait également un jeune Allemand venu étudier l'arabe au Caire, qui avait pour habitude de me dévisager d'un air tellement hostile que j'en étais venu à me demander si je ne lui avais pas fait quelque tort irréparable dans une vie antérieure ; un réfugié érythréen toujours de bonne humeur qui attendait au Caire le visa de réfugié politique qu'un pays occidental voudrait bien lui accorder et aimait beaucoup déambuler à travers l'hôtel sans rien d'autre sur lui qu'une serviette de bain nouée à la taille ; et Derek, un jeune de Nottingham lui aussi en attente de visa, soudanais dans son cas. Après avoir enseigné quelques années au Soudan, il s'était transformé en chômeur dès son retour en Angleterre. Dégoûté par les années Thatcher, il avait fini par reprendre la route : un vol charter pour Israël, puis le trajet en autobus de Tel-Aviv au Caire. Au Rialto, il devait partager sa chambre avec d'autres transhumants de passage afin d'économiser ses maigres fonds. Ses finances étaient dans un tel état qu'il survivait à raison d'une livre par jour et envisageait sérieusement de devoir quitter le Rialto et échouer dans une pension pour travailleurs célibataires, deux fois moins coûteuse. S'il obtenait enfin le quitus des autorités soudanaises, il se préparerait à gagner Khartoum dans un wagon de troisième classe, perspective qui ne l'enchantait guère. Mais, si le British Council voulait bien lui confier quelques élèves en cours particuliers, il était prêt à rester encore au Caire grâce à cette planche de salut, si ce n'est que, d'après lui, cette hypothèse était plus qu'improbable... Bref, Derek était un peu perdu. Pensant retrouver son énergie en se rendant en Égypte, il avait au contraire succombé à la charmante léthargie du Rialto. C'était en effet l'un des risques que présentait cet hôtel confit dans un autre temps. Tad, par exemple, avait prévu de ne passer qu'une seule nuit au Rialto : quatre mois plus tard, il y séjournait encore. Il est vrai que ce garçon semblait avoir pour manie de traîner dans les capitales étrangères car, alors que je lui demandais un jour s'il était en vacances, il m'a répondu :

— Moi ? Je... voyage, juste.

— Depuis longtemps ?

— Quatre ans.

— Pardon ?

— Ouais, je dirigeais une grosse boîte de restauration à Phoenix, en Arizona, mais un jour j'en ai eu ma claque, j'ai revendu mes parts et j'ai mis les voiles.

Fallait-il croire son histoire ? Il y avait plus d'un élément ambigu dans la personnalité de Tad. Par exemple ses cheveux blonds parsemés de gris qui semblaient être teintés, sa voix fluette et affectée, ou la sollicitude paternelle qu'il manifestait à un jeune portier de l'hôtel. Même ses récits de voyage manquaient de crédibilité.

— J'ai passé un temps en Thaïlande, c'était magnifique, et puis je suis allé en Allemagne et là des gens m'ont dit : « Tu devrais te poser quelque part, pour changer. » Ils m'ont proposé un emploi d'infirmier.

— Dans un hôpital allemand ?

— Pas un hôpital, non. Dans une clinique de la science chrétienne.

— Mais que faisiez-vous donc dans une clinique de la science chrétienne ?

— C'est que… dans mon enfance, j'ai été élevé selon les préceptes de l'Église de la science chrétienne.

— Ah ? Je pensais que l'Église de la science chrétienne ne croyait pas aux vertus de la médecine.

— C'est exact, mais ils ont des cliniques dans le monde entier, pour les fidèles qui tombent malades.

— Des cliniques sans médecins, vous voulez dire ?

— Avec un certain genre de médecins, plutôt. Des « praticiens », comme ils disent. Ils viennent prier avec leurs patients, pour les soulager. Et puis il y a les infirmiers, comme je l'ai été, qui doivent veiller au confort des patients. Mais pas de médicaments ni rien de la sorte, surtout. C'est contraire aux principes. Et donc, après l'Allemagne j'ai été infirmier dans une autre clinique, en Angleterre. Pendant trois ans. Mais l'une de mes patientes est morte de la gangrène, parce qu'elle s'est fait une coupure à un doigt de pied et qu'elle a refusé de prendre des antibiotiques, évidemment. Alors là, j'ai perdu la foi dans l'Église de la science chrétienne. J'ai décidé de retourner en Thaïlande. Comme mon avion faisait escale au Caire, je me suis dit : « Pourquoi ne pas passer un jour en Égypte ? » C'était fin juin et voilà, on est en octobre et je suis toujours là.

À l'entendre, Tad était un vagabond planétaire qui avait toujours de quoi prendre l'avion suivant, en une succession infinie d'aéroports.

— Ensuite, je vais aller au Kenya. Quelques jours à Nairobi, peut-être, et ensuite un petit safari pour voir tous ces animaux si mignons... Après, j'irai un peu aux Seychelles, il paraît que c'est faaaabuleux. Ensuite, retour à Nairobi et destination le Burundi.

— Le Burundi ? me suis-je étonné. Pourquoi ?

— Je veux « goûter » à l'Afrique centrale.

— Il n'y a pas grand-chose à goûter là-bas, j'en suis sûr. Je ne me rappelle même pas le nom de la capitale du Burundi !

— Bujumbura. On dit que c'est chaaarmant. Un bijou ! Très pauvre, évidemment. Le revenu moyen annuel est d'environ soixante dollars américains. Et la moitié de la population est censée avoir le sida.

— Ça a l'air super.

Le bulletin d'informations de vingt heures l'a empêché de continuer à énumérer les délices du Burundi. Dans le salon, tous les ressortissants étrangers, rejoints par quelques employés du Rialto, se sont groupés devant la télé en noir et blanc afin d'entendre la version ultra-officielle des récents événements communiquée par deux présentateurs figés face aux caméras.

Premier titre de la soirée : « Le président Hosni Moubarak a présidé aujourd'hui une réunion du présidium du Parti national démocratique, au cours de laquelle il a présenté les résultats de ses récentes visites en Europe et aux États-Unis. Le président a également présenté les solutions répondant aux problèmes actuels du pays. » On a eu droit à une vidéo montrant ladite réunion ; en voix off, l'un des présentateurs a nommé chaque participant au fur et à mesure que la caméra tournait autour de la table, ce qui a pris trois bonnes minutes.

Deuxième grand titre : « Le président Hosni Moubarak a posé aujourd'hui la première pierre de la ville nouvelle de Beni Souef, qui s'élèvera bientôt à l'est de l'ancienne ville de Beni Souef, à une centaine de kilomètres au sud du Caire. »

Toujours pareil, donc : quelles que soient les crises auxquelles la planète avait été confrontée pendant la journée, le bulletin commençait toujours par un – long – résumé des activités quotidiennes du chef de l'État. C'était la preuve que, malgré la volonté de « modernisation » affichée par Moubarak, malgré la réapparition de certaines formations d'opposition bannies par Sadate, le système du parti unique continuait à régner en Égypte. Toute élection égyptienne se terminait invariablement par un succès triomphal du Parti national démocratique au pouvoir. En fait, la révolution nassérienne de 1952 n'avait pas mis fin au pouvoir monarchique, se contentant de transférer celui-ci entre les mains de la nouvelle élite politique. C'était une constante de l'histoire égyptienne : les pharaons, les

Grecs, les Arabes puis les Turcs avaient tous imposé des dynasties qui maintenaient leur contrôle sur le pays jusqu'à l'invasion ou au coup d'État suivants. En ce sens, Moubarak n'était rien de plus que la troisième génération de l'ère nassérienne, le dauphin implicite de Sadate monté sur le trône après qu'une rafale de mitraillette avait mis fin au règne de son prédécesseur.

Il était, en d'autres termes, le pharaon de notre temps.

Sur la corniche du Nil, le siège de la télévision égyptienne était entouré de soldats, lourdement armés qui plus est. Deux recrues postées sur le balcon principal se tenaient à côté d'une pièce d'artillerie, et le filtre de sécurité pour entrer dans le bâtiment était extrêmement sévère. Ce dispositif militaire proclamait à lui seul que le régime ne prenait aucun risque : des putschistes éventuels auraient eu du mal à s'emparer de la voix de son maître.

Installé au premier étage, le centre de la presse internationale était l'organisme où j'étais tardivement venu obtenir une accréditation de journaliste-écrivain. Le bureaucrate qui m'a reçu n'a pas paru enchanté d'apprendre que je me promenais dans le pays depuis un mois sans avoir pris la peine de demander ce bout de papier, mais comme je lui ai affirmé que j'étais principalement resté dans le nord du pays, omettant bien sûr de mentionner mon passage à Siwa, il a haussé les épaules et m'a rapidement établi ma carte de presse. Une fois encore, la bureaucratie égyptienne montrait que, malgré sa façade de sévérité, elle obéissait avant tout à la philosophie du *maalesh*.

Cette formalité achevée, j'ai erré un moment dans les couloirs ; tombé par hasard sur la salle des télex, je suis entré jeter un coup d'œil à celui de l'agence Reuters. La grande nouvelle de la journée était l'arrivée au Caire du sous-secrétaire d'État américain, John Whitehead, venu rencontrer Moubarak et tenter de ramener le calme dans les relations diplomatiques américano-égyptiennes, malmenées par l'interception de l'avion d'Egypt Air transportant les auteurs du détournement de l'*Achille Lauro*.

Compte tenu de la dépendance de l'Égypte vis-à-vis de l'Amérique en termes d'équipements de défense, et de l'importance pour Washington de conserver un allié si influent au Moyen-Orient, j'étais curieux de voir comment les autorités égyptiennes concevaient leur dialogue avec leur puissant *padrone* en fonction des derniers développements, et j'ai donc prié l'une des assistantes du centre de la presse internationale de me trouver un porte-parole du gouvernement qui pourrait me donner une analyse officieuse de l'affaire de l'*Achille Lauro*. Après plusieurs appels téléphoniques, elle m'a annoncé qu'un rendez-vous avait été organisé à mon intention.

— Avec un officiel ? me suis-je enquis.

— Avec un journaliste réputé d'*Al-Ahram*. Il sera en mesure de répondre à toutes vos questions.

Si je n'avais pas connu ce quotidien égyptien, j'aurais été étonné qu'un journaliste ait été choisi pour présenter le point de vue des autorités à un visiteur étranger. Mais *Al-Ahram* n'était pas seulement la référence incontournable dès qu'il s'agissait de la presse du monde arabe : c'était aussi une publication semi-officielle du gouvernement égyptien, et à ce titre les mots de l'un de ses commentateurs avaient presque le même poids que ceux d'un porte-parole de la présidence.

Contrairement à toutes les rédactions de grands journaux qu'il m'avait été donné de voir, celle d'*Al-Ahram* était méticuleusement rangée, et d'une propreté exemplaire. Pas de mégots sur le sol ni de papiers froissés provenant de la copie de la veille, mais un sage alignement de bureaux occupés par des journalistes dont aucun ne paraissait avoir abusé de la dive bouteille le soir précédent. La personne que je devais rencontrer, et que j'appellerai M. Moustapha, se trouvait dans une petite pièce séparée de la salle de rédaction. La soixantaine élégante, il portait un costume sombre de bonne facture qui lui donnait l'allure d'un banquier d'affaires. Une fois le café servi par un garçon d'étage octogénaire, il m'a indiqué qu'il ne voyait pas d'objection à ce que je prenne des notes, dès lors que je ne citais pas son véritable nom et, ce point éclairci, il s'est lancé dans un exposé de realpolitik américano-égyptienne qui a duré plus d'une demi-heure.

— Nous ne nous attendions pas du tout à ce genre d'attitude de la part des États-Unis, a déclaré M. Moustapha. L'Égypte ne s'est impliquée dans le détournement qu'à la demande des puissances concernées, l'Italie et l'Amérique. Et il y avait eu un dénouement pacifique, sans effusion de sang. Lorsque nous avons conclu un accord avec les pirates pour les envoyer à Tunis en avion, nous ignorions qu'ils avaient tué un Américain et l'avaient jeté par-dessus bord. Si nous l'avions su, nous aurions traité la situation différemment. En faisant intercepter cet avion, Reagan a voulu montrer qu'il en avait assez du terrorisme, mais du même coup il a pris le risque de s'aliéner ses alliés dans la région. La politique des États-Unis est contradictoire : les Américains ont une stratégie antiterroriste, mais ils ne semblent pas voir que celle-ci entre souvent en conflit avec leur autre priorité stratégique, celle de maintenir des relations solides avec les pays modérés du Moyen-Orient. Bien entendu, le processus de paix régional avait déjà été torpillé par le bombardement israélien du siège de l'OLP à Tunis. Que cette action ait été suivie par l'interception de l'avion d'Egypt Air a été un coup dur pour tous les partisans de la paix.

» Les États-Unis prennent toujours le parti d'Israël, ils veulent faire de l'OLP le bouc émissaire, mais s'ils veulent la paix au Moyen-Orient il faut qu'ils y travaillent plus sérieusement. Ils doivent commencer par comprendre qu'il y a une différence entre le terrorisme et l'agitation dans les territoires occupés. Les droits de l'OLP doivent être reconnus : autodétermination, récupération de territoires conformément aux résolutions de l'ONU. « La terre en échange de la paix », c'est la seule solution. Depuis que le président Reagan a approuvé le raid israélien contre l'OLP à Tunis, les relations entre Le Caire et Washington se sont tendues. Ensuite, cette décision d'intercepter l'appareil d'Egypt Air a amené beaucoup d'observateurs chez nous à s'interroger sur les véritables intentions des USA. Pourquoi s'en prendre à la souveraineté égyptienne ? La population attendait que Moubarak prenne des mesures contre l'Amérique, mais lesquelles ? Comme le président l'a dit lui-même, les États-Unis sont une superpuissance : que peut l'Égypte face à elle ?

» Les Américains doivent se rappeler que l'Égypte est non seulement leur alliée, mais aussi une force de paix dans la région. Si l'Égypte n'a plus ce rôle, cela affectera sa position face à d'autres pays qui continuent à dénoncer les accords de Camp David. Si les Américains continuent sur cette voie, ils ne feront qu'affaiblir la position du président Moubarak et d'autres dirigeants modérés. Et que se passera-t-il, dans le cas où vous sapez le prestige de Moubarak, du roi Hussein de Jordanie, et même des leaders saoudiens, qui soutiennent discrètement le travail des Égyptiens et des Jordaniens en direction de la paix ? La stabilité de toute cette région sera remise en cause.

» Être dépendant de l'aide américaine ne signifie pas que l'on renonce à sa volonté nationale. Il y a des limites que l'on ne peut dépasser, même quand on est en demande. Et il faut que les Américains se rappellent qu'eux aussi sont « dépendants » de l'Égypte, lorsqu'il s'agit de la stabilité du Moyen-Orient. Les extrémistes ont gagné un peu de terrain chez nous, après le raid de Tunis et le détournement. Croyez-moi, les intégristes ne rêvent que de lancer un soulèvement. S'ils étaient mieux organisés, ils pourraient s'emparer de tout le pays, mais ils ne sont pas encore assez forts, heureusement, et le vent est en train de tourner contre eux. Regardez, des écrivains et des intellectuels ont commencé à les ridiculiser dans la presse, à la télévision... Il n'empêche que nous vivons une période dangereuse, très dangereuse. Avec sa décision, Reagan a suspendu un énorme point d'interrogation au-dessus de la tête du président Moubarak. Ne se rend-il pas compte que c'est un risque incroyable, de faire une chose pareille dans un contexte comme le nôtre ?

Ce n'est pas seulement la solidité de son argumentation qui m'a frappé, mais aussi l'absence de toute irritation et de toute amertume dans son comportement. En exprimant les doutes de son pays devant la politique étrangère de Washington dans la région, il avait plutôt laissé transparaître dans sa voix une déception profonde, qui renvoyait peut-être à un désenchantement plus général devant la situation intérieure et extérieure de l'Égypte. À en juger par son âge, il devait avoir eu une trentaine d'années lorsque Nasser avait pris le pouvoir en 1952 ; il avait été le témoin de la victoire du raïs sur la France et l'Angleterre après l'aventure de Suez, l'avait vu s'élever au rang de « père de tous les Arabes ». Certes, les rêves nassériens d'une Égypte socialiste et d'un panarabisme triomphant s'étaient effondrés, mais le règne de Nasser avait été caractérisé par une détermination que l'on avait retrouvée ensuite chez Sadate, celle de forcer les défenses israéliennes dans le Sinaï en octobre 1973, celle de rompre avec les Soviétiques et de tendre la main aux Américains, celle de conclure un traité de paix avec Israël à Camp David.

Mais là encore l'héritage de Sadate s'était résumé à un écheveau de rêves inaccomplis : sa poursuite de l'économie de marché n'avait fait que creuser le fossé entre riches et pauvres ; son rapprochement avec l'État hébreu avait isolé l'Égypte au sein du monde arabe ; ses tentatives d'apaiser des groupes radicaux comme les Frères musulmans n'avaient eu pour résultat que d'encourager la violence fondamentaliste tout en suscitant la méfiance grandissante de la minorité chrétienne. Enfin, dans les derniers mois de sa vie, Sadate avait mené une offensive désespérée contre ceux qu'il pensait être ses ennemis politiques, recours ultime qui avait seulement exacerbé les tensions et les divisions au sein de la société égyptienne.

Depuis lors, l'option de Moubarak avait été de suivre une « troisième voie », et il avait réussi à cautériser plusieurs des plaies ouvertes par les années Sadate, mais les défis auxquels le pays se confrontait étaient tellement gigantesques que sa principale préoccupation avait été de maintenir la stabilité du régime. Les répercussions de l'affaire de l'*Achille Lauro* finiraient par s'estomper, bien sûr, mais j'avais senti une sourde inquiétude dans les propos de M. Moustapha : la crainte que, face à une nation en si mauvais état, Moubarak ne pourrait survivre longtemps si son autorité de dirigeant était ouvertement remise en cause. Plus encore qu'une humiliation, le geste inconsidéré de Ronald Reagan avait montré aux Égyptiens que leurs bienfaiteurs les tenaient pour à peine plus que des assistés dont la souveraineté ne valait pas cher dès lors que l'Amérique payait pour leur subsistance.

Ce qui troublait et attristait le plus M. Moustapha, peut-être, c'était le constat que l'Égypte semblait incapable d'échapper au sort qu'avaient connu presque tous les pays du tiers-monde : devenir le client de l'une ou l'autre superpuissance. Trente-trois ans après la révolution de 1952, l'Égypte, ce phare du monde arabe, restait un pays fragile, dépendant, guetté par un avenir plein d'incertitudes et de menaces. Et son seul recours, pour le moment, était d'espérer que sa structure étatique serait assez résistante pour le préserver de ces turbulences.

Revenu au centre de la presse internationale, après cette interview, j'ai appris le résultat de la rencontre entre le président Moubarak et le sous-secrétaire d'État américain. De manière très prévisible, Whitehead avait déclaré à la fin de l'entretien que les États-Unis regrettaient sincèrement le tour que les événements avaient pris, et que les relations particulièrement chaleureuses entre les deux pays devaient se poursuivre. Si Moubarak n'avait pour sa part fait aucune déclaration à la presse, il avait indiqué avant de recevoir l'envoyé américain que l'Égypte était prête à pardonner, et à oublier, dès lors que l'Amérique s'engagerait à relancer et à accélérer le processus de paix au Proche-Orient.

C'était une manière d'offrir aux Américains une chance de se rattraper, et ceux-ci ne l'ont pas ignorée. Plus tard dans la soirée, à la BBC, j'ai entendu que le Premier ministre israélien de l'époque, Shimon Pérès, avait proposé à la Jordanie d'entamer sans tarder des négociations de paix, une décision qui à mes yeux était à la fois un moyen d'apaiser Moubarak et de lui montrer qu'Israël – et l'Amérique – prenait à cœur la poursuite de la paix dans la région. Et cependant le président égyptien n'allait jamais recevoir de Washington les excuses qu'il attendait. Si l'imbroglio de l'*Achille Lauro* avait prouvé quelque chose, c'était que dans les relations entre l'Égypte et l'Amérique, ce n'était jamais le moment de demander pardon.

Les rêves de la révolution de 1952 s'étaient peut-être dissipés mais certains vestiges de l'ère nassérienne avaient la vie dure. Quelques jours après ma rencontre avec M. Moustapha, en me rendant à la municipalité du Caire afin d'obtenir une prolongation de mon visa, je me suis ainsi retrouvé en face d'une contradiction qui minait ce pays depuis trente ans.

Les services municipaux étaient regroupés dans l'immeuble Al-Moghamma, sur la place Tahrir, une construction bâtie par des architectes soviétiques au nom de la fraternité entre les peuples, lesquels avaient dû se plier à la laideur morose qui était de rigueur dans l'URSS des années 1950. Étonnamment, cette lointaine origine soviétique s'était durablement imposée dans les esprits égyptiens puisqu'il suffisait de prononcer le nom d'Al-Moghamma pour que les Cairotes adoptent la même mine horrifiée que les Moscovites en entendant mentionner la Loubianka, le sinistre siège du KGB à Moscou. Ce n'est pas qu'Al-Moghamma ait abrité quelque redoutable police secrète, non ; c'était une prison d'un autre genre, un purgatoire bureaucratique où la patience était soumise à un test d'endurance très éprouvant.

— Tu vas faire prolonger ton visa à Al-Moghamma ? avait ainsi relevé un ami égyptien en prenant un air infiniment compatissant ; prévois d'y passer cinq heures, minimum. C'est un cauchemar, ce truc.

Il n'avait pas exagéré. D'emblée, j'ai cru me retrouver dans un film expressionniste allemand des années 20 : hall envahi d'âmes en peine errant sans but, kilomètres de couloirs gris et ténébreux, succession interminable de portes derrière lesquelles des fonctionnaires croulaient sous des dossiers jaunis, sensation que personne ne comprenait vraiment pourquoi il ou elle se trouvait dans ce dédale bureaucratique mal éclairé qui vous prenait au piège dès votre arrivée... Franz Kafka aurait sûrement apprécié Al-Moghamma.

Après m'être perdu à deux reprises, j'ai finalement trouvé la salle des visas et si le mien n'avait pas expiré le lendemain je serais parti en courant, car il y avait là trois ou quatre cents personnes qui cherchaient désespérément à comprendre dans quelle file elles allaient perdre de précieux moments. Leur confusion était compréhensible, puisqu'il existait au moins quatre guichets différents qui délivraient autant de types de visas spécifiques, mais aussi parce que avant de parvenir au guichet principal correspondant à votre demande il fallait se présenter à trois guichets successifs, destinés à filtrer les postulants.

Ce système aberrant fonctionnait de cette manière : primo, trouver la file correspondant à vos besoins ; deuzio, s'engager dans celle qui vous permettrait de recevoir le formulaire adéquat ; tertio, suivre celle conduisant à l'employé qui vérifierait que vous l'aviez bien rempli ; quarto, passer à celle où il fallait montrer la preuve écrite que vous aviez bien changé la somme de cent quatre-vingts dollars en monnaie égyptienne au taux officiel ; quinto, patienter dans une dernière queue où, muni de toute la paperasserie accumulée, vous alliez pouvoir regarder un énième bureaucrate estampiller finalement votre passeport d'un nouveau visa.

En tout, il devait y avoir vingt files concurrentes dans cette salle en effet cauchemardesque. Mais plus encore que la cohue, et l'énervement des employés soumis à un harcèlement incessant à leurs guichets, ce qui m'a le plus sidéré a été d'apercevoir, assis ou debout derrière eux, une bonne quinzaine de ronds-de-cuir littéralement occupés à ne rien faire. L'un d'eux m'a particulièrement frappé : installé à sa table, les mains croisées devant lui tel un écolier sage, il souriait dans le vide avec une sérénité affolante. À côté de lui, un petit groupe de fonctionnaires femelles échangeaient des potins et essayaient mutuellement leurs rouges à lèvres. J'ai cru tout d'abord qu'ils appartenaient à une équipe qui bénéficiait d'une pause mais je ne les ai jamais vus reprendre le travail pendant les heures que j'ai dû passer là-bas. Quelle était la raison de leur présence, alors ? La réponse était simple : ils étaient là pour perpétuer un système parfaitement bureaucratique dont l'un des principes est que tout Égyptien, une fois sorti de l'école, a droit à un emploi.

On avait là une synthèse saisissante des idéologies opposées de l'ère Nasser et des années Sadate, « socialisme arabe » et alliance avec les Soviétiques pour le premier, *infitah* (libéralisation économique) et appel à la générosité américaine pour le second. Alors que Nasser avait prôné la nationalisation de la production, son successeur avait appelé les entrepreneurs privés à retrousser leurs manches ; tandis que l'un, fidèle à son modèle d'« un emploi pour tous », était prêt à créer des postes dont le seul intérêt était de « respecter le plan » du « chômage zéro », l'autre avait voulu croire que l'économie de marché entraînerait toute une nouvelle génération loin de la fonction publique ; Nasser avait construit un État monolithique et bureaucratique et Sadate, devant l'échec de sa politique d'ouverture, avait dû se résigner à le maintenir.

Deux idéologues, chacun déterminé à imposer sa propre version de la destinée égyptienne, chacun poursuivant des chimères, avaient l'un et l'autre été incapables de créer un ordre social nouveau, et là, dans le délire d'Al-Moghamma, je me suis dit que Nasser avait peut-être laissé derrière lui le barrage d'Assouan, et Sadate les accords historiques de Camp David, mais que le véritable legs de leurs régimes respectifs était une bureaucratie aussi tentaculaire que sclérosée. Et telle une maladie génétique transmise d'une génération à l'autre, c'était maintenant Hosni Moubarak qui en avait hérité. Il allait devoir trouver un remède, et vite.

Le président égyptien n'était pas le seul à faire face à ce redoutable problème. Derrière moi dans l'une des queues, il y avait un ingénieur italien qui travaillait en Égypte depuis plus d'un an et dont c'était, en l'espace d'une semaine, la troisième visite à Al-Moghamma. Le malheureux semblait bon pour la camisole de force, ou presque :

— Dans les quatre derniers jours, j'ai passé plus de douze heures ici ! s'est-il lamenté en roulant des yeux égarés. Chaque fois que je reviens, ils disent qu'il manque un papier, ou que ce n'est pas le bon formulaire ! Je retourne voir mes employeurs, je demande ce qu'il faut, je reviens et ils me disent : « Non, c'est pas bon ! » Quatre fois ! Quatre fois, je suis revenu, et ce n'est jamais le bon papier, même si c'est celui qu'ils voulaient !

Se rendant compte qu'il s'était mis à crier et que tous les regards étaient braqués sur lui, il s'est penché vers moi et m'a chuchoté :

— Vous voyez ? Ils pensent tous que je suis fou ! Mais ce n'est pas moi, c'est cet endroit qui est dingue ! Ce pays ! Je vous le dis, même à Rome, ça ne pourrait pas se passer comme ça. Même à Rome, ils ne me traiteraient pas de cette façon…

Quand j'ai aperçu l'Italien un peu plus tard, il était en train de menacer de représailles physiques un fonctionnaire qui n'avait pas l'air plus ému que cela, tant les petites crises nerveuses sont monnaie courante, à Al-Moghamma. Une histoire circulait dans les cercles d'expatriés au Caire : un Africain trop sensible s'était récemment jeté de l'une des fenêtres de l'immeuble. Vraie ou pas, les gens semblaient prendre cette histoire pour argent comptant, comme si tout le monde savait qu'Al-Moghamma était susceptible de vous pousser un jour au suicide.

Quant à moi, j'ai eu la chance de survivre à cette expérience sans trop de stigmates psychologiques. Qui sait, ils avaient peut-être décidé de travailler plus vite, ce jour-là, car il ne m'a fallu que quatre heures pour arracher l'autorisation de rester un mois supplémentaire dans le pays. Lorsque j'ai été appelé et que je me suis approché du guichet pour reprendre mon passeport, mes yeux sont à nouveau tombés sur l'énigmatique bureaucrate que j'avais remarqué auparavant. Il était toujours à son bureau, perdu dans son monde. Ne faisant rien.

Donald Morris connaissait bien la réalité symbolisée par Al-Moghamma. Il savait aussi que ce principe d'« un emploi pour tous » avait eu un impact déplorable sur l'économie égyptienne, et n'oubliait jamais que ce pays avait une dette extérieure de trente et un milliards de dollars qu'il n'était pas en mesure de rembourser. « Aucune notion de contrôle » était l'une de ses expressions favorites lorsqu'il évoquait la politique monétaire et financière de l'Égypte, et tel un médecin annonçant à un patient qu'il est plus que temps d'arrêter de fumer, il pensait sérieusement que l'État égyptien courait droit à l'emphysème budgétaire s'il ne renonçait pas à ses mauvaises habitudes de gestion. Cette vision pessimiste des choses faisait partie intégrante de son boulot, puisque Donald était spécialiste de la dette extérieure au sein d'une très grande banque internationale.

Originaire de Cardiff mais ayant perdu toute trace d'accent gallois pour adopter l'élocution précise et châtiée d'un gentleman de la City, Donald, qui avait à peine dépassé la quarantaine, avait auparavant travaillé au Zaïre, essayant de trouver un sens aux décombres économiques laissés par le régime Mobutu. Après Kinshasa, Le Caire lui avait paru être une ville raisonnablement agréable, et contrairement à nombre d'expatriés qui ne cessaient de se plaindre des aberrations de la capitale égyptienne il s'était assez vite adapté au rythme frénétique et aux particularités de la mégalopole. Ce qu'il n'arrivait pas à comprendre, toutefois, c'était ce qu'il appelait l'imprudence suicidaire du pays dès qu'il était question d'économie. À ses yeux, l'Égypte ressemblait à un joueur invétéré que sa veine exceptionnelle dans les paris hippiques abandonne soudainement, obligeant les preneurs d'enjeux – plusieurs des principales institutions financières mondiales, en l'occurrence – à se dire qu'il sera très bientôt incapable de payer ses dettes.

Non seulement l'Égypte compte parmi les pays les plus endettés au monde mais sa condition de pays quasi désertique, sans ressources naturelles importantes ni base industrielle solide, la place dans une position beaucoup plus défavorable que le Brésil, par exemple. Ses seules sources de revenus sont le pétrole – vingt-cinq pour cent du PNB –, les taxes sur le canal de Suez, le tourisme et l'argent que ses travailleurs émigrés envoient à leurs familles restées au pays. Pas de quoi inspirer une confiance délirante aux bailleurs de fonds, on le voit, d'autant que la baisse des prix pétroliers a autant touché l'Égypte que les pays du Golfe, et que les politiques d'immigration restrictives adoptées un peu partout ont réduit les opportunités pour la main-d'œuvre égyptienne expatriée. Ajoutons à cela que des incidents comme le détournement de l'*Achille Lauro* ne sont pas faits pour donner des ailes à l'industrie touristique.

À ce contexte défavorable, m'a expliqué Donald, il fallait ajouter l'effarante explosion démographique que connaît l'Égypte. Au temps où Nasser avait promis que toute la population active aurait du travail, il avait justifié les bas salaires pratiqués par les compagnies nationalisées en subventionnant fortement les produits de base tels que le pain, ainsi que l'essence et les transports publics ; en ce temps-là, l'Égypte exportait une grande quantité de denrées alimentaires, de sorte que l'État pouvait pratiquement offrir le pain à ses citoyens tout en accumulant les devises étrangères obtenues par ses exportations, et c'était également vrai avec le pétrole. Cet équilibre économique s'était maintenu tant que la population était restée constante, mais le boom des naissances avait sapé les fondations de tout le système. Plus de bouches à nourrir signifiait moins d'exportations de blé, puis la tendance s'était inversée jusqu'à ce que l'Égypte en vienne à devoir importer cinquante pour cent de son alimentation, un changement dévastateur pour une nation qui avait jadis été le grenier du Moyen-Orient.

La poussée démographique avait également pour conséquence que les produits subventionnés coûtaient de plus en plus cher à l'État. En abandonnant le socialisme nassérien, Sadate n'avait pu trouver le moyen de continuer à financer les besoins basiques de ses administrés, ni d'augmenter suffisamment la masse salariale afin qu'une véritable économie de marché puisse s'établir. Son unique tentative d'augmenter légèrement le prix du pain avait débouché sur des émeutes populaires tellement graves que l'armée avait dû intervenir. Récemment, Moubarak a essayé lui aussi cette manœuvre, et les soldats ont à nouveau pris position dans les rues, dispersant des foules violentes, notamment dans la ville de Mansour. Pour un régime fondé sur l'ordre social, c'était un sérieux avertissement, qui révélait une réalité essentielle de l'Égypte : dans un pays où le taux d'analphabétisme atteint soixante-dix pour cent, la population a peu d'intérêt pour la chose politique, certes, mais si elle perçoit que les choix gouvernementaux menacent sa précaire subsistance quotidienne elle se transforme en une force imprévisible.

Ainsi, le régime de Hosni Moubarak se retrouvait devant un choix impossible : renoncer à subventionner les produits de base, c'était provoquer le chaos social, et les maintenir conduisait à un chaos financier inévitable. Il n'était donc pas étonnant que des experts internationaux comme Donald Morris soient fascinés par un tel nœud gordien, impossible à trancher. Il existait des solutions, certes, et Donald m'en a cité quelques-unes – réduire les importations, baisser le taux de change, encourager les producteurs de denrées alimentaires nationaux… –, mais il n'était même pas sûr que le gouvernement ait la marge de manœuvre nécessaire pour les mettre en œuvre. Comme il l'a reconnu, les cercles financiers mondiaux avaient de plus en plus conscience de la nécessité d'avancer très prudemment sur le terrain des réformes économiques en Égypte, toute décision volontariste risquant de provoquer l'effrondrement du pays.

Après avoir quitté Donald, j'ai flâné à pied jusqu'au Musée national, où j'ai passé plusieurs heures dans le plus grand capharnaüm de vestiges pharaoniques de la planète. Dans une salle consacrée au mobilier funéraire du Moyen-Empire, je suis tombé sur une pièce fascinante. Un cercueil en bois retrouvé à Louxor et ayant connu les restes du « Scribe du Trésor au temple d'Amon » était décoré à l'intérieur d'une scène capitale de la vie de ce notable, celle où il offrait des fleurs aux dieux de l'Ouest... Rien n'a changé, ai-je pensé : en Égypte, les scribes du Trésor continuent à s'incliner devant les divinités occidentales.

Le vendredi, les hommes qui ont la charge de la prospérité de l'Égypte observent le jour de repos sanctifié en se rendant au club sportif Guézira. Là, ils se dirigent vers les vestiaires et des employés prévenants les aident à se dépouiller de leurs costumes de ville pour revêtir la tenue du sport de leur choix. L'un enfile une culotte et une veste d'équitation, des bottes étincelantes et, cravache sous le bras, s'en va comme un réalisateur de cinéma allemand des années 20 quittant le plateau ; un autre, engoncé dans un maillot de bain de marque, dissimule ses couches de graisse sous une chemise Cardin ; un autre encore, à peine revenu des courts de tennis, se frictionne le visage avec une lotion après-rasage Christian Dior, puis claque des doigts pour signifier à un domestique grisonnant de lui apporter une serviette propre.

Dehors, leurs femmes et leurs enfants ont déjà pris la place qui leur revient sur la terrasse dominant la piscine. Les premières, réunies en petits groupes chuchotants, sirotent les limonades apportées par des serveurs enturbannés. Elles sont toutes violemment maquillées, leurs ongles vernis en rouge. Plus loin, leurs filles adolescentes moulées dans des jeans trop serrés, un pull Benetton négligemment jeté sur les épaules, échappent à leurs bavardages en se vissant des écouteurs de walkman dans les oreilles, tandis que leurs équivalents masculins se promènent avec des raquettes de squash et jettent sur le monde à travers leurs Ray Ban le regard dédaigneux que leur condition leur permet.

C'est un curieux endroit, ce « Sporting-Club » jadis exclusivement fréquenté par les officiers britanniques avant que Nasser ne le nationalise. Les riches Égyptiens qui y viennent désormais ont conservé son atmosphère coloniale, et on a l'impression d'entrer dans un petit monde clos que l'agitation enfiévrée du Caire ne peut atteindre. De même que les représentants de l'Empire en leur temps, la nouvelle classe dirigeante tient à élever des barrières entre les « indigènes » et sa situation privilégiée. Il y a aussi l'inquiétude presque palpable de nantis qui se demandent si tout cela n'aura pas une fin tragique, s'ils ne se retrouveront pas au milieu d'un autre Iran : l'inquiétude d'une espèce en voie de disparition.

C'est vendredi, la piscine est bondée, les serveurs offrent des sandwichs, les préposés aux vestiaires veillent sur les biens personnels de chacun. Jidane vient de revenir de Zurich, Othman joue aux cartes avec ses amis en mâchonnant des barreaux de chaise en provenance de La Havane... Tout est en place, tout fonctionne, alors il suffit de se détendre, de soigner son bronzage sur sa chaise longue. C'est vendredi, n'est-ce pas, et ce jour-là, au club Guézira, on en viendrait à oublier que Le Caire existe.

À Embaba, le vendredi c'est le marché aux chameaux. Sept cents bêtes tout juste arrivées du Soudan, conduites à travers le désert par de petites escouades de chameliers. Soixante journées de marche dans la fournaise, ce n'est pas de tout repos, surtout quand on doit surveiller une centaine de chameaux, mais c'est un voyage qu'aucun professionnel ne dédaignera, car Embaba est une destination de prestige : le plus grand marché aux chameaux de tout le continent.

Les bêtes sont exposées sur un champ de foire pelé. Les acheteurs doivent circuler dans ce troupeau compact en prenant garde à ne pas marcher sur une patte, les chameaux oubliant dans ce cas leur placidité, allant jusqu'à mordre l'impertinent. Comme l'on sait qu'ils ont souvent la rage, cela rend encore plus nécessaire de ne pas les provoquer inutilement. Et quand l'un d'eux échappe à la vigilance de son gardien pour vous foncer dessus, lèvres retroussées sur une denture agressive, le conseil est de déguerpir au plus vite.

Le marchandage commence très fort. Un vendeur présente à un client potentiel les avantages de son chameau : bien nourri, le pelage dru et uni, et cette bosse charnue qu'il a ! Tu as déjà vu une plus belle bosse ? Non. Et comme nous avons déjà fait affaire ensemble, dans le passé, comme tu sais que je suis un homme d'honneur, je vais te donner un prix rien que pour toi : quatre cents livres et on n'en parle plus. J'y perds, mais ça me fait plaisir. Quatre cents livres et tu repars sur son dos.

L'acheteur n'a pas l'air impressionné. Il est peut-être là pour un abattoir municipal, et dans ce cas il considérera la bête d'un tout autre œil : combien de kilos de viande ? La peau est-elle assez fine et solide pour donner un bon cuir ? La bosse contient-elle suffisamment de graisse ? Il poursuit ses propres calculs tandis que l'une et l'autre partie suppute tacitement ses chances respectives. Le vendeur, un Soudanais, sait que la demande est forte, car l'Égypte manque de chameaux. L'acheteur, lui, n'ignore pas que le Soudanais a traversé le désert pour amener ses bêtes ici et n'a certainement pas envie de les reconduire à la case départ ; prêt à discuter le prix, il est très peu convaincu par la respectabilité de son interlocuteur, se disant en lui-même que le chameau prétendument frais comme l'œil est maigre comme un clou, qu'il a les côtes saillantes et qu'il est atteint de pelade. Trois cents livres, annonce-t-il, au grand dam du chamelier. Je ne rentre même pas dans mes frais, proteste celui-ci ; je te débarrasse d'une carne, rétorque l'autre. Je les laisse à leur barguignage, accroupis autour de deux verres de thé.

À Embaba, on négocie de la viande de chameau. Quelques kilomètres plus loin, au club Guézira, des banquiers avec une bague en diamants au petit doigt discutent de stratégie économique et de dévaluation de la livre égyptienne. Et devant l'hôtel Rialto, ce vendredi, on prie : une mosquée improvisée est apparue dans une ruelle, à ciel ouvert. Une cinquantaine d'hommes se prosternent sur la chaussée devant leur dieu. Un imam récite des passages du Coran dans un micro, sa voix grésille à travers un haut-parleur et couvre les prières des fidèles. Les voitures qui passaient par là sont bloquées, et maintenant le concert dissonant des klaxons se mêle aux incantations mélodiques adressées à Allah. Deux sphères, celle du spirituel et celle du temporel, sont entrées en collision.

Vendredi au Caire. La ville du « Victorieux » se repose mais ses univers multiples continuent à s'entrechoquer.

5

La foi de nos pères

Après avoir réglé ma note à l'hôtel Rialto, je suis allé sur la place Tahrir, où j'ai fini par trouver un taxi collectif en partance vers le nord qui a accepté de me laisser sur l'autoroute du désert, en face de l'oasis de Wadi el-Natroun. Dix autres passagers se sont entassés avec moi dans le vieux break Peugeot, dont un moine presque quadragénaire en soutane et calotte noires. J'avais choisi de m'asseoir tout à l'arrière de ce cercueil ambulant, une sérieuse erreur de jugement, car j'ai ressenti les effets de la suspension moribonde dès que nous nous sommes mis en route, la moindre ornière me projetant contre le toit du véhicule. Quant au siège, il paraissait conçu pour un fakir avec ses ressorts qui perçaient à travers le plastique fatigué de la banquette.

Une éprouvante centaine de kilomètres plus tard, le chauffeur s'est arrêté sur une aire de stationnement et a crié : « Wadi el-Natroun ! » Je me suis extirpé de la mêlée humaine en compagnie du moine. Restés seuls sur le bord de la route, nous avons regardé la Peugeot repartir en cahotant. Autour de moi, je ne voyais que la toile vierge du désert, mais mon compagnon m'a tapé sur l'épaule et m'a montré un point à l'ouest et, plissant les yeux dans la brume de chaleur, j'ai distingué les contours d'une citadelle médiévale émergeant des sables. C'était là où j'allais : le monastère Saint-Macaire.

Un chemin empierré partait dans cette direction. « Il faut marcher cinq kilomètres », m'a appris l'homme de Dieu en m'entraînant avec lui. Au bout de quelques minutes, un adolescent surgi de nulle part est venu à notre rencontre. Il s'est incliné devant le moine et lui a baisé révérencieusement la main, conservant ses manières déférentes même lorsque celui-ci lui a adressé un sourire bienveillant, puis nous suivant à quelques pas respectueux alors que nous avancions lentement vers le monastère.

J'espérais pouvoir passer quelques jours dans l'enceinte de cet ermitage copte fondé par un chamelier dévot en l'an 360 de notre ère. À la faveur de mes lectures préparatoires à ce voyage en Égypte, j'étais tombé sur l'histoire de saint Macaire, un nomade qui errait dans ces parages lorsqu'un ange lui était apparu et lui avait donné pour instruction de bâtir à cet endroit un monastère dédié au rite copte. L'Église copte, l'une des plus anciennes de la foi chrétienne, ne rassemblait plus qu'à peine six pour cent de la population égyptienne, mais elle avait conservé une place importante dans la vie du pays, confirmant la remarquable tolérance religieuse que l'Égypte manifestait dans le contexte moyen-oriental. Au cours des dernières années, cependant, l'irruption de l'islamisme sur la scène sociopolitique égyptienne avait provoqué de sérieuses tensions entre les communautés chrétienne et musulmane, et la minorité copte s'était sentie de plus en plus menacée par les appels de groupes tels que les Frères musulmans à observer strictement la loi coranique. Bien que tenus sous silence par la presse officielle, les troubles à connotation religieuse étaient désormais une réalité qui prouvait que le libéralisme multiconfessionnel de l'Égypte était menacé.

Chaque fois que j'avais mentionné la montée de ces tensions sectaires à mes interlocuteurs du Caire ou d'Alexandrie, ils s'étaient empressés de soutenir qu'il s'agissait uniquement d'une poignée de fanatiques qui tentaient sans succès de troubler une coexistence ancestrale, et que l'immense majorité des musulmans et des coptes voulaient continuer à vivre en harmonie.

Je n'avais pas entendu que ce son de cloche rassurant, néanmoins. Lors de l'une de mes dernières soirées au Caire, j'avais rendu visite à un jeune médecin qui m'avait sauvé d'une crise de « tourista » particulièrement explosive et, apprenant que j'avais établi mes quartiers à Dublin, m'avait proposé de venir passer un moment chez lui afin que nous parlions de cette lointaine cité où il avait l'intention d'obtenir un doctorat en médecine. Il m'avait expliqué qu'il avait choisi l'Irlande parce qu'il était lui-même catholique, membre d'une minorité particulièrement marginale en Égypte puisque l'on estimait à quelque cent quarante mille personnes le nombre de fidèles de l'Église de Rome dans le pays. Mon interlocuteur m'avait très vite confié le peu de bien qu'il pensait de ses compatriotes musulmans :

— Rien qu'à leur façon de te regarder, tu comprends à quel point ils sont prisonniers de leurs préjugés. À la faculté, les autres étudiants se comportaient avec moi comme si j'étais un étranger. Ils disaient que j'avais un nom bizarre, que je n'avais même pas l'air égyptien. Et les enseignants, pareil. Je vais te dire quelque chose que tu n'as sans doute jamais entendu : pour le Moyen-Orient, le plus grand danger, c'est l'islam. C'est une religion qui tire tout le monde en arrière et qui étouffe tout, à commencer par la liberté.

Son amertume m'avait surpris, après toutes les déclarations rassurantes que j'avais entendues. Elle m'avait aussi permis de mesurer à quel point j'ignorais les complexités du tissu culturel et religieux de cette nation. La conséquence de cette prise de conscience était là, sur ce chemin pierreux conduisant au monastère Saint-Macaire, une étape obligée dans mon exploration de la foi en Égypte.

Le moine s'est présenté : père Archiloas, attaché au « Deir Abou Magar », le nom arabe de l'ermitage où nous nous rendions.

— Vous allez souvent au Caire ? me suis-je enquis.

— Non. Les sorties ne sont autorisées que par le chef de notre ordre, le père spirituel. Mais je devais me rendre au chevet d'un malade à l'hôpital et il m'a donné la permission.

— Vous êtes médecin ?

— Au sein de notre communauté, nous avons onze médecins, trente ingénieurs, dont plusieurs spécialisés dans la recherche pétrolifère, et aussi des agronomes, des enseignants et quelques avocats. Nous ne sommes pas un ordre contemplatif. Nous intervenons dans plusieurs projets de fertilisation du désert, d'élevage de bétail. Nous avons une ferme qui emploie six cents personnes, pour la plupart venues de Haute-Égypte. Musulmans et coptes. Nous les soignons dans une clinique. Le père spirituel dit que chacun d'entre nous doit être capable de faire vivre mille individus. C'est le but que nous nous fixons.

Quand je lui ai demandé s'il avait l'impression que la majorité islamique traitait mal les chrétiens minoritaires, il m'a répondu dans les termes suivants :

— Il y a des tensions entre musulmans et coptes, certes, mais c'est parce que nous n'aimons pas assez nos voisins qui embrassent une autre religion. Vous savez, nous autres coptes, on nous apprend depuis l'enfance qu'il faut se méfier des musulmans, ne pas aller dans leurs boutiques, et ainsi de suite. Au monastère, nous montrons aux jeunes qu'il faut manifester son amour à tous ceux qui en ont besoin, quelles que soient leurs convictions. Je ne pense pas que les musulmans haïssent les coptes, à part quelques extrémistes. – Il s'est arrêté pour me montrer un modeste mamelon au milieu de la plaine désertique qui nous entourait. – C'est là que saint Macaire a vu l'ange. Et par là-bas, derrière le monastère, il y a des grottes où des ermites vivent. C'est une part importante de notre formation, quand le père supérieur nous dit d'aller passer un temps dans ces grottes, en ermite… Vous voyez, en 1969, il n'y avait plus que six moines ici, tout était en ruine. On a reconstruit, maintenant notre ordre compte plus de cent religieux. Partout en Égypte, il y a une renaissance de la foi.

Contrairement à tant de congrégations chrétiennes dans le monde occidental, les coptes d'Égypte étaient visiblement en plein essor, stimulés par leur statut de minorité en terre d'islam. Une autre forteresse dans le désert, toujours plus renforcée par l'adversité.

Ce qui n'avait été qu'une promenade se transformait en marche forcée sous un soleil implacable.

Heureusement, un camion chargé de terre est arrivé dans un grondement à notre hauteur et le père Archiloas a convaincu le chauffeur de nous prendre à son bord, tandis que le garçon qui nous avait accompagnés en silence se juchait à l'arrière. C'est ainsi que nous avons atteint les portes du monastère, un passage symbolique qui marquait l'entrée de l'oasis, mais qui se trouvait à deux bons kilomètres encore de Saint-Macaire, perché sur une colline et entouré d'un mur en pierre récemment restauré. Ayant prié le routier de me déposer là, le moine m'a indiqué le chemin jusqu'à une arche percée dans une tourelle et barrée d'une porte en fer qui ressemblait plus à une trappe qu'à une entrée. Après m'avoir expliqué que je devais tirer sur la corde qui pendait sur le côté droit pour que l'un des membres de l'ordre vienne m'ouvrir, nous nous sommes séparés sur une poignée de main.

J'ai attendu un moment devant cet accès conçu pour rappeler aux visiteurs qu'ils n'étaient que des êtres dérisoires face à la solennité de Dieu, jusqu'à ce qu'un moine à la longue barbe grisonnante m'ouvre. Le père Jérémie, ainsi qu'il s'est présenté, a examiné la lettre de recommandation rédigée par un prêtre grec orthodoxe à qui ma « tante » Breda avait demandé de l'aide. Après m'avoir laissé entrer, il a refermé la porte en poussant un lourd verrou en bois de cyprès. Pour les deux jours à venir, j'allais vivre dans un univers coupé du reste du monde.

Le père Jérémie m'a conduit à l'un des bancs qui bordaient une cour intérieure avant d'aller consulter l'autorité suprême des lieux. Le monastère m'est apparu comme un amphithéâtre récemment rénové, bâti en cercles concentriques qui comportaient des quartiers pour les visiteurs, des ateliers et, dans un espace clairement séparé du reste, les cellules des moines. En contrebas s'élevaient quatre petites chapelles construites entre les IVe et VIIe siècles qui, comme je l'ai appris par la suite, avaient été exhumées de tonnes de sable dans le cadre d'une restauration ayant coûté quelque cinq millions de livres égyptiennes. Ramenées à la vie par cet effort, elles formaient comme le cœur doctrinal d'une communauté retranchée du reste du monde, un village sauvé du néant au milieu d'une citadelle spirituelle.

Le père Jérémie est revenu. Il m'a expliqué que je pouvais aller me sustenter à la cuisine communale avant de rejoindre ma cellule, ce qui signifiait que le maître des lieux avait accédé à ma demande. Je l'ai remercié et il m'a accordé un bref signe de tête avant de s'en aller : ainsi que j'allais m'en rendre compte rapidement, les moines de Saint-Macaire, si accueillants soient-ils, n'avaient pas de temps à perdre, absorbés comme ils l'étaient par leurs dévotions et leur détermination à se montrer aussi productifs que possible. À la cuisine, un novice m'a servi une collation qui consistait en un bol de haricots, une assiette de petits pains et une bouteille d'eau.

— Notre eau est très douce, m'a-t-il certifié fièrement. Nous avons creusé dans le sol du monastère, très, très profond, et nous avons trouvé une source.

Sans me laisser le temps de m'étonner, ni de lui demander comment l'ordre de Saint-Macaire s'était débrouillé pour découvrir une source d'eau pure en plein milieu du désert, il a quitté la pièce. Pas de bavardage, décidément : travail et prière étaient les deux maîtres mots de la communauté. Je me suis mis à manger, impressionné par le silence complet. Soudain, en relevant les yeux de mon bol en plastique, j'ai vu que j'avais de la compagnie. Un homme d'une quarantaine d'années, certainement américain, me regardait froidement derrière ses épaisses lunettes. Avec ses cheveux longs et sa barbe raide, il avait l'air d'un prophète provincial qui cultivait le « look » Jésus-Christ.

— Comment va ? – J'ai cru détecter l'accent des montagnes du Missouri. – Je m'appelle Glenn. Tu es là en mission spirituelle ?

— Euh, pas vraiment… Pourquoi, vous faites dans la spiritualité, vous ?

— J'espère organiser ici une séance de prières continue autour du sommet Reagan-Gorbatchev. Si les pères me laissent rester, bien sûr. – Il a pris un ton confidentiel. – C'est un lieu très saint, ce monastère. J'ai su que j'y viendrais un jour il y a très longtemps. Je travaillais à une ferme de quakers dans le Vermont quand j'ai eu ce drôle de rêve : une voie de chemin de fer qui allait vers le nord, la comète de Halley qui passait à travers le ciel… Tu sais que la comète de Halley doit apparaître encore, cette année ? Mauvais signe ! La dernière fois qu'on l'a vue, c'était juste avant la Première Guerre mondiale. Ça m'inquiète, de penser à ces trucs…

Il s'est tu, ses yeux glacés fixés sur les petits pains.

— C'est ça qui vous a conduit du Vermont au désert d'Égypte ? Une voie ferrée et la comète de Halley ?

— L'Égypte est le centre du monde. Si on rassemblait tous les continents ensemble, leur épicentre serait les pyramides de Gizeh. Et ces pyramides sont exactement sur la même longitude que Stonehenge, à cinq degrés près ! Tu vois ? C'est la capitale spirituelle de la planète, ici.

— Je n'y avais jamais pensé.

Il a marqué une pause avant de poursuivre :

— J'ai l'idée de devenir moine à Saint-Macaire. Cela voudrait dire que je devrais apprendre l'arabe, évidemment, et la liturgie copte. Et il faudrait que le père supérieur juge que je pourrais être utile… Il est pareil qu'un maître zen, tu comprends ? Il a l'autorité de guider tous les autres dans le chemin de l'ordre. Il leur apprend à se dépouiller de leur personnalité acquise, à tuer leur ego. Je voudrais lui montrer que je suis prêt à ça, moi aussi : à la mort complète de l'ego. Mais il va peut-être me demander de retourner en Amérique et que je m'initie à la vie monastique pendant un an. J'ai pensé que je pourrais entrer dans un monastère à Los Angeles.

— Parce qu'il y a des monastères, à L.A. ?

— C'est une ville très sainte, oui.

Comme son numéro d'illuminé mystique commençait à me fatiguer, j'ai pris congé et je suis parti à la recherche d'un moine qui me montrerait où se trouvait ma cellule. Elle était deux étages au-dessus de la cuisine : une pièce exiguë et austère au sol en pierre, munie d'un lit et d'une ampoule nue au plafond, éclairée par un petit œil-de-bœuf. M'asseyant sur le matelas, j'ai feuilleté les quelques brochures que j'avais ramassées dans la guérite d'entrée. L'importance du jeûne, la signification de l'ascèse et de l'obéissance à la règle figuraient parmi les sujets traités, tous ces textes édifiants étant signés par le père supérieur – ou « spirituel », comme ils disaient ici.

Après en avoir conclu que je ferais un novice épouvantable, je me suis endormi pour une courte sieste.

Une heure plus tard, le pinceau de soleil qui perçait à travers la fenêtre en forme de hublot m'a procuré un réveil déroutant : pendant quelques instants, j'ai été convaincu de me trouver sur un bateau qui dérivait paresseusement sur une mer tropicale. Mais les rayons se sont brusquement éteints alors que l'astre solaire continuait sa course descendante et je me suis rappelé où je me trouvais.

Au bout du couloir desservant les cellules réservées aux invités, il y avait une sorte de petit salon où deux jeunes postulants étaient installés en silence. L'un d'eux, Michel, m'a appris qu'il avait été enseignant avant d'entrer dans les ordres ; l'autre, Maguit, avait terminé des études de droit, mais pour eux deux le monde temporel était déjà loin, même s'ils n'étaient à Saint-Macaire que depuis quelques semaines. Ils semblaient anxieux de savoir comment la communauté allait les intégrer, pressés de se dépouiller enfin de leurs vêtements banals et d'adopter à jamais l'habit monacal.

Comment avait-il compris qu'il avait la vocation ? ai-je demandé à Maguit.

— Depuis toujours, je savais que je serais moine.

— Toujours ?

— Dès l'enfance, oui…

Une cloche s'est mise à tinter dans la cour, interrompant cet échange, car les deux ermites en herbe se sont levés d'un bond à son appel. Descendant les escaliers tout seul, je suis tombé sur le père Jérémie, avec lequel j'ai tenté une nouvelle fois de lier conversation.

— Vous venez d'où, au départ ?

— Je viens de Saint-Macaire.

D'accord…

— Et vous appartenez à l'ordre depuis longtemps ?

— Ce n'est pas la quantité de temps qui compte, mais sa qualité.

J'ai saisi le message. Je venais de commettre un impair : dans une communauté de reclus qui faisaient vœu de « tuer l'ego », l'histoire individuelle de chacun n'avait plus aucune signification. En entrant ici, les moines rejetaient leur existence antérieure et leurs attaches familiales afin de se consacrer, avec toute l'abnégation possible, au service du Saint-Esprit. Ils n'avaient plus de passé, pas d'avenir et un présent qui se répétait inlassablement. La cloche a encore sonné, et comme le père Jérémie m'avait invité à me joindre à l'office vespéral je l'ai suivi jusqu'à l'une des petites chapelles centrales, à la porte de laquelle j'ai retiré mes chaussures, suivant l'exemple de mon mentor.

Nous sommes entrés dans une nef étroite et caverneuse, peu éclairée et séparée en deux par des grilles en fer forgé décorées de croix coptes, derrière lesquelles s'élevait un autel dépouillé qui recevait une table en marqueterie. Pas de chaises ni de bancs pour les fidèles : il fallait prier debout, conformément à l'ascétisme de l'ordre. Dès qu'ils pénétraient dans la chapelle, les moines s'agenouillaient et baisaient les pierres du sol avant de s'approcher de l'autel où se trouvaient déjà le père Jérémie et un autre officiant, dont ils embrassaient pieusement les mains. Ils allaient ensuite se ranger le long du mur d'en face, la capuche de leur habit masquant leur visage.

Dès que la chapelle a été presque pleine, le père Jérémie a entamé une prière, qu'a reprise l'assistance. Ensuite, ils ont entonné un hymne qui avait la structure musicale du chant grégorien, une ligne mélodique solennelle et poignante maintenue à l'unisson. De temps en temps, le chant s'interrompait, des formules liturgiques étaient récitées, et l'un des moines allait vers l'un de ses compagnons et lui murmurait quelques mots, comme s'il lui communiquait un secret divin. Il y a eu d'autres chœurs, d'autres récitations, de nouveaux secrets qui passaient le long des fidèles alignés. Un *Kyrie Eleison* a retenti, répété avec toujours plus de force par le chœur des dévots, qui ont quitté lentement l'espace grillagé pour revenir dans l'entrée de la nef. Alors que l'invocation atteignait l'apogée de son crescendo, j'ai aperçu un novice qui, la tête pressée contre le mur, était secoué de convulsions, livré à l'extase religieuse dans laquelle la litanie hypnotique l'avait emporté.

Et puis, soudain, il n'y a plus eu qu'un silence assourdissant. Tandis que les derniers échos de l'office s'éteignaient sur les pierres, les moines ont quitté la chapelle. Dehors, la nuit était tombée et je me suis attardé un moment dans la cour, les yeux levés vers un ciel infiniment obscur, sans la moindre étoile pour égayer ce dôme austère posé sur la forteresse du désert.

Retourné à la cuisine, j'ai trouvé Glenn attablé devant un bol de yoghourt et une assiette d'œufs durs. Après avoir marmonné une bénédiction, il a rouvert les yeux et entrepris d'écaler l'un des œufs.

— Tu as prié avec eux, tout à l'heure ? m'a-t-il questionné.

— Non. Je les ai regardés, seulement.

— Tu ne pries pas, alors ?

— Pas vraiment.

— Tu veux dire que tu n'es pas ici pour entrer dans les ordres ?

— Je ne crois pas que ma femme trouverait que c'est une bonne idée.

— Tu es marié ?

— Eh oui.

— Le mariage, c'est sacré, évidemment, a-t-il concédé.

— C'est une façon de voir les choses. Et vous, jamais essayé ?

— J'ai vécu avec une fille, dans le temps.

— Longtemps ?

Du bout de sa cuillère, il a dessiné quelques cercles à la surface de son yoghourt avant de répondre d'une voix morne :

— Trois mois.

Il était temps de changer de sujet, je me suis donc empressé d'interroger Glenn à propos de ce qu'avaient été ses principales occupations quand il vivait aux États-Unis. Ce qu'il m'a décrit était une impressionnante carrière de spécialiste de la désobéissance civile et de militant de la cause pacifiste ou antinucléaire. Après avoir détaillé avec une légère pincée de vanité ses nombreuses arrestations et ses expériences de gardes à vue, il a laissé entendre que son passage au Vietnam dans le cadre d'une unité de soutien médical avait été déterminant dans sa trajectoire d'opposant professionnel au « complexe militaro-industriel », mais j'ai également senti que cette expérience avait aussi sapé sa confiance en soi, et que comme tant d'autres anciens combattants il tentait encore de cicatriser ses blessures psychologiques dix ans après avoir été démobilisé.

— Je crois que mon engagement dans le mouvement antiguerre a fini par tuer mon père, m'a-t-il confié. C'était un soldat de métier, tu vois ? Mais quand il est mort, en 1980, j'ai brusquement senti que j'étais emporté par une force supérieure, que je venais d'atteindre un niveau spirituel plus élevé. Tu as déjà séjourné dans un monastère zen ?

Pacifisme, résistance passive à la Gandhi, bouddhisme zen… Glenn avait tout essayé. Sa vie d'adulte ressemblait à un catalogue de tous les idéalismes contre-culturels, qu'il avait expérimentés tour à tour ou simultanément, sans cesse en quête d'une identité sous laquelle il pourrait enfin s'accepter. Et il continuait cette poursuite effrénée d'un créneau mystique qui le calmerait enfin, espérant trouver l'équilibre mental tant recherché dans la prochaine ferme de quakers, l'école de yoga suivante ou, maintenant, dans cet ermitage du désert.

— J'ai trente-neuf ans et il faut vraiment que je trouve un sens à ma vie, a-t-il conclu. Peut-être que la réponse est ici, à Saint-Macaire.

— Mais l'isolement ? Ce ne doit pas être facile tous les jours, l'existence monastique.

— Ouais… J'ai été garde forestier, à une époque.

Une fois remonté dans ma cellule, j'ai eu soif de savoir où en était le vaste monde et j'ai donc sorti ma radio pour écouter le programme international de la BBC. La principale histoire du jour : un monastère de Beyrouth-Est dans lequel devaient se réunir les dirigeants des factions chrétiennes de droite avait été la cible d'attentats-suicides.

J'ai peu à peu sombré dans un sommeil agité.

À Wadi el-Natroun, la journée débutait par une sonnerie de cloches à trois heures du matin. Les moines étaient censés prier en silence dans leurs cellules respectives pendant l'heure suivante, puis les cloches sonnaient à nouveau et une procession de silhouettes encapuchonnées se rendait à la chapelle pour les matines, lesquelles duraient deux bonnes heures.

J'ai traversé la cour en frissonnant dans le froid nocturne. La nef était plongée dans une obscurité à peine troublée par quelques bougies. Glenn était déjà là, debout contre le mur, les paupières lourdes de sommeil ; à côté de lui, les deux novices Michel et Maguit ne cherchaient même pas à dissimuler leurs bâillements, ce qui m'a amené à me demander s'ils allaient se fondre aisément dans une routine qui commençait chaque jour avant l'aube. Des moines entraient et sortaient, même après le début des oraisons : ainsi que Glenn me l'avait expliqué la veille, la présence à ces matines n'était pas obligatoire, et nombre de pensionnaires du monastère étaient autorisés à s'y joindre brièvement avant d'aller accomplir leurs premières tâches de la journée, l'activité pratique étant jugée aussi importante que la manifestation de sa foi.

Le service s'est déroulé à peu près comme le soir précédent, avec sans doute encore plus d'intensité dans les chants et les répons, comme si à cette heure indue les esprits engourdis possédaient paradoxalement une lucidité particulière qui les rend plus réceptifs aux mystères du souffle divin. Tandis qu'un moine au visage dissimulé par sa capuche passait devant nous en chuchotant le secret primordial, le chœur massé en face de l'autel a paru atteindre une sorte de transe liturgique qui allait bien au-delà de la simple cantillation.

Au bout d'une heure, la tête me tournait. Se retrouver au milieu d'une telle expérience alors que l'aube pointait à peine était franchement déstabilisant. Non loin de moi, Glenn se balançait follement de droite à gauche, les yeux clos, et pour ma part je me suis laissé emporter par une rêverie proche de l'hallucination tandis que le fond musical procuré par les moines envahissait chaque recoin de ma conscience. Quand Glenn m'a secoué par l'épaule en me disant tout bas que l'office était terminé, je me suis rendu compte que j'avais atteint pendant un long moment un état entre le sommeil et l'éveil et que je me sentais maintenant comme quelqu'un qui a pris un sédatif puissant et revient péniblement à la réalité. Je suis sorti en chancelant, clignant des yeux dans la lumière du jour.

Renfilant à la hâte leurs sandales, les moines sont partis vaquer à leurs occupations quotidiennes. Pour eux, pas de pause, pas même un verre de thé. Ils allaient trimer jusqu'au principal repas, à midi, travailler encore avant d'être interrompus par l'office de cinq heures du soir et travailler à nouveau jusqu'à tomber de fatigue. Les tenants de la révolution industrielle du XIXe siècle auraient été ravis par ces horaires épuisants, d'autant qu'il s'agissait là d'une main-d'œuvre qui se prêtait volontairement, et sans contrepartie, à cette surenchère productiviste.

M'apercevant dans la cour, le père Jérémie est venu à moi :

— Puisque vous êtes écrivain, vous allez être intéressé par notre imprimerie. C'est de là que sortent toutes nos publications.

Dans l'un des bâtiments proches des quartiers des invités, j'ai eu une surprise notable : alors que je m'étais attendu à trouver une salle poussiéreuse où aurait trôné une presse digne de Gutenberg, je suis tombé sur un jeune moine installé devant un écran d'ordinateur et entouré de disquettes dernier cri. Sur une étagère, plusieurs bibles en anglais côtoyaient des manuels d'informatique, juxtaposition du sacré et de la dernière technologie.

— Vous voulez voir ? m'a-t-il proposé. – Sur son écran, il avait une page du dernier ouvrage du père supérieur, composée en arabe. En trois clics, il a produit une plaque d'impression prête à être montée sur une rotative. – Très efficace. Et je peux aussi me servir de logiciels en anglais ou en français, si nous devons imprimer dans ces langues.

Dans la pièce d'à côté, la rotative en question tournait à plein régime, crachant des plaques de cartes postales en couleurs avec diverses vues de Saint-Macaire. Un peu plus loin, un moine actionnait un massicot tandis qu'un autre entassait les pages d'un livre sur une encolleuse-relieuse à grand rendement. Et dire que ces mêmes techniciens aux gestes assurés s'étaient levés avant l'aube pour accomplir un rite médiéval… En réconciliant aussi aisément tradition et modernité, les moines de Saint-Macaire reproduisaient, certes à petite échelle, l'ambition de la nouvelle Égypte qu'avait poursuivie Sadate, celle d'une société embrassant les valeurs de la technocratie sans pour autant renoncer à ses principes traditionnels. Dans le monde temporel, ce projet avait provoqué une crise d'identité nationale, l'arabité assumée se heurtant de front aux efforts d'occidentalisation ; mais ici, dans les strictes limites d'une communauté ascétique, le rêve était devenu réalité.

Le succès des moines innovants de Saint-Macaire ne tenait-il qu'à leur isolement, qui les avait protégés des contradictions et des tensions d'une société à la recherche d'elle-même ? Si la question devait être posée, il était clair que ce privilège était désormais menacé : une cité nouvelle, Sadat City, était en voie d'achèvement juste de l'autre côté de l'autoroute, face au monastère. C'était l'une de ces agglomérations bâties entièrement *ex nihilo* qui, selon les plans officiels, devaient permettre de soulager Le Caire d'une intense pression démographique. Je m'y étais rendu un jour et je devais avouer que j'avais trouvé peu attirant cet énorme chantier en plein désert, qui m'avait fait penser à un mégacampus universitaire inachevé dans les plaines du Midwest américain. Ces complexes en béton se succédant autour d'un centre inexistant donnaient l'impression qu'un urbaniste à court d'idées s'était mis à jouer avec un Lego géant au milieu des dunes de sable. Vu du monastère de Saint-Macaire, néanmoins, Sadat City faisait figure de Babylone soudain surgie du sol à quelques kilomètres de l'ermitage ascétique. La communauté allait-elle finir par souffrir de cette arrivée inattendue de la vulgarité citadine à ses portes ? J'ai interrogé à ce sujet le père Jean, l'un des anciens du monastère, que j'avais rencontré au salon réservé aux invités.

— Nous n'avons aucune objection à la construction de Sadat City, m'a-t-il affirmé. Le pays a terriblement besoin de nouveaux logements, donc c'est une bonne chose. Notre problème est le suivant : comment pourrons-nous aider les habitants de cette ville nouvelle ? Voilà pourquoi le père spirituel dit que chacun d'entre nous doit être capable de produire assez pour nourrir mille bouches. Nous devons développer nos activités agricoles, mais il y a tant de travail, ici, que les journées ne sont pas assez longues. Vous savez que nous avons fait des progrès en matière de cultures en milieu désertique, et nous avons même mené la première expérience de transplantation d'embryon sur du bétail en Égypte. L'un de nos moines est parti étudier cette technique en Allemagne de l'Ouest, sur les instructions du père spirituel. C'est presque un miracle, vous savez.

Mon interlocuteur vouait évidemment une admiration sans bornes au dirigeant de l'ordre de Wadi el-Atroun.

— C'est un homme remarquable. Vous avez vu tous les livres et toutes les brochures qu'il a écrits ? Sa pensée est respectée dans tout le pays. Sa modération, aussi. Vous savez que nous autres coptes avons notre pape à nous. Le pape Chenouda, qui a été exilé dans un autre monastère non loin d'ici au temps de Sadate. Eh bien, que Dieu me pardonne, notre pape s'est trop engagé sur la scène politique. Dire au gouvernement qu'il n'accepterait pas ci, qu'il ne tolérerait pas ça... Ce n'est pas le rôle de l'Église. Nous devons garder la mesure et manifester notre amour.

» Les tensions entre musulmans et coptes ? Il y a quelques années, cela allait très mal, mais les choses se sont améliorées depuis. À part quelques fanatiques. Nombre de musulmans avec qui je parle détestent ces extrémistes, je vous assure. Sadate a voulu les calmer et ils ont fini par le détruire. C'était un président courageux, Sadate, mais aussi très impulsif. Il s'était fait beaucoup d'ennemis. Moubarak est plus prudent, plus avisé. Il essaie de ne braquer aucun groupe contre lui, de rester sur la voie de la modération en des temps difficiles... – Il a baissé la voix. – Regardez ces hommes, là... – Il m'a montré du menton une demi-douzaine de journaliers qui buvaient du thé dans un coin après avoir terminé leur travail aux champs. – Ce sont des musulmans mais ils travaillent avec nous, et nous nous respectons mutuellement. Ce pays a toujours été tolérant. Je prie pour qu'il le reste.

Quand je lui ai appris l'attentat contre le monastère de Beyrouth-Est qui avait eu lieu la veille, il a ouvert de grands yeux. Mais, comme j'ajoutais que c'était là que les chefs des principales milices chrétiennes du Liban avaient jugé bon de se réunir, il s'est exclamé :

— Ah, vous voyez ! Si vous laissez entrer la politique, elle vous détruit. Nous devons faire régner la paix entre musulmans et coptes ; autrement, nous serons tous emportés, tous…

La cloche a sonné et le père Jean s'est excusé, précisant qu'il serait heureux de s'entretenir avec moi ultérieurement. Dans la cour, Glenn m'a proposé que nous nous rendions ensemble à la chapelle pour l'office du soir. Cette fois, j'ai ressenti une tension très perceptible parmi les fidèles, comme s'ils étaient trop préoccupés pour s'abandonner à l'exaltation de la prière. Le rituel s'est déroulé sans ferveur, puis les chants ont été entonnés par des voix qui n'avaient plus la vibration passionnée de la veille. Tout a été terminé en un quart d'heure. Alors que les moines s'agglutinaient près de la sortie, j'ai remarqué qu'ils s'écartaient afin de laisser passer un homme aux cheveux grisonnants qui portait le même habit que tous les autres mais dégageait une aura particulière. Mon regard a croisé le sien tandis que je remettais mes chaussures, et il s'est incliné avec solennité dans ma direction, une ébauche de sourire aux lèvres. Je n'avais aucune preuve formelle, d'autant que Glenn m'avait appris plus tôt qu'il était impossible de le distinguer du reste de la communauté, mais j'ai eu la quasi-certitude que je venais de croiser brièvement le supérieur de l'ordre de Saint-Macaire.

Dehors, le père Jérémie s'est approché de moi.

— J'espérais vous montrer le reste du monastère, mais nous avons une réunion urgente, maintenant, a-t-il chuchoté d'un air navré.

Il s'est hâté de rejoindre le flot de silhouettes noires qui s'éloignaient rapidement, emboîtant le pas au père spirituel.

Je n'ai jamais pu élucider les raisons de ce soudain malaise qui avait troublé les prières du soir, pas plus que je n'ai obtenu de réponse précise lorsque, le lendemain, j'ai cherché à savoir pourquoi toutes les lumières s'étaient éteintes à neuf heures, plongeant le monastère dans l'obscurité toute la nuit. Au petit déjeuner, Glenn m'a assuré que cela devait être lié à la tentative d'assassinat de l'ancien Premier ministre libyen à son domicile d'Alexandrie. À la BBC, il avait entendu que, la veille, un commando de tueurs envoyé par Tripoli avait été empêché d'agir par la police secrète égyptienne. D'après lui, les autorités avaient certainement donné une consigne de black-out aux moines pour le cas où la Libye tenterait des représailles aériennes dans la nuit.

Ce scénario m'a paru sans queue ni tête, et je ne me suis pas privé de le dire à Glenn. Bien que souvent imprévisible, Kadhafi n'allait pas risquer une guerre ouverte avec l'Égypte juste parce que deux de ses sbires avaient été pris la main dans le sac au moment où ils s'apprêtaient à liquider l'un de ses opposants. Et puis, même dans le cas où il aurait ordonné à son aviation d'attaquer des cibles égyptiennes, pourquoi choisir un monastère copte situé à plus de mille kilomètres de son territoire ? J'ai soupçonné le vagabond mystique d'avoir conscience du manque de crédibilité de ses théories, ce qui ne l'a pas empêché de continuer sur le même thème.

— Après ce qui s'est passé cette nuit, je crois que ça se présente très mal pour moi, ici. Les pères vont certainement être inquiets d'avoir un Américain parmi eux. Ils vont se dire que je mets leur sécurité en danger et ils vont me demander de m'en aller, à tous les coups…

De toute évidence, il se préparait psychologiquement à ce qu'on lui signifie qu'il était temps de reprendre la route. Ayant débarqué sans crier gare un beau jour en expliquant qu'il voulait prier pour la réussite du sommet américano-soviétique de Genève, il avait été accueilli volontiers par les moines, qui par tradition offraient leur hospitalité à tout étranger se présentant à leurs portes, mais je crois qu'il sentait maintenant qu'il avait abusé de leur bienveillance. Et plutôt que d'admettre que Saint-Macaire n'avait été pour lui qu'un refuge momentané dans sa dérive à travers un monde où il n'arrivait toujours pas à trouver sa place, il s'inventait une histoire dans laquelle son éviction devenait la conséquence d'une crise internationale aux possibles répercussions militaires.

— Tu vois, j'ai été en Alaska, une fois, a-t-il poursuivi. Tout un hiver dans un camping-car. C'était un parc national pas loin de Juneau et les gardes n'arrêtaient pas de me dire de dégager parce que je n'avais pas de quoi payer les taxes de camping. J'ai fini par me planquer dans les bois, rien que moi et mon camping-car. Mais il faisait un froid terrible, j'ai brûlé tout le pétrole que j'avais pour me chauffer et j'ai dû m'en aller. Tu imagines ? Si je n'avais pas vécu un froid pareil, peut-être que je ne serais jamais allé dans le désert.

Pour moi aussi, l'heure du départ était arrivée. J'ai dit au revoir à Glenn, le laissant à ses images d'Alaska et de désert spirituel. Après avoir glissé quelques billets dans la cagnotte des dons, je suis sorti dans la cour. Le père Jérémie est venu me souhaiter bon voyage. Son explication de l'extinction totale des lumières ?

— Oh, une panne d'électricité, rien de plus…

Son ton plus qu'évasif m'a incité à ne pas insister. Comme je l'avais constaté à Siwa, toute communauté isolée nourrit des secrets et renforce ses remparts mentaux face au monde extérieur. Si évolués et curieux de la modernité qu'ils aient été, ces moines technocrates avaient besoin de cette mentalité de forteresse assiégée pour survivre. Et même si cette « panne d'électricité » avait bel et bien été une mesure de précaution, comment auraient-ils pu admettre leur vulnérabilité aux tensions externes du monde temporel ? « Si vous laissez entrer la politique, elle vous détruit », avait édicté le père Jean. Peut-être cette communauté « modèle » ne pouvait-elle garantir la poursuite de son expérience qu'en se fermant aux trépidations de l'Égypte moderne.

Le père Jérémie m'a donné sa bénédiction avant de pousser le loquet de la porte principale de l'enceinte. Ensemble, nous avons regardé le désert autour de nous. J'ai dû à nouveau me courber pour passer sous l'arche basse, cette fois non en signe d'humilité devant le Tout-Puissant mais comme si la complexité de la société que j'allais retrouver m'accablait déjà de son poids. Un car de touristes allemand était garé à proximité. Le guide, une harpie qui répondait au titre très approprié de

« Gruppeführer », a fini par accepter de me laisser une place au fond. Quand nous avons démarré, elle a aboyé quelques ordres dans son micro et sa troupe de bourgeois de Brême guettés par l'insolation a braqué une dernière fois Nikon et caméscopes sur la masse opiniâtre de Saint-Macaire. Je venais de quitter un cocon pour me retrouver dans un autre, une capsule de confort germanique climatisée au milieu du désert.

Dès que nous avons atteint la route principale, je me suis extrait du cocon, arrêtant presque tout de suite un taxi collectif qui bringuebalait en direction du sud. M'installant à côté du chauffeur, j'ai capté un bruit de basse-cour qui m'a obligé à me retourner : les femmes voilées qui occupaient la deuxième banquette avaient posé entre elles un casier en osier rempli de poulets vivants. Le conducteur a mis une cassette d'Oum Kalsoum et le « Rossignol du Nil » a accompagné les piaillements des gallinacés tandis que nous roulions vers les lumières innombrables de la mégalopole.

Comme j'avais une journée libre au Caire avant mon départ pour Al-Minya, j'en ai profité pour effectuer quelques courses au centre-ville. Alors que je cherchais un petit restaurant rue Adli-Pacha à l'heure du déjeuner, je me suis arrêté au pied d'un immeuble devant lequel j'avais dû passer des dizaines de fois mais que je n'avais encore jamais remarqué. C'était pourtant une bizarrerie architecturale, un mélange d'Art déco et d'orientalisme rococo en pierre ocre, à la façade décorée d'un bas-relief de bouquets d'ananas et à l'entrée flanquée de deux colonnes ouvragées. L'ensemble m'a fait penser aux vieux cinémas qui subsistaient encore à New York durant ma prime jeunesse, mais mes yeux sont tombés sur les étoiles de David sculptées sur les piliers, puis sur la guérite où deux soldats armés montaient la garde, et j'en ai conclu que je me trouvais devant l'une des dernières synagogues de la capitale égyptienne.

Puisque c'était un vendredi, il allait y avoir un office du soir, ai-je raisonné, et en effet les portes étaient ouvertes lorsque je suis revenu au soir tombant. J'ai vu un soldat supplémentaire, ainsi qu'un bedeau installé derrière une table dans le hall d'entrée. Après m'avoir tendu une calotte pour que je me couvre la tête, il m'a fait signe d'avancer à l'intérieur. Mon idée était de m'asseoir sur le premier banc venu et de me faire tout petit, mais à mon arrivée les cinq fidèles présents ont tourné la tête d'un seul geste, un vieux monsieur s'est levé pour venir m'accueillir comme si j'appartenais à une tribu perdue, tout le monde m'a souri et un livre de prières m'a été apporté cérémonieusement. Comme j'objectais que je ne lisais pas l'hébreu, le gentleman m'a répondu que la langue dans laquelle je voulais prier n'avait aucune importance. Ils étaient simplement ravis d'avoir un visiteur.

Grâce à ma présence, le nombre de membres de la *kahal* – communauté, en hébreu – était soudain passé à six. Une demi-douzaine de fidèles dans une synagogue qui pouvait en accueillir plus de deux cents, et qui semblait parfaitement entretenue... Avec ses sols en marbre, ses bancs en acajou ciré, son plafond orné de dorures et ses magnifiques chandeliers en bronze, c'était l'un des lieux de prière les plus remarquables qu'il m'avait été donné de voir.

La congrégation à laquelle je venais de me joindre était assez éclectique. L'un d'eux était un jeune en Levi's, chemise et chaussures de sport, décidément pas un Égyptien mais plutôt un ressortissant d'un pays voisin, tandis que les quatre autres, tous ayant dépassé les soixante-dix ans et vêtus d'amples costumes en laine peignée qui rappelaient la tenue des émigrés d'Europe centrale dans les années 30, étaient assurément les derniers représentants d'une communauté juive cairote jadis florissante. Après la guerre de Suez, au cours de laquelle les forces israéliennes, entraînées dans le conflit par les autorités britanniques, s'étaient emparées de la majeure partie du Sinaï, la vie des juifs sous le régime nassérien était devenue impossible. Même quand Ben Gourion avait retiré ses troupes de la péninsule à la demande des Nations unies, la vague d'antisémitisme qui s'était emparée de l'Égypte n'avait pas décru. Leurs biens et leurs revenus ayant été confisqués par les lois de nationalisation, plus de onze mille juifs avaient été contraints de quitter le pays. Ce que j'avais sous les yeux était donc les reliques d'une époque révolue, et à en juger par l'âge vénérable des messieurs installés sur le premier banc, on pouvait se demander qui viendrait encore prier dans cette synagogue dans dix ans.

Le jeune homme s'est levé, jetant un coup d'œil à la porte dans l'espoir de voir de nouveaux participants se présenter. Nous avons attendu quelques minutes dans un silence écrasant où, à chaque bruit de pas faisant résonner le couloir, la petite assemblée tendait l'oreille. Finalement, le jeune a ouvert son livre de prières et entonné les premiers hymnes de la *Kabbalat chabbat*, la « réception du chabbat » qui définit le rituel juif du vendredi soir. Les autres se sont joints à lui et, tandis que j'écoutais ces voix chevrotantes mais allègres se mêler à celle de l'officiant, de plus en plus assurée, inspirée et même triomphante, j'ai contemplé les bancs vides, la galerie supérieure où les femmes auraient dû se presser, les inscriptions hébraïques sur les murs, le cœur étreint par la mélancolie de la scène mais aussi par une émotion rare. Les ultimes représentants du judaïsme égyptien s'accrochaient à leur foi, revenaient prier dans cette synagogue désertée mais parfaitement tenue, et gardée au-dehors par des hommes en armes…

Ma mère est juive, mon père catholique, et bien que n'ayant été élevé dans aucune de ces deux confessions, je me suis senti étonnamment proche de ces vieux Égyptiens, dont les vêtements me rappelaient ceux de mes grands-oncles maternels qui avaient fui la Bavière pour se retrouver dans le quartier de Flatbush, à New York. J'ai repensé à une photographie que j'avais chez moi, à Dublin, celle de mon oncle Al, décédé depuis, en compagnie de Hailé Sélassié. Dirigeant la mission américaine en Afrique du Nord après la Seconde Guerre mondiale, le petit gars de Brooklyn rencontrant le « Lion de Judée »… En fouillant dans mes souvenirs, j'ai revu la veste qu'il portait sur ce cliché, ample et à rayures, comme celles de ces quatre survivants de la communauté cairote. Surtout, j'ai eu une pensée émue pour mon grand-père maternel, un juif de la vieille école qui aurait été sans doute enchanté de visiter cette imposante synagogue, mais aurait probablement eu la réaction gouailleuse du vrai New-Yorkais : « Très classe, cet endroit. Dommage que les affaires soient si mauvaises. » L'atmosphère spectrale de ce temple condamné renforçait encore ma nostalgie, comme si les fantômes du lieu et ceux de mon histoire personnelle s'étaient retrouvés dans la pénombre.

L'office est arrivé à sa fin. Une coupe de vin en bronze a circulé parmi nous ; après en avoir bu chacun une gorgée, nous avons échangé des « Chabbat chalom » et des poignées de main. Je me suis présenté au jeune officiant, Aaron, qui était israélien ainsi que je m'en doutais.

— C'est très triste, m'a-t-il déclaré, de voir cette synagogue, la plus belle d'Égypte, aussi vide. C'est une tragédie.

L'un des anciens m'a proposé de revenir pour les prières du matin de Chabbat, mais je me suis excusé en disant que je serais sur la route. Des visages peinés ont encaissé la nouvelle : leur *kahal* s'était étoffée d'un membre qu'elle avait aussitôt perdu.

Alors que nous quittions le bâtiment, Aaron m'a appris qu'il était étudiant à l'université de Tel-Aviv et qu'il se trouvait au Caire pour quelque temps dans le cadre de ses recherches universitaires. Sur quoi elles portaient, je ne l'ai jamais su, car nous avons eu cet échange troublant dès que nous sommes arrivés sur le trottoir :

— On va prendre un café quelque part ? ai-je suggéré, désireux de poursuivre la conversation avec lui.

— Je ne peux pas, a-t-il répondu tout bas. En plus, nous sommes surveillés.

J'ai sursauté.

— Surveillés ? Par qui ?

— Voyons voir… – J'ai suivi le rapide regard qu'il a lancé à deux hommes en costume-cravate debout devant une voiture. Remarquant notre intérêt, ceux-ci se sont aussitôt détournés. – Ils me suivent partout, a continué Aaron en chuchotant. Ce n'est sans doute pas une bonne idée qu'on te voie avec moi.

Il s'est éloigné rapidement puis, regrettant d'avoir pris congé aussi abruptement, m'a crié de loin un au revoir qui s'est perdu dans le concert des klaxons et le rugissement des moteurs.

J'ai lancé un nouveau coup d'œil aux deux policiers en civil, qui une fois encore ont feint d'ignorer ma présence. J'avais prévu de retourner à mon hôtel, mais l'idée ne me paraissait plus très judicieuse, soudain, et j'ai préféré marcher, me laissant emporter par la foule des passants rue Talaat-Harb, sans jamais me retourner pour voir si j'avais été pris en filature.

La place Ramsès, à sept heures du matin, était déjà tout un cirque : les embouteillages avaient commencé, la symphonie des klaxons sonnait haut et fort, un policier tentait d'ouvrir un passage à un troupeau de chèvres dans le flot des voitures… Au milieu du trottoir, une femme et ses enfants continuaient à dormir sur le bout de carton qui leur servait de matelas. Plus loin, un homme en haillons, étendu de tout son long, n'a pas réagi lorsqu'un soldat a enfoncé le bout de sa botte dans ses côtes ; se penchant pour retirer le journal avec lequel le vagabond s'était masqué le visage, le conscrit a sursauté en découvrant le regard vitreux d'un mort, et il a failli tomber à la renverse. Compatissant en silence à son effarement, j'ai hâté le pas et je me suis jeté dans la magnificence victorienne de la gare de Ramsès.

Sur le quai n° 8, j'ai grimpé dans le wagon de première classe du premier express de la journée à destination de la Haute-Égypte. Les différences entre les classes proposées par la compagnie ferroviaire égyptienne sont très marquées. Alors que la première se caractérise par un luxe défraîchi – vastes fauteuils au tissu taché, moquette usée et stores gris de poussière –, la seconde est marquée par un sens de l'inconfort petit-bourgeois avec ses banquettes en skaï, tandis que la troisième classe est un enfer rendu délibérément insupportable : bancs en bois, pas de toilettes ni de lumière, fenêtres cassées et wagons généralement si pleins que certains passagers doivent s'allonger sur les porte-bagages ou s'asseoir sur le seuil des portes, laissant leurs jambes pendre dans le vide.

Au cours des quatre premières heures, j'ai rempli mon journal de voyage, ne m'interrompant que pour jeter un coup d'œil à un paysage monotone de champs cultivés et de petits villages. Deux touristes américaines installées en face de moi ne cessaient de s'extasier et de brandir leur Instamatic à chaque détail de cette Égypte bucolique. La vue d'une paire de bœufs attelés à une charrue leur a arraché des cris ravis, et l'une d'elles a jugé « si typiquement africain ! » le spectacle de gamins jouant au foot avec une boîte de conserve, pieds nus – ce qui m'a rappelé que la pauvreté, pour des yeux occidentaux, devient toujours pittoresque dès qu'elle s'abrite sous des palmiers.

Laissant le convoi continuer tout au bout des huit cent soixante-dix-neuf kilomètres qui séparent Le Caire d'Assouan, je suis descendu après avoir parcouru un peu plus du quart de cette distance. Je me proposais de passer deux jours dans la ville d'Al-Minya, un endroit dont presque personne n'a entendu parler en dehors de l'Égypte. Mon guide Baedeker de 1929 n'y consacrait que quelques lignes pour relever qu'elle était la capitale de l'industrie du coton en Haute-Égypte, qu'elle comportait un cimetière militaire britannique, un pont intéressant à voir sur l'un de ses canaux, et un marché qui donnait « une joyeuse image de la vie orientale ». Mais plusieurs amis cairotes m'avaient fortement conseillé de m'y rendre pour deux raisons : c'était l'une des rares agglomérations égyptiennes à avoir conservé son caractère colonial, et c'était aussi un exemple de cohabitation harmonieuse entre musulmans et coptes.

Dès que je suis sorti de la gare, ces deux aspects d'Al-Minya me sont clairement apparus. Les belles demeures poussiéreuses qui se donnaient des airs de petits Trianons, les hôtels vieux jeu et leurs portes-fenêtres barrées de persiennes, les cafés pleins d'amateurs de dominos autour de la petite place centrale bordée de palmiers, tout avait un parfum de plantation du Sud figée dans le temps, et si les riches agriculteurs britanniques étaient partis depuis longtemps, l'odeur du coton qu'ils avaient planté restait omniprésente. Quant aux croix chrétiennes et aux croissants islamiques qui hérissaient ce tranquille paysage urbain, ils témoignaient que la coexistence des religions se poursuivait, en tout cas sur le plan architectural.

Après avoir abattu sa tapette tue-mouches sur une victime imprudente, le réceptionniste de l'hôtel Palace m'a déclaré que des chambres étaient disponibles. J'ai été immédiatement séduit par l'endroit, une sorte de lupanar de La Nouvelle-Orléans décoré dans un style pseudo-pharaonique. Deux fresques murales représentant Cléopâtre et Néfertiti, sublimement kitsch, dominaient un grand salon meublé de canapés fatigués et de paravents édouardiens. Ma chambre était un magasin d'antiquités victoriennes avec un lit gigantesque et du papier peint qui se décollait des murs. Ouvrant la grande porte-fenêtre, je suis allé sur le balcon qui dominait la place et j'en ai conclu que j'allais développer une solide amitié avec Al-Minya.

J'ai flâné jusqu'au bord du Nil. Alors qu'au Caire le fleuve n'était qu'une composante liquide de la ville, un cours d'eau sombre qui coupait la cité en deux, il atteignait ici des proportions épiques. C'était un miroir incandescent à peine troublé par un léger courant, s'étendant sur plus d'un kilomètre jusqu'à l'autre rive, sur laquelle j'apercevais une longue barrière de falaises en granit, une ligne interminable de palmiers et un petit village. Une felouque pleine de fleurs de coton est passée lentement, conférant à la vue une touche mythique, puis cela a été un vapeur de luxe de la compagnie Swan Hellenic, avec son pont supérieur peuplé de touristes aisés qui se prélassaient sur des chaises longues et se croyaient sans doute ramenés à l'Égypte coloniale le temps d'une croisière.

J'ai continué à marcher le long du Nil, passant devant un parc où des gentlemen m'ont proposé de goûter au bloc de haschich qui grésillait sur leur narguilé. Déclinant leur offre, j'ai poussé jusqu'au marché, situé au bout d'une avenue boueuse. Comme c'était un jour de semaine, les échoppes bruissaient de l'activité que tout souk égyptien qui se respecte se doit d'offrir. L'un des artisans-commerçants avait pour mission exclusive de recharger en essence les briquets des fumeurs, tandis qu'un repasseur public faisait aller son vieux fer brûlant sur le linge propre qui lui avait été confié. On m'a tapé sur l'épaule : un cireur de chaussures voulait absolument redonner de la splendeur à mes brodequins de marche surmenés ; il m'a fait asseoir à la table d'un café, a étalé une feuille de journal par terre pour que j'y pose mes pieds et s'est emparé de mes godillots pendant que j'observais un cordonnier en train de coudre à son établi. Dans la boutique suivante, un pâtissier était occupé à remplir des moules avec une substance rose et pâteuse qui, une fois durcie, produirait ces statues en sucre d'orge qui se vendent chaque année au moment de l'anniversaire du Prophète. J'avais sous les yeux le secteur tertiaire de l'Égypte contemporaine, où la production de masse et les supermarchés n'avaient pas encore mis en déroute le petit commerce et l'artisanat. Ici, chacun occupait un rôle spécifique, si modeste soit-il : le fer électrique pour chaque ménage n'avait pas forcé le *maquaggi* à fermer son échoppe, et personne n'aurait pensé à cirer soi-même ses chaussures alors que l'un des membres de la communauté en avait fait son gagne-pain, sa profession et son art.

Après avoir payé le prix convenu, j'ai poursuivi mon exploration de la ville au hasard des ruelles. Entendant de la musique militaire, je me suis approché d'un bâtiment carré où des voix aiguës criaient en chœur « *Misr, Misr !* » (« Égypte, Égypte ! ») sur le rythme de la fanfare de cuivres. Intrigué, je suis entré dans ce qui était la cour d'une école primaire. La musique provenait d'un haut-parleur, sous laquelle une troupe de gamins en uniformes kaki et foulards rouges marchaient au pas en rendant ce martial hommage à leur patrie. Après avoir contemplé cet exemple d'endoctrinement dans la voie d'un patriotisme aveugle et viscéral, j'ai frappé à la porte du bureau qui donnait sur la cour. Une dame d'allure matriarcale m'a ouvert. C'était la directrice de l'école et son QG était décoré de collages réalisés par les enfants, tous décrivant différents stades de la carrière exceptionnelle du président Hosni Moubarak.

Comme je lui expliquais que j'étais un écrivain travaillant à un livre de voyage consacré à l'Égypte et que j'aurais été heureux qu'elle me fasse visiter son établissement, elle a pris un air qui révélait une vive perplexité. « On ne m'avait encore jamais demandé une chose pareille », a-t-elle murmuré avant de s'emparer de son téléphone et de passer plusieurs coups de fil ; le résultat de cette enquête, m'a-t-elle communiqué ensuite, était que je devais d'abord me rendre au Bureau d'information du gouvernement, qui m'aiguillerait sur le ministère concerné, lequel m'établirait éventuellement une autorisation qui me permettrait de revenir à son école. Al-Minya n'était donc pas épargnée par l'obsession bureaucratique qui régnait partout ailleurs. Puisque je n'avais pas de programme précis pour la journée, j'ai résolu de partir à la recherche du fameux Bureau d'information.

Celui-ci se trouvait dans l'une des rues donnant sur la place principale. Son responsable, un quinquagénaire affligé d'un terrible strabisme, s'est livré au rituel habituel : du thé a été servi, des cigarettes ont été fumées en silence, mon passeport et ma carte de presse soumis à un examen minutieux, des questions posées avec insistance sur les motifs de mon soudain intérêt pour cette école. S'étant lui aussi livré à une série de consultations téléphoniques, il m'a finalement confié à l'un de ses jeunes assistants, Samir, qui allait m'escorter au ministère de l'Éducation avec la lettre de recommandation qu'il venait de rédiger. Au bout de vingt minutes de marche, nous sommes parvenus à un centre administratif qui semblait abandonné. Un rond-de-cuir obèse nous a offert du thé et des cigarettes, il s'est battu un moment avec son téléphone et a enfin annoncé à Samir que nous nous étions trompés de bâtiment. Après une demi-heure dans les rues d'Al-Minya, nous avons échoué dans un autre centre où une femme vêtue d'un tailleur presque militaire, le regard empreint d'une indifférence glaciale qui aurait bien convenu à un apparatchik du bloc de l'Est, s'est contentée de boire du thé avec nous sans prononcer un seul mot. Je commençais à me demander si nous avions encore fait erreur lorsqu'un homme en costume de tweed, les cheveux gominés comme un chanteur de charme des années 40, est entré en trombe dans la pièce et m'a serré vigoureusement la main :

— Je me présente ! Radouane Affifi, directeur des relations publiques de l'autorité pédagogique d'Al-Minya ! Et vous êtes M. Kennedy, l'écrivain, n'est-ce pas ? – Les nouvelles circulaient vite, dans cette ville… – Je suis heureux de vous accompagner dans une visite de nos excellentes ressources éducatives d'Al-Minya ! Ah, je vois que vous avez déjà fait connaissance avec Madame directrice de l'éducation d'Al-Minya. Madame directrice, est-ce que je vais interrompre votre conversation si je propose que nous partions tout de suite ?

La dame revêche lui a répondu par un froncement de sourcils. Quant à moi, j'ai annoncé que je ne voyais aucun inconvénient à commencer la visite ; nous avons donc quitté le bureau après avoir pris congé.

— Nous allons maintenant à une école secondaire qui forme des enseignants du primaire, m'a appris M. Affifi en me faisant monter dans sa vieille Seat.

— C'est une école musulmane ou copte ? me suis-je enquis.

— Ça n'existe pas, une « école musulmane » ou une « école copte ». Nous sommes tous frères. Il n'y a aucun problème entre les religions, ici, à Al-Minya, ni dans le reste de l'Égypte.

Décidé à me vendre coûte que coûte sa vision idyllique de l'entente interconfessionnelle au pays de Moubarak, il m'a assuré pendant le trajet que l'établissement que nous allions visiter accueillait des élèves de l'une et l'autre religion. Hélas pour lui, les sept jeunes femmes qui nous attendaient autour d'un piano installé sous un préau étaient toutes revêtues de l'habit traditionnel musulman. M. Affifi m'a présenté ce comité d'accueil monoconfessionnel : « Madame doyenne » était une femme corpulente à la tête couverte d'une toque, « Madame vice-doyenne » une grande timide aux lunettes triple foyer, et « Madame professeur de musique » était logiquement celle qui était assise au piano. Aussitôt, cette dernière a plaqué un accord et le comité d'accueil a entonné un chant de bienvenue.

— Ce sont nos enseignantes de musique de demain, a déclaré M. Affifi quand elles ont eu terminé.

Dans le bureau de Madame doyenne, devant mon énième verre de thé de la journée, j'ai été invité à poser les questions que je voulais à la digne matrone. Lui ayant demandé de me résumer le programme scolaire de l'établissement, j'ai obtenu cette réponse déroutante :

— Nous enseignons les matières habituelles.

— Et quelles sont-elles ?

— Ce qu'elles sont partout ailleurs.

Sentant que l'interview démarrait difficilement, M. Affifi est intervenu :

— C'est comme une école secondaire dans votre pays, voyez-vous ? Nous enseignons la lecture, l'écriture, l'arithmétique et l'histoire. D'autres questions ?

Oui : est-ce que les filles égyptiennes d'aujourd'hui pensaient plus à avoir un métier, ou bien restaient-elles résignées à n'avoir que le mariage pour avenir ?

— Bien sûr qu'elles se marieront un jour, a rétorqué Madame doyenne, mais elles auront un travail d'abord.

Il y a eu un autre silence embarrassé, que M. Affifi s'est empressé de combler :

— Oui, c'est ça qui est bien, en Égypte ! Tous les élèves de cette école sont assurés d'avoir un emploi, à la fin de leurs études. Il n'y a pas de chômage comme en Europe, ici ! Question suivante ?

Les futurs enseignants étaient-ils formés dans la perspective d'exercer au sein de zones défavorisées ? M. Affifi a esquivé la difficulté en soutenant que « la Direction pédagogique décide des nominations et tout le monde reçoit la même formation ». D'accord, mais un professeur de banlieue résidentielle n'était pas confronté aux mêmes problèmes qu'un collègue envoyé dans un quartier défavorisé, si ? « Nos enseignants sont très souples », a soutenu l'expert en relations publiques, provoquant des hochements de tête énergiques chez Madame doyenne. Celle-ci n'a par contre pas du tout apprécié ma proposition de commencer la visite de l'école, parce que j'avais compris que ce dialogue de sourds ne nous mènerait à rien. Elle a brièvement chuchoté à l'oreille de M. Affifi, qui a prononcé le verdict :

— Malheureusement, tous les élèves sont partis, à cette heure-ci. Mais nous pouvons retourner écouter les jeunes filles dans la cour.

Le chœur des musulmanes voilées était en train de faire des gammes. On se serait cru devant la troupe d'une *Mélodie du bonheur* islamique. Invitées à chanter une chanson pour le visiteur, elles se sont lancées dans une longue lamentation dont M. Affifi m'a donné une traduction simultanée :

— C'est un hymne pour l'anniversaire du prophète Mahomet. Elles chantent qu'Allah illumine leur vie et leur apporte la joie. C'est très religieux.

— Est-ce que les enfants coptes apprennent eux aussi cette chanson ? ai-je voulu savoir.

Avec un sourire pincé, M. Affifi a préféré attirer mon attention sur les fresques qui ornaient la façade de l'école. Il s'agissait de répliques de bas-reliefs trouvés dans plusieurs chambres funéraires de pharaons, la copie d'un art millénaire destinée à égayer un immeuble en parpaings. Là encore, c'était le télescopage de deux univers, celui d'un passé grandiose convoqué au sein d'un présent fonctionnel.

Nous avons fait nos adieux. Avant de me laisser à mon hôtel, M. Affifi a tenu à m'offrir un aperçu motorisé d'Al-Minya, insistant sur l'ancienne résidence du gouverneur général, sur la « ville nouvelle » – un assemblage disgracieux de bâtiments en préfabriqué – et sur le pont que les Britanniques avaient construit pardessus le canal d'Ibrahimia. Mon guide était apparemment une célébrité locale, car presque tous les automobilistes et piétons que nous avons croisés lui adressaient des saluts chaleureux, tandis que lui-même hélait policiers en faction, commerçants dans leur boutique et anciens élèves en train de se promener. Cette familiarité collective faisait d'Al-Minya un gros village où la cohésion sociale était impérative, et qui devait donner la meilleure impression au voyageur de passage. C'était le rôle que la collectivité avait confié à M. Affifi, et il s'en acquittait à merveille : à l'entendre, je ne pouvais qu'être convaincu qu'Al-Minya était un concentré de toutes les vertus égyptiennes, aussi hospitalier que paisible.

J'ai retrouvé le lendemain matin ce publiciste accompli, véritable chambre de commerce à lui tout seul. À sept heures et demie, ses cheveux brillantinés luisaient gaiement sous les rayons du soleil et sa voix était plus suave que jamais :

— Quelle magnifique journée, vraiment ! La journée idéale pour visiter la principale école militaire de notre ville ! Nous allons commencer par là.

L'imposante institution, située à quelques rues de mon hôtel seulement, fleurait le désinfectant et les chaussettes de gymnastes. Nous avons été accueillis à une entrée de service par « Monsieur principal », un maigre bonhomme au crâne dégarni qui fumait comme un pompier et arborait la mine d'un gardien de prison. Il était flanqué de trois subalternes – « Professeur d'anglais Mahfouz, professeur de physique Mahmoud, professeur d'anglais Hassan ». Après avoir gagné le bureau directorial à travers des couloirs dont le sol en marbre résonnait sous nos pas, il y a eu la prévisible pause thé et cigarettes pendant laquelle M. Affifi m'a rapidement présenté l'école : deux mille élèves, tous des garçons, mais « un mélange de musulmans et de coptes, bien entendu », qui suivaient un programme où la priorité était donnée aux sciences et aux mathématiques, ainsi qu'à « la discipline et au patriotisme ».

Par la fenêtre ouverte, j'entendais les flonflons d'une marche militaire et des ordres criés à tue-tête. Ayant fini la théière, nous sommes sortis passer les troupes en revue. Un grand portique soutenu par des colonnes doriques dominait une esplanade où l'ensemble de l'école a défilé devant nous. Tous vêtus d'uniformes bleus à épaulettes, les garçons se sont groupés en quatre pelotons lorsque la musique s'est arrêtée, et des officiers sont passés entre les rangs, badine sous le bras, inspectant l'apparence de chacun. Ensuite, tout le monde s'est mis au garde-à-vous pendant que deux élèves s'avançaient jusqu'au mât. Le drapeau égyptien est monté lentement dans les airs au son de l'hymne national exécuté par la fanfare de l'école. Droit comme un I à côté de moi, « Monsieur principal » fixait l'emblème de son pays avec une intensité qui s'apparentait à la dévotion religieuse. Repensant aux gamins criant « *Misr, Misr !* » dans leur cour, je me suis dit que le directeur avait bien retenu les leçons de son enfance.

Après la cérémonie du drapeau, un aspirant s'est planté devant le micro pour entamer une récitation du Coran. Mon regard a parcouru les rangées d'adolescents, guettant un bâillement, un signe d'inattention, une remarque murmurée à un voisin, la moindre manifestation d'irrévérence juvénile. Rien. Les potaches suivaient la cantillation dans une complète concentration. De ma place en haut des marches, j'avais l'impression d'appartenir à une junte militaire en train d'inspecter les fidèles serviteurs de l'État. Cependant, ces garçons n'étaient pas des soldats : ainsi que le principal allait me l'apprendre par la suite, seuls cinq pour cent d'entre eux embrasseraient la carrière militaire, le reste se destinant à l'université et à la vie civile. Mais, avant même d'avoir atteint l'âge adulte, l'amour de la patrie et d'Allah allait leur être inculqué jour après jour, et ce depuis le moment où leurs mères les avaient conduits à la maternelle. Leurs professeurs de musique leur apprendraient des chansons où il était question des bienfaits divins, puis « Monsieur principal » et ses semblables veilleraient à faire d'eux de loyaux fils de l'Égypte. Je comprenais mieux, désormais, pourquoi tant de mes interlocuteurs égyptiens manifestaient un attachement passionné à leur pays : ici, le nationalisme était non seulement une émotion acquise dès l'enfance mais aussi une « matière » figurant en bonne place dans le cursus scolaire obligatoire.

Le principal est allé à son tour au micro. Entendant mon nom au milieu de son discours tonitruant en arabe, j'ai senti non sans malaise deux mille paires d'yeux se tourner vers moi. À voix basse, M. Affifi m'a expliqué pourquoi : « Monsieur principal a dit que vous êtes un écrivain venu spécialement d'Irlande pour visiter cette école d'Al-Minya, et que les élèves doivent vous montrer en quoi cette institution est exceptionnelle. » Le regard baissé sur mes chaussures, j'ai entendu avec soulagement la fanfare démarrer une nouvelle marche. Les jeunes sont repartis en rangs impeccables, nous sommes retournés dans le bureau du principal et je l'ai félicité pour l'excellente présentation de ses troupes. Flatté, il m'a expliqué que l'entrée à l'école était soumise à une sélection rigoureuse, que seuls les meilleurs éléments étaient acceptés et que la discipline était ici une évidence indiscutable. Il a ponctué cette dernière remarque en assénant une claque sonore sur sa table, gestuelle qui n'avait nul besoin de la traduction simultanée de M. Affifi.

En « invité d'honneur », j'ai été conduit de classe en classe, très gêné de me retrouver au centre d'une escorte de dix personnes. En cours d'anglais, le principal a saisi la feuille d'examen d'un élève, tombant sur un passage en arabe qu'il devait maintenant traduire : « Nous savons tous que la cigarette est mauvaise pour la santé ; toute personne sensée devrait être capable de surmonter la mauvaise habitude de fumer. » Mon hôte a produit un toussotement dégoûté.

Alors que je demandais à l'un des professeurs d'anglais dans le couloir s'il pensait que c'était une langue difficile à enseigner, il a répondu :

— Notre travail est nettement facilité par les émissions étrangères qui passent à la télévision égyptienne. Les jeunes les suivent et de cette manière ils développent leur vocabulaire sans effort.

Ce commentaire n'a pas plu à « Monsieur principal », qui s'est hâté de m'entraîner devant des affiches réalisées par les élèves, sur lesquelles les contours de l'Égypte étaient survolés par des colombes, « la preuve que nous sommes un pays pacifique », selon M. Affifi. Pendant que nous admirions ces œuvres pleines de bons sentiments, j'ai entendu un sifflement, suivi d'un cri de douleur. Je me suis retourné : un enseignant venait d'abattre sa badine sur la main d'un aspirant. Cela a jeté un froid dans mon petit groupe, et comme l'adulte s'apprêtait à châtier encore le gamin, le principal a aboyé : « Suffit ! » M. Affifi a tenté de détendre l'atmosphère :

— Comment dites-vous déjà, dans votre pays ? « Qui aime bien châtie bien », non ?

— C'est une façon de voir les choses, ai-je répliqué sèchement, obtenant un rire forcé du spécialiste en relations publiques.

La visite terminée, nous avons suivi la même rue jusqu'à un ensemble de petits immeubles en préfabriqué qui formait une école primaire. Le directeur, d'un embonpoint inquiétant, était affublé d'un costume en toile violette qui aurait convenu à un habitué des casinos de Las Vegas mais paraissait plutôt incongru ici. Après la cérémonie du thé, on m'a emmené dans une classe où les élèves ont été conviés à se lever et à me saluer d'un « Bonjour, comment allez-vous ? » articulé en chœur. Deux fillettes ont été poussées devant moi. C'étaient deux sœurs vêtues de la même blouse de coton, toutes deux portant des lunettes à grosse monture en écaille qui leur donnaient un air de vieilles filles bibliothécaires.

— Nous avons vécu dans l'Indiana, a annoncé l'une d'elles dans un anglais parfait.

— Vous connaissez Indianapolis ? a continué l'autre. Notre papa a travaillé là-bas pendant sept ans mais ensuite nous sommes revenus en Égypte.

— Et vous préférez quoi, l'Indiana ou l'Égypte ?

Elles ont pris un air embarrassé, puis la deuxième m'a glissé à voix basse :

— Al-Minya, c'est bien mais ce n'est pas Indianapolis…

Dans une autre salle de classe, j'ai répondu à une séance de questions improvisées. « Comment tu t'appelles ? » J'ai écrit mon nom au tableau. « Où tu habites ? » J'ai dessiné la carte de l'Irlande. « L'Égypte, c'est bon ? » Oui, ai-je affirmé, c'est bon.

C'était une école où l'anglais était enseigné dès les petites classes, rappel du fait que cette langue était déjà, non officiellement, la seconde du pays : celle du principal protecteur de l'Égypte, l'Amérique, celle de sa culture d'importation, celle enfin dont ses futurs émigrés se serviraient pour essayer de trouver une place à l'Ouest. Alors que l'amour de la patrie donnait au système éducatif égyptien sa part de romantisme national, le statut de l'enseignement de l'anglais était avant tout un rappel de réalités incontournables.

Après les adieux d'usage, M. Affifi m'a raccompagné à l'hôtel Palace.

— Je suis toujours à votre service lorsque vous êtes à Al-Minya, m'a-t-il affirmé. N'importe quand, vous me trouverez prêt à vous aider.

C'était dit sincèrement, et pour ma part je lui étais reconnaissant de m'avoir donné un aperçu de l'enseignement en Égypte malgré son refus de répondre à toute question jugée trop précise. Il avait notamment esquivé toutes mes tentatives pour savoir si les jeunes coptes se sentaient brimés par un programme éducatif d'obédience ouvertement musulmane, mais c'était sans doute sa manière de protéger la tolérance religieuse encore à l'œuvre à Al-Minya. Car la petite ville rejetait par définition tout ce qui pouvait troubler sa placidité, à commencer par les risques de tensions intercommunautaires. En me promenant à nouveau sur les bords du Nil ce soir-là, j'ai compris qu'Al-Minya puisait certainement son tempérament placide dans cette immense étendue d'eau calme et passive, que le fleuve agissait comme un tranquillisant sur les esprits locaux. Devant cette beauté fluide et paresseuse, qui aurait cherché les ennuis, les antagonismes ?

Un garçon d'une vingtaine d'années est apparu. M'ayant poliment demandé s'il pouvait s'asseoir sur le rocher où je m'étais installé, il a sorti un paquet de Cleopatra, m'en a proposé une. Nous avons fumé en bavardant. Ahmed était dactylographe dans une administration, avec un salaire si bas qu'il en était venu récemment à douter qu'il pourrait un jour s'acheter un logement pour lui et sa future épouse. C'était un problème auquel la plupart des jeunes fonctionnaires du pays étaient confrontés et Ahmed m'a avoué être guetté par la déprime chaque fois qu'il pensait à la quantité d'argent qui lui manquait encore pour prendre une option sur un appartement, même modeste.

— Tout à l'heure encore, ça m'a tellement contrarié que j'ai décidé de venir près du fleuve. C'est beau, ici, non ?

— Fascinant, même. J'aurais voulu passer plus de temps mais je pars à Assiout ce soir.

— Assiout ? – Il a eu un petit rire étonné. – Tu laisses « ça » pour Assiout ? Ah, mon ami, je ne t'envie pas du tout !

Ce n'était pas la première fois que ce seul nom provoquait un amusement méprisant chez mes interlocuteurs égyptiens. Tout pays compte au moins une ville qui est détestée par le reste de la population. En Égypte, cet honneur revenait à Assiout. Un trou perdu, m'avait-on dit et répété, des habitants soupçonneux, peu accueillants, potentiellement agressifs… Le seul point positif d'Assiout, c'était le train qui permettait de s'en échapper. D'après ce que j'avais compris, la ville n'était affligée de cette mauvaise réputation que depuis peu. Auparavant, elle avait simplement été la principale agglomération de Haute-Égypte, avec un campus de plus de soixante mille étudiants. Mais tout avait changé en 1981 : encouragés par l'assassinat du président Sadate, les intégristes musulmans étaient descendus dans la rue, avaient vainement tenté de s'emparer des stations de radio locales et assiégé plusieurs commissariats de police. Depuis, Assiout était considérée comme le centre névralgique de l'obscurantisme islamiste, et comme plus du tiers de ses habitants étaient coptes elle avait été également la scène d'explosions de violence sectaire, ce qui n'avait fait que renforcer son image de Belfast égyptienne.

Ce sombre tableau n'était-il pas exagéré ? Observés de loin, les lieux de tension se parent souvent d'une aura inquiétante, pour ne paraître que tout à fait normaux lorsqu'on se donne la peine de s'y rendre. Présumant qu'Assiout se révélerait beaucoup moins rébarbative que je n'avais été prié de le croire, j'ai sauté dans un train en partance pour le sud.

Depuis Al-Minya, le trajet ne durait qu'une heure et demie, en théorie, mais comme nous sommes partis avec trois heures de retard, ma première impression d'Assiout a été celle d'une ville plongée dans la nuit et méritant entièrement sa triste réputation. Dans la rue principale bordée d'immeubles de bureaux en béton et de cafés qui semblaient abandonnés, les seuls êtres vivants étaient des policiers en faction, qui plus est harnachés d'une tenue antiémeute. J'ai prié l'un d'eux de m'indiquer où était la rue Sabit, où j'espérais retrouver un maître assistant d'allemand à l'université locale, Stefan, un Autrichien d'une trentaine d'années originaire de Linz ; je l'avais rencontré à une soirée organisée par un ami commun au Caire. Lorsque j'avais mentionné mon intention de passer par Assiout, il m'avait donné son adresse en laissant entendre qu'il y aurait sans doute un lit d'amis pour moi. Suivant les instructions du policier, j'ai avancé le long d'artères désertes, mal éclairées par la lumière blafarde tombée de lampadaires qui paraissaient fonctionner sur un voltage déficient. Il y avait quelque chose de funèbre dans cette pénombre morose et dans le silence qui pesait sur la ville. Rue Sabit, la vue des magasins protégés par de lourdes persiennes en acier a renforcé dans mon esprit l'image d'une ville fantôme enfermée dans ses peurs. Je me suis sérieusement demandé si mon idée de passer trois jours ici n'était pas une grosse erreur.

L'adresse que Stefan m'avait communiquée n'était pas celle de son appartement mais correspondait au domicile des parents d'un ami à lui. C'est ce que j'ai découvert lorsqu'un homme vêtu d'une élégante *galabiya* blanche m'a ouvert la porte et que nous nous sommes lancés dans un étonnant échange. Stefan Stutterheim habitait-il ici ? me suis-je enquis. Pas de réponse. Connaissait-il Stefan ? C'était un ami de son fils, Hussein, a-t-il concédé ; pouvais-je dire deux mots à Hussein ? Il était à Al-Minya ; savait-il dans quelle partie de la ville Stefan habitait, au moins ? Il m'a dit d'entrer, et que sa femme allait téléphoner à leur fils à Al-Minya.

Nous sommes montés jusqu'à un salon décoré dans un style banlieusard loufoque : canapés en fausse fourrure, portraits d'enfants aux yeux immenses dans des cadres rococo, une moquette criarde, un téléviseur couleurs branché sur la retransmission d'un concert de rock. Son épouse très maquillée est entrée avec du thé et des gâteaux sur un plateau. Hussein allait rappeler dès qu'il aurait son message, nous a-t-elle informés, mais son mari semblait avoir oublié mon intrusion tant il était fasciné par Madonna en train de clamer qu'elle était une « material girl ». J'ai bu mon thé et grignoté un baklava, sidéré par ce décor hautement inattendu, et qui ne cadrait pas du tout avec l'homme distingué qui m'avait ouvert. À mieux y regarder, il m'est apparu que le salon, pour cet homme visiblement prospère, constituait le summum d'un confort occidental fantasmé – de la moquette britannique à Assiout –, la preuve désolante que l'Occident, tels les bâtisseurs d'empire de jadis, continuait à apporter une illusion de sophistication à des cultures en crise.

Mick Jagger se contorsionnait sur l'écran quand Hussein a enfin téléphoné et dicté l'adresse de Stefan à son père. Celui-ci a tenu à m'y conduire en auto, proclamant que je ne pourrais jamais trouver ma route tout seul. Tandis que nous enfilions les rues vides dans sa Mercedes jaune citron, il m'a appris qu'il était dans le commerce de la chaussure et qu'il avait des boutiques à Paris, Milan, Le Caire et, évidemment, Assiout. La conversation s'est pratiquement résumée à cette information. Chez Stefan, j'ai frappé à la porte sans obtenir de réponse et j'ai donc laissé un mot avant de repartir avec le père d'Hussein, qui m'a déposé devant un hôtel du centre. Ma chambre était une petite boîte hors de prix, avec un lit simple et une télé sur laquelle j'ai regardé les dix dernières minutes d'un feuilleton américain qui se déroulait dans un hôpital. Une doctoresse annonçait à l'un de ses patients qu'il avait un cancer, faisait quelques remarques profondes sur la cruauté de la vie et, dans la scène suivante, annonçait à son petit ami qu'elle le quittait. Celui-ci prenait alors un air inspiré en affirmant comprendre son « besoin d'espace ». De l'autre côté de la fenêtre, la ville retentissait de l'appel des muezzins perchés sur leurs minarets. Pendant que le générique de fin défilait sur l'écran, les croyants d'Assiout ont commencé leurs oraisons nocturnes.

Après avoir fait la tournée de tous les établissements hôteliers de la ville à ma recherche, Stefan est arrivé à mon hôtel tôt le lendemain matin. Il avait peu de temps, étant déjà en retard pour son premier cours, et il s'est donc borné à me dire que je pourrais dormir à son appartement et que je devais le retrouver au Club des avocats, sur la corniche du Nil, pour déjeuner avec l'une de ses collègues. Puis il s'est emparé de mon sac, l'a jeté dans sa voiture et a démarré en trombe. C'était son style de vie, à Assiout : un homme pressé, sans cesse en mouvement dans une ville crispée.

Je n'étais soumis à aucune pression, moi, de sorte que je me suis dirigé lentement vers le fleuve, m'apercevant qu'Assiout avait un certain charme dès que l'on quittait son centre bétonné. De larges boulevards flanqués de belles demeures coloniales se sont ouverts devant moi. Au bord du canal d'Ibrahimia, j'ai observé un moment un groupe de pêcheurs jeter leurs filets dans l'eau silencieuse. Une végétation tropicale abritait des villas imposantes. À l'approche du Nil, la ville se dépouillait de ses hardes de modernité disgracieuses pour redevenir une cité d'un autre siècle, en paix avec elle-même et avec le monde.

Je me suis engagé sur le pont aux lignes édouardiennes qui franchissait le canal. En croisant un étudiant, je lui ai demandé le chemin de l'université et c'est ainsi que j'ai fait la connaissance de Mohammed, qui était en première année de droit et se donnait des airs de play-boy italien avec son jean de marque, sa chemise Pierre Cardin et ses lunettes de soleil Ferrari. Comprenant aussitôt que j'étais un Occidental avec lequel il allait pouvoir pratiquer son anglais, il a détaillé d'un œil critique ma tenue de routard désargenté.

— C'est un Levi's que tu portes, non ? – Je l'ai félicité pour sa perspicacité. – D'après toi, la meilleure marque, c'est quoi ? Levi's ou Wrangler's ?

Je lui ai avoué me sentir incapable d'avoir un avis définitif, et comme je lui posais à nouveau ma question il a insisté pour m'accompagner jusqu'au campus, proclamant qu'il serait honoré de me montrer les bâtiments les plus anciens. Il a passé son bras sous le mien, un geste d'amitié très courant entre Égyptiens, et je me suis aperçu qu'il était aussi déterminé que M. Affifi à jouer le rôle d'attaché de presse dithyrambique de sa cité natale.

— Tu aimes Assiout ? s'est-il enquis. – J'ai répondu que le canal était très beau. – Tout est très beau, à Assiout. C'est la plus belle ville d'Égypte.

J'ai préféré ne pas le contredire. Nous sommes bientôt arrivés à la vieille université, un quadrilatère qui était un mélange architectural d'Oxford et de Cambridge, tout en colonnades pseudo-gothiques et en pelouses impeccables. Des centaines de bicyclettes étaient garées à l'entrée, des étudiants paressaient sur l'herbe ou se hâtaient vers les amphithéâtres et l'on y ressentait cette atmosphère de décontraction inspirée qui caractérise les campus réputés de toute la planète. Celui-ci avait une étrange particularité, néanmoins : quand je me suis assis avec mon nouvel ami à la terrasse d'une agréable petite buvette pour boire un Coca, j'ai constaté que tous les consommateurs étaient de sexe masculin ; les filles, elles, étaient regroupées dans un autre café un peu plus loin dans l'allée.

— Cette buvette est interdite aux femmes ? me suis-je étonné.

— Ici, c'est le café des garçons, a répondu Mohammed ; et là-bas le café des filles.

— Mais… pourquoi ?

— Les coutumes d'Assiout.

Nous nous sommes levés. Mohammed voulait me montrer le nouvel amphi dans l'immeuble de la faculté de médecine, mais alors que nous nous approchions d'une entrée il s'est arrêté net en apercevant un groupe d'étudiantes debout sur le perron.

— On ne peut pas entrer ici, a-t-il chuchoté en m'entraînant sur le côté du bâtiment. Ça, c'est la porte des filles ; nous, on passe par celle des étudiants.

— Mais les filles sont aussi des étudiantes, non ?

— Coutumes d'Assiout.

À l'intérieur, cette ségrégation sexuelle rigoureuse continuait puisque toutes les représentantes du beau sexe étaient massées dans un coin isolé du hall.

— Et elles ne protestent pas contre ce traitement ? ai-je insisté.

— C'est notre règlement.

— Mais au Caire, à Alexandrie, les hommes et les femmes ne sont pas compartimentés comme ça, sur les campus.

— Il y a les coutumes du Caire et les coutumes d'Assiout.

L'intégrisme musulman avait de toute évidence eu gain de cause ici. Rejetant les traditions plus libérales des facultés du nord du pays, les groupes fondamentalistes du campus avaient réussi à contraindre l'administration à se plier à leur interprétation ultra-orthodoxe de la doctrine islamique. C'était un retour dans le passé, un coup d'arrêt à l'infiltration de l'idéologie occidentale des « infidèles ». Ces « sœurs musulmanes » obligées de nier leur féminité sous les voiles et les habits informes étaient également tenues en quarantaine, interdites de fraternisation. Et même si la minorité copte du campus avait souvent protesté contre ces règles draconiennes, la ferveur des néophytes de l'islam rigoriste ne tolérait pas ces critiques. Les islamistes avaient fait de l'université d'Assiout le fer de lance du combat en vue de protéger l'Égypte des valeurs corruptrices de l'Occident, de ramener le pays dans la pureté de la foi et le strict respect de la discrimination traditionnelle envers les femmes. Beaucoup craignaient que cette avant-garde ne finisse par imposer sa religiosité militante à toute la nation.

Il m'a paru très paradoxal que le centre de cette réaction intégriste soit une université : partout dans le monde, les étudiants n'étaient-ils pas généralement les premiers adversaires du moralisme répressif ? À Assiout, pourtant, ils revendiquaient le rôle de police des mœurs… Était-ce la géographie qui expliquait ces tendances conservatrices ? Nombre d'étudiants venaient des campagnes profondes de Haute-Égypte, débarqués dans une ville elle-même isolée au milieu de contrées rurales. Tout comme les néo-chrétiens du Sud américain voient en New York la Sodome et Gomorrhe des temps modernes, beaucoup des braves citoyens d'Assiout tenaient sans doute Le Caire pour un lieu de perdition, une métropole vautrée dans la débauche du cosmopolitisme et dont le consumérisme, en plus d'être un signe de décadence morale, menaçait directement les valeurs de l'Égypte traditionnelle qu'une communauté comme celle-ci se croyait chargée de protéger. Les « coutumes d'Assiout » si souvent invoquées par Mohammed n'étaient pas seulement un rejet du flirt embarrassant qui associait l'Égypte et l'Occident, mais aussi une crispation due à la peur de l'inconnu, et visant à repousser les effets déstabilisants de la modernité.

Quittant la vieille université avec moi, Mohammed a tenu à me montrer le nouveau campus, situé à vingt minutes à pied le long du canal d'Ibrahimia. Tout en marchant, il m'a parlé de son amour pour l'Égypte, avec une telle passion que je me suis demandé s'il avait étudié dans une école militaire comme celle que j'avais visitée à Al-Minya. Pour mettre à l'épreuve son patriotisme exalté, j'ai voulu savoir s'il reconnaissait que son pays était confronté à des problèmes de cohésion sociale : par exemple, les tensions entre communautés religieuses à Assiout. Sa réponse a été immédiate :

— Les musulmans et les coptes s'aiment et se respectent tous. Moi, je suis musulman mais tous les Égyptiens sont mes frères.

Encore ces formules creuses... Mais il y avait quelque chose en lui qui rendait ses protestations nationalistes pas totalement convaincantes : peut-être cette apparence de dandy occidental qu'il cherchait clairement à se donner, et puis il était fasciné par la culture populaire américaine, fredonnant des airs de Michael Jackson tandis que nous longions la rive, me demandant si je trouvais que John Travolta était un bon danseur... À un moment, il était un pieux musulman qui approuvait que les filles soient tenues à l'écart ; l'instant d'après, il redevenait un gars de dix-huit ans qui avait vu quatre fois *La Fièvre du samedi soir* et mettait de l'argent de côté pour se payer le dernier disque de Prince. Tiraillé entre deux identités, comme l'Égypte tout entière.

— Combien d'épouses tu as ? m'a-t-il interrogé.

— Juste une.

— Pourquoi seulement une ? – J'ai tenté de lui expliquer que la polygamie n'était pas une pratique répandue en Irlande. – En Égypte, c'est très difficile de se marier, a-t-il affirmé, reprenant un constat que j'avais déjà maintes fois entendu, mais un jour, quand j'aurai assez d'argent, j'aurai deux ou trois femmes, je crois. Tu trouves que c'est bien ?

— Je ne serais pas contre si les femmes pouvaient avoir deux ou trois maris, elles aussi.

Il m'a dévisagé avant d'éclater de rire.

— Ah, tu es rigolo ! Est-ce que tous les gens sont rigolos comme ça, en Irlande ?

Le nouveau campus avait toute l'apparence et tout le charme d'une zone industrielle. Jetant un coup d'œil à ma montre, j'ai informé Mohammed que j'avais un rendez-vous à l'heure du déjeuner. Nous avons échangé nos adresses :

— Peut-être qu'un jour je viendrai te voir à Dublin, a-t-il déclaré ; peut-être que je trouverai un travail là-bas. Je ne veux pas travailler en Égypte.

— Mais je pensais que tu aimais l'Égypte ?

— J'aime l'Égypte, mais pas ce qu'ils te paient quand tu travailles ici.

Arrivé en avance au Club des avocats, j'ai traversé la route pour entrer dans ce que je pensais être une église mais qui était en réalité un majestueux presbytère. Après avoir erré un instant, je suis tombé sur une sorte de patriarche en soutane noire, assis dans un bureau lambrissé. Il avait une épaisse barbe grise et dégageait une autorité exceptionnelle malgré son âge avancé. Je me suis excusé, expliquant ma méprise, mais il m'a fait signe de venir m'asseoir avec lui sur un banc dans le couloir. Johannes Nouer, s'est-il présenté. Comme je lui demandais s'il était le prêtre de la paroisse, il a eu un sourire indulgent :

— Je suis l'évêque catholique copte d'Assiout.

C'était un franciscain installé en Haute-Égypte depuis vingt et un ans, ce qui se voyait sur son visage profondément marqué de rides. Non loin de nous, il y avait une photographie de lui sur le mur, reçu par le pape Jean-Paul II lors d'une audience publique au Vatican. Son rang ecclésiastique et sa présence imposante faisaient certainement de lui le dirigeant de la communauté chrétienne d'Assiout, ai-je présumé.

Comme il me demandait comment je trouvais la ville – et j'ai compris à son ton qu'il ne voulait pas m'entendre évaluer ses mérites touristiques –, je lui ai confié le désagréable effet que m'avait produit le traitement des étudiantes à l'université, et je lui ai rapporté les explications de Mohammed selon lesquelles tous les musulmans et les coptes s'aimaient en frères. L'évêque a secoué tristement la tête, avec l'air de dire : « J'ai déjà entendu ces boniments, oui », puis il a soupiré :

— C'est une ville de fanatiques.

— Des deux côtés ?

— Il existe de mauvais chrétiens partout, c'est sûr, mais à Assiout nous avons beaucoup trop de tension, d'agressivité militante, même si personne ne veut admettre tout haut qu'il y a des problèmes entre les communautés. Ils veulent cacher la réalité mais la réalité est celle-ci : les intégristes nous rendent la vie impossible, ici. Il y a seulement quelques jours, une jeune chrétienne a été tuée. Je ne connais pas tous les détails mais je sais qu'elle s'était élevée contre des associations musulmanes à l'université et qu'elle a été assassinée par des étudiants musulmans dans la cité universitaire où elle vivait. – Par la suite, j'ai interrogé plusieurs personnes à ce sujet mais aucune d'elles n'a été en mesure de me donner de plus amples informations. – Mais il n'y a pas que la violence contre nous, a continué l'évêque. Par exemple, je voulais faire construire un immeuble d'habitation pour les jeunes de ma communauté qui aimeraient se marier mais n'ont pas de quoi acheter un appartement. Il a d'abord fallu obtenir un permis de la municipalité, puis la police s'en est mêlée, en disant que je cherchais à fonder une autre église sous le prétexte de bâtir des logements ! Vous arrivez à suivre une logique pareille ? Maintenant, je vais devoir aller au Caire, essayer d'obtenir une décision de la cour d'appel pour que les travaux puissent continuer. Voyez-vous, à Assiout, tout ce que font les chrétiens provoque les soupçons.

Les lumières du couloir ont faibli, se sont éteintes un moment, et l'évêque Nouer m'a parlé de cet autre aspect de la vie quotidienne à Assiout : le manque chronique d'électricité. Sauf quand il était question de conflits religieux, les peurs respectives et les récriminations mutuelles donnant à la ville le surplus d'énergie que ses générateurs n'arrivaient pas à produire.

— Je dirai ceci en faveur des musulmans, a-t-il poursuivi : regardez les mosquées, elles sont toujours pleines. Alors que dans nos églises, beaucoup de chrétiens passent le dimanche matin à faire la grasse matinée.

Le courant a de nouveau été coupé. L'évêque s'est levé péniblement, m'expliquant qu'il avait toujours plus de difficulté à marcher après être resté longtemps assis. J'avais aperçu sur son bureau plusieurs flacons de médicaments et des seringues hypodermiques : il n'était pas en bonne santé, à l'évidence, et le climat psychologique d'Assiout n'était sans doute pas fait pour rendre ses maux plus supportables. Il m'a proposé de déjeuner avec lui, une offre que j'ai déclinée à regret, puis il m'a rapidement béni et il est retourné à petits pas à sa table de travail. Quand je suis parti, l'évêque catholique copte d'Assiout était assis dans l'obscurité, seul.

La balance de la justice était sculptée sur les portes du Nadi Houkoukiym, le Club des avocats, un bâtiment moderne sans intérêt mais qui contenait un joyau, en l'occurrence un magnifique jardin d'où l'on avait une vue superbe sur le Nil. L'endroit dégageait un parfum délibérément colonial : les confortables fauteuils tressés, les pelouses tondues à la perfection concouraient à en faire le lieu idéal pour siroter son thé en échangeant des ragots sur la dernière jeune épouse qui, ayant quitté son Somerset natal pour rejoindre son fonctionnaire de mari « aux colonies », souffrait de la chaleur. Mais je n'ai vu aucun survivant de l'époque impériale, juste des hommes de loi en costumes bien coupés et, à la table où je me suis assis un moment, trois procureurs en train de parler boulot avec un inspecteur de police. Celui-ci, dont l'arme de service faisait une bosse sous son veston, a bu son Coca au goulot, d'une traite, et en a commandé un autre en soupirant qu'il avait eu une rude matinée. Quel genre de délits occupait la majorité de son temps ? me suis-je enquis. « Les meurtres », a-t-il répondu.

Stefan est arrivé quelques minutes plus tard en compagnie de la nouvelle enseignante d'allemand à

Assiout, Christa Pippig, une séduisante jeune femme d'une vingtaine d'années aux allures d'intellectuelle. Arrivée de Tübingen depuis trois jours seulement, elle avait déjà attrapé un virus intestinal et suivait sur instruction médicale un régime à base de riz blanc et de thé noir. Une diète ascétique dans une ville qui ne l'était pas moins.

Pendant le déjeuner dans la salle à manger à l'étage, Stefan m'a conseillé de ne pas prendre au pied de la lettre tout ce que j'entendrais dire à propos d'Assiout. Il y avait toutefois un point sur lequel il était catégorique : les musulmans et les coptes étaient engagés ici dans une guerre froide dont on ne voyait pas la fin, chaque camp nourrissant ses propres extrémistes qui se partageaient la responsabilité des violences occasionnelles. Les coptes étaient certes dans une situation désavantageuse, puisqu'ils constituaient une minorité soumise à de criantes discriminations, notamment à l'université. Il m'a cité l'exemple de deux frères de confession chrétienne qui avaient terminé leurs études de médecine dans le peloton de tête, ce qui était remarquable en soi car, selon Stefan, la plupart des professeurs musulmans craignaient de trop bien noter les étudiants coptes par peur des représailles ; mais lors de la cérémonie de remise des diplômes, une clique de jeunes islamistes les avaient abondamment sifflés et conspués. Il y avait aussi le cas d'un groupe de musique folklorique chrétien invité à se produire sur le campus : rendus furieux par cette preuve d'ouverture religieuse, des militants fondamentalistes avaient tout bonnement détruit leurs instruments de musique avant le concert.

Assiout vibrait d'anecdotes de cet acabit. Les divisions communautaires créent volontiers leurs légendes locales, une mythologie du ressentiment. Mais, ainsi que l'évêque Nouer me l'avait souligné, la plupart de ces tensions restaient dissimulées derrière une façade de normalité. Malgré les policiers casqués, malgré l'ostracisme dont les filles étaient victimes sur le campus, un équilibre précaire régnait. Le contentieux explosif entre les deux camps était devenu une caractéristique acceptée – même si elle était déplorée – du paysage urbain, la plupart des habitants espérant seulement qu'elle resterait contenue dans des limites tolérables.

Comme Stefan devait retourner en cours, je suis allé m'asseoir au jardin pour boire un thé avec Christa, qui m'a raconté une histoire édifiante, celle d'une fille d'excellente famille musulmane qui avait voulu suivre des études à l'université américaine du Caire. Ses parents, très conservateurs, redoutaient tellement l'influence occidentale sur elle qu'ils l'avaient obligée non seulement à revêtir le voile et l'habit traditionnels mais aussi à être conduite et ramenée chaque jour par le chauffeur de la famille. Elle s'était pliée à leurs exigences, mais avec la nuance suivante : dès que la Mercedes familiale l'avait déposée, elle allait directement aux toilettes, retirait son voile qui dissimulait son visage déjà maquillé, ourlait sa robe noire au-dessus du genou avec des épingles et devenait une étudiante comme les autres pendant la journée. Puis, lorsqu'il était temps de rentrer, elle reprenait sa tenue de stricte observante, essuyait son rouge à lèvres et reprenait le chemin de la maison à l'arrière de la limousine noire.

Soulignant l'hypocrisie de cette mise en scène, Christa y voyait un symbole de tout ce qui lui déplaisait déjà à Assiout. Les autorités administratives lui avaient fait savoir qu'elle devait se vêtir « modestement » pour assurer ses cours ; plus encore, comme elle séjournait pour l'instant dans la chambre d'amis de l'appartement de Stefan, elle était contrainte d'expliquer à ceux qui lui posaient la question – et ils étaient nombreux à le faire – qu'ils étaient mariés et qu'elle venait de le rejoindre. Ce pieux mensonge l'irritait considérablement mais elle n'avait pas d'autre choix, l'idée d'un homme et d'une femme partageant un logement sans être mariés étant inconcevable à Assiout. De plus, si elle n'avait aucune intention de se retrouver dans une relation sentimentale avec Stefan, elle avait nettement l'impression que ce dernier espérait que leur situation de « colocataires » finirait par déboucher sur quelque chose de plus intéressant. Or, bien que jugeant son collègue charmant, elle le trouvait aussi un peu « bizarre ». Certes, quatre années de célibat à Assiout avaient de quoi rendre bizarre n'importe qui, et expliquaient peut-être pourquoi il ne tenait jamais en place : la frustration sexuelle était un élément très présent de l'ambiance locale, et ce n'était pas pour plaire à Christa. Mais elle essayait de voir les aspects positifs : elle ne comptait rester à Assiout que six mois, après tout, elle adorait l'Égypte et voulait mettre à profit ses diplômes de langue arabe et d'archéologie, et elle avait été heureuse au Caire, où elle avait vécu auparavant… Sauf qu'ici, ce n'était pas Le Caire mais Assiout. Ainsi qu'elle s'en était vite rendu compte, six mois à Assiout, c'était long.

Nous sommes allés à pied chez Stefan. Son appartement était spacieux mais austère. Peu de mobilier, des ampoules nues aux plafonds, aucun tableau sur les murs beiges : le logement de quelqu'un qui veut se convaincre qu'il ne fait que passer. Succombant à ses maux de ventre, Christa a dormi tout le reste de l'après-midi pendant que je travaillais. Vers huit heures, Stefan est arrivé, a bondi dans sa chambre, dont il a claqué la porte. Peu après, il a filé dans la cuisine, s'est activé à préparer du café ; revenu dans le salon avec sa tasse, il l'a vidée d'un trait avant d'annoncer qu'il était temps de sortir.

Au volant de sa Peugeot, Stefan se transformait en James Dean dans *La Fureur de vivre*. Sa combustion interne s'alliant à celle du moteur, il nous a fait planer à travers la ville. Son comportement me rappelait celui de tant d'habitants de Berlin-Ouest, toujours animés par une énergie toxique, fonçant devant eux comme s'ils voulaient défier les frontières infranchissables auxquelles ils étaient soumis. En voiture, Stefan était un prisonnier qui vient de s'enfuir de sa cellule, à la différence que c'était lui qui avait choisi sa prison. Il répondait à la sensation d'enfermement qu'Assiout produisait sur lui en appuyant sur l'accélérateur.

Nous avons atterri devant le centre culturel de la ville. Stefan a accompagné Christa à l'intérieur, où elle allait tenter d'obtenir quelques détails sur son programme de cours en cuisinant un bureaucrate local. J'ai traîné un moment dans le hall. Le centre projetait un film, ce soir-là, et je me suis glissé dans l'auditorium pour voir de quoi il retournait. Un public entièrement masculin était assis devant un navet de science-fiction japonais, *La Légende des dinosaures et des os monstrueux*, doublé en anglais tropical et sous-titré en arabe. Plutôt endormie, l'assistance s'est soudain réveillée lorsqu'une geisha vêtue d'un bikini de la taille d'un timbre-poste est apparue sur l'écran. Des sifflets approbateurs et des cris de joie ont salué cette brève illusion de sexualité exotique. Mais quel aurait été le sort de l'aguichante Japonaise si elle s'était promenée dans une telle tenue à Assiout ?

Il y avait encore un autre centre culturel, en ville, mais celui-ci était entièrement dédié à l'étude de l'islam. Il se trouvait sur la corniche, non loin de l'évêché copte, et bien que récemment construit le bâtiment avait conservé les lignes pures, les arches et les fenêtres cintrées de l'architecture musulmane traditionnelle, ainsi qu'un gracieux minaret. Ce mélange réussi de modernité et d'austérité religieuse parvenait à projeter l'image d'un islam qui ne tournait pas le dos à son temps. Je suis entré dans le *sahn*, la cour intérieure, où quelques fidèles se lavaient les pieds dans un petit bassin avant d'aller prier dans une discrète mosquée. Le gardien m'ayant demandé les raisons de ma présence, je lui ai demandé s'il serait possible de visiter le centre. Après m'avoir précédé dans un long couloir, il m'a laissé en présence du directeur de l'institution, le Dr Mahmoud Mehani.

Étant donné le puritanisme latent d'Assiout, on aurait pu s'attendre à ce qu'un tel dignitaire arbore la tenue et la barbe d'un imam traditionnel. Le Dr Mehani contredisait ce stéréotype : avec son blazer bleu marine, son polo rouge, son pantalon en serge et ses lunettes rondes, il évoquait plus le country-club que le cercle intégriste. Comme il ne parlait pas l'anglais, un gentleman vêtu de tweed et à la moustache de colonel de l'armée des Indes a été convoqué dans le bureau. Quand il s'est présenté sous le nom de « M. Christopher », je me suis presque frotté les yeux : il ne lui manquait plus qu'un bull-terrier à ses côtés pour être l'image même de l'officier britannique à la retraite.

— Vous êtes surpris par mon nom, a-t-il dit aussitôt. Je suis copte. Dans ce centre, il y a un club de retraités auquel musulmans et coptes appartiennent.

Le directeur a posé une question que M. Christopher m'a traduite :

— Le Dr Mehani aimerait savoir quelle est votre religion.

— Euh… chrétien, ai-je répondu pour simplifier les choses.

— Et le directeur aimerait aussi savoir quelle est votre connaissance de la foi musulmane.

J'ai avoué qu'elle était assez limitée : quelques notions des origines historiques de cette religion, quelques détails biographiques sur le compte du Prophète… Si le Dr Mehani a paru satisfait par ma réponse, il voulait mieux cerner mes dispositions à l'égard de sa foi, car M. Christopher a continué :

— Le directeur est également désireux de savoir quels sont les aspects de l'islam qui vous plaisent le plus.

J'ai marqué une pause, soupesant soigneusement mes mots :

— La grande dévotion manifestée par ses fidèles.

Le Dr Mehani a hoché la tête et nous nous sommes tous détendus. Je venais de passer favorablement un examen cordial mais approfondi, ai-je pensé. Ou bien était-ce que très peu d'étrangers se donnaient la peine de visiter ce centre et que son directeur était tout simplement curieux de connaître leurs opinions sur sa religion ? Je percevais aussi une certaine méfiance de sa part, comme s'il envisageait que je sois venu ici surtout pour questionner la position dominante de la religion musulmane dans une ville biconfessionnelle, et il s'est hâté de préciser que son institution était ouverte à tous, ainsi que M. Christopher en était la preuve vivante. Celui-ci a abondé dans ce sens :

— Comme je vous l'ai dit, je suis chrétien et je viens ici tous les jours. Vous avez dû entendre parler d'incidents entre musulmans et coptes. Ils sont très marginaux, et limités à l'université. Les musulmans respectent toutes les religions. Nous sommes tous frères, ici.

Était-ce une formule que chaque habitant de la Haute-Égypte se devait d'apprendre par cœur ? M. Affifi, Mohammed et maintenant ce M. Christopher l'avaient reprise presque mot pour mot. Au lieu d'exprimer des dispositions fraternelles, elle m'apparaissait de plus en plus comme une déclaration défensive, destinée à masquer une vérité dérangeante. Admettre devant un étranger que l'esprit de tolérance religieuse était aujourd'hui en danger semblait être difficile pour la majeure partie des Égyptiens, et chaque fois qu'un cas de violence sectaire m'avait été rapporté, cela avait été à voix basse, de même que l'on confie un secret de famille honteux qui ne doit surtout pas jeter une lumière défavorable sur le reste de la tribu. L'Égypte était certes loin de l'escalade fratricide qui déchirait le Liban, mais il était facile de discerner, à Assiout, les signes avant-coureurs de fractures menaçantes. Le fait de proclamer « Nous sommes tous frères » pouvait véhiculer deux messages différents : maintenir l'image d'une « entente cordiale » entre les deux religions, mais aussi exprimer la crainte de conséquences effroyables au cas où ce fragile équilibre volerait en éclats.

Le Dr Mehani ayant suggéré à M. Christopher de me montrer la bibliothèque, nous avons descendu deux volées de marches avant d'entrer dans une petite salle tapissée d'une collection de livres très hétéroclite, des ouvrages savants sur l'histoire de l'islam côtoyant de vieux livres de poche américains tel le *Comment se faire des amis et influencer son entourage* de Dale Carnegie – nul doute que les futurs imams venus se cultiver ici trouveraient ce dernier ouvrage très utile…

La bibliothécaire, une dame grassouillette et enjouée, m'a apporté trois gros tomes en me déclarant qu'il s'agissait des pièces les plus importantes de la collection. Alors que je m'attendais à découvrir une édition rare du Coran, je me suis retrouvé à feuilleter un énorme recueil de photographies consacré à la visite du roi Farouk à Assiout dans les années 1930. C'était un hommage vibrant à l'ancien souverain puisqu'on le voyait à chaque page, ce jeune roi se livrant à des corvées protocolaires telles que l'inauguration de la nouvelle gare, une rencontre avec des édiles locaux ou l'inévitable bain de foule parmi des collégiens. À en juger par son air morose sur tous les clichés, Sa Majesté n'avait pas dû trouver le voyage passionnant. Mais ce témoignage du passé royal de la ville ravissait visiblement les employés de la bibliothèque, qui se sont regroupés autour de moi tandis que je continuais à tourner les pages. Le volume suivant, consacré essentiellement à des portraits officiels de la famille royale égyptienne, m'a permis de constater que la bibliothécaire en chef connaissait non seulement chaque tante ou petit-cousin du roi par ses petits noms, mais était également capable de raconter une ou deux anecdotes piquantes à leur sujet, prouvant sa parfaite maîtrise des intrigues de cour au temps de la royauté. N'était-il pas étonnant qu'ici, dans un centre d'études islamiques au milieu de la ville la plus orthodoxe du pays, la monarchie depuis longtemps disparue continue à inspirer une nostalgie aussi affectueuse ? Si la pulsion intégriste était vigoureuse à Assiout, elle paraissait sans cesse contrebalancée par un sécularisme loufoque : Mohammed chantonnant du Michael Jackson tout en proclamant son allégeance à Allah, un recueil de photos royales constituant la principale attraction d'une bibliothèque spécialisée dans l'étude du Coran… Au milieu de toutes ces incongruités, il n'était pas facile de décider si les fameuses « coutumes d'Assiout » représentaient juste une manière de se raccrocher à quelques certitudes traditionnelles dans une société en pleine mutation, ou si elles constituaient la première étape d'un processus qui conduirait à un rejet total des valeurs « hérétiques ». Quelques semaines plus tard, alors que je me trouvais dans le patio de la mosquée d'Al-Azhar au Caire, l'occasion allait m'être donnée de m'entretenir avec un étudiant tchadien qui se destinait à devenir imam. À ses yeux, la voie que l'Égypte finirait par prendre ne faisait pas le moindre doute :

— Le problème de ce pays, m'a-t-il dit, c'est que le peuple veut l'islam mais que le gouvernement l'empêche d'y accéder. L'islam n'est pas une religion, c'est une façon de vivre. L'islam n'est pas tourné vers le passé mais vers l'avenir, toujours. C'est la réponse à toutes les questions. L'Iran s'en tire bien parce que Khomeyni comprend l'islam et respecte ses lois. L'Égypte va mal parce que les gens au pouvoir ne voient pas l'avenir, restent obsédés par le présent. Mais un jour le peuple qui veut l'islam s'emparera du pouvoir et ce sera la chance d'édifier une société authentiquement islamique.

L'islam, un style de vie et une réponse à toutes les interrogations... Après avoir tâté du socialisme sans succès, avoir goûté à l'économie de marché sans l'adopter, l'Égypte n'avait-elle donc plus que cette seule possibilité devant elle, « une société authentiquement islamique » ? Pour nombre d'Égyptiens, la menace était bien réelle et pesait sur le pays comme un vautour prêt à fondre sur sa proie. Assiout donnait un aperçu de ce qu'une Égypte islamisée à outrance pourrait être, et ce n'était pas une perspective que j'avais trouvée rassurante, mais même dans ce bastion du rigorisme musulman le sécularisme décontracté de la vie égyptienne continuait à se frayer un passage. Écouter la bibliothécaire du centre d'études islamiques s'extasier sur les frasques du roi Farouk et de ses proches avait été pour moi une manière inattendue, mais convaincante, de me confirmer dans l'idée que cette nation n'était pas prête à se ranger sous la houlette sévère d'un État théocratique.

Et plus tard ? Est-ce que les Égyptiens finiraient par se convaincre que la « pureté de la foi » était la réponse simpliste à tous les choix difficiles qu'ils avaient devant eux ? Après la bibliothèque, M. Christopher m'a emmené au jardin d'enfants que le centre culturel abritait au sous-sol, et c'est là que j'ai été témoin d'une scène qui symbolisait à mes yeux les enjeux et les incertitudes de l'avenir.

À notre entrée, ces enfants de cinq ans ont reçu l'ordre de se lever et de réciter pour nous la leçon qu'ils avaient apprise ce jour-là. Ils ont obtempéré, le faisant d'un ton cadencé et l'accompagnant de gestes que je n'ai pas compris sur-le-champ, levant un index vers le plafond avant de l'abaisser en direction du sol. Lorsque M. Christopher m'a traduit ce qu'ils avaient dit, sa voix était hésitante, empreinte d'une gêne palpable :

— Les enfants ont récité : « Nous sommes musulmans. Nous sommes la seule foi juste. Quand nous mourrons, nous irons au paradis, là-haut, et tous les autres iront en enfer, en bas ! »

Il s'est tu, détournant le regard.

— Qui est-ce, « tous les autres » ? ai-je voulu savoir.

— Ah… – Il a tenté de sourire. – C'est sujet à interprétation.

— Mais vous disiez que les musulmans respectent toutes les religions ?

— Bien sûr, bien sûr ! Mais les fidèles de chaque religion pensent qu'ils seront les seuls à monter au paradis, n'est-ce pas ?

Et c'est ainsi que, âgée de cinq ans à peine, la nouvelle génération d'Assiout apprenait qu'elle était la seule promise à la félicité de l'au-delà.

Lors de ma dernière soirée à Assiout, j'ai rencontré un Polonais devenu égyptien. Un curé d'une cinquantaine d'années aux traits rudes et marqués d'un ouvrier des chantiers navals de Gdańsk. Après vingt ans en Haute-Égypte, il avait fini par demander la nationalité égyptienne, mais son appartement restait un petit bout de Pologne : des livres dans sa langue maternelle envahissaient les étagères, un autocollant de Solidarność s'étalait sur un mur des toilettes, un recueil de sermons du père Jerzy Popieluszko trônait sur la table basse et une photographie du prêtre torturé et assassiné figurait en bonne place dans le salon. Sa chambre à coucher s'apparentait à une petite chapelle privée, avec un autel en bois brut et plusieurs icônes. Son logis avait quelque chose de clandestin : le genre d'endroit où l'on imaginait de la littérature interdite s'échanger en silence ou un gouvernement en exil se réunir à la nuit tombée.

Après m'avoir préparé un café, le curé a évoqué les raisons pour lesquelles il avait quitté son pays natal.

— Comment pourrais-je jamais retourner en Pologne ? s'est-il interrogé. Solidarność a été un grand espoir, mais il a été détruit. Si j'étais resté, je serais aujourd'hui un dissident. Je n'aurais jamais pu vivre sous ce régime, alors ma mission religieuse m'a conduit en Égypte et je suis resté.

Le rire sardonique qui a suivi semblait dire : « Et regarde ce que je me suis trouvé à la place de la Pologne… Assiout ! » Mais il a vite repris son sérieux :

— Tu sais qu'il reste très peu d'espoir pour l'Égypte. La crise économique finira par provoquer une révolution. Il n'y a pas d'alternative politique, les gens gagnent une misère… Quel avenir peut avoir un pays pareil ? Quel avenir, dans une ville travaillée à ce point par le fanatisme, une ville où les deux communautés n'ont aucune confiance entre elles, une ville où la peur est inculquée dès l'enfance ? Comment surmonter ce conditionnement des esprits ?

Je n'avais pas de réponses à ses questions, et lui non plus, et l'Égypte peut-être encore moins. Nous avons terminé notre café en silence. Le courant a été coupé. Derrière la fenêtre, la cité a basculé dans le noir.

— C'est ça, Assiout, a-t-il murmuré. Les ténèbres.

Je suis rentré chez Stefan à pied. À mi-chemin, l'électricité est revenue et les lumières se sont répandues dans la ville comme une chandelle romaine partie en vrille. Après un bref instant, elles se sont éteintes à nouveau. Et j'ai quitté la ville à la faveur de l'obscurité.

6

Sur le fleuve

La veille du mille quatre cent quinzième anniversaire de la naissance du Prophète, je suis monté dans le train pour Louxor. Alors que nous roulions vers le sud depuis plusieurs heures, une rumeur s'est répandue comme une traînée de poudre dans le wagon de première classe où je me trouvais : quelqu'un avait entendu dire qu'un appareil d'Egypt Air avait été détourné par des pirates de l'air. Bientôt, trois versions différentes au moins ont circulé parmi les passagers. Un homme d'affaires égyptien certifiait que l'avion, parti de Rome, avait été détourné par un groupe de Syriens, un autre affirmait qu'il venait de Madrid et se dirigeait actuellement sur Tripoli, tandis que le serveur nubien qui me versait mon thé était certain qu'il s'agissait bien d'un coup des Libyens, mais que le vol en question opérait la liaison entre Casablanca et Le Caire ; friand de détails morbides, il a même ajouté que les pirates avaient déjà coupé la gorge à huit personnes.

Désireux de mettre fin à ce *Rashômon* égyptien, j'ai sorti mon poste de radio et vainement tenté de capter la

BBC. Me rabattant sur Radio Le Caire, j'ai prié mon voisin de me traduire le communiqué que le présentateur a bientôt lu d'une voix sombre et solennelle : un appareil d'Egypt Air parti d'Athènes avec plus de quatre-vingts passagers avait été en effet détourné et contraint d'atterrir sur l'île de Malte. L'identité des pirates restait inconnue mais ils avaient tué plusieurs otages et menaçaient de poursuivre le carnage. Aucun autre détail n'étant pour l'instant disponible, les programmes habituels reprenaient.

— Encore Athènes ! s'est exclamé un jeune homme assis non loin de moi. Ces Grecs, ils sont nuls, question sécurité ! Tous les cinglés du Moyen-Orient passent par l'aéroport d'Athènes parce qu'ils savent qu'ils ne risquent rien, là-bas. Et des cinglés, ce n'est pas ce qui manque, dans le monde arabe ! Prenez la Libye, le Soudan, le Liban... Des fous, tous ! Il n'y a que l'Égypte et la Jordanie qui soient des pays normaux.

Nous nous sommes présentés. Mon compagnon de voyage s'appelait Fouad Aziz Abou-Sidah mais il m'a invité à lui donner du « Freddy », un surnom qui lui était resté depuis qu'un groupe de touristes japonais avaient jugé tout bonnement impossible de prononcer son nom. Sa profession consistait en effet à piloter les vacanciers dans la Vallée des Rois, au temple d'Amon et à travers d'autres vestiges archéologiques dont la prospérité de Louxor dépendait étroitement. C'était un dur labeur, m'a-t-il confié, notamment lorsqu'il fallait s'occuper de Parisiens arrogants (« Pourquoi les Français n'arrêtent-ils jamais de se plaindre ?) ou d'Américains têtus et persuadés que le dollar pouvait tout acheter, mais le salaire était exceptionnel et il allait avoir besoin d'argent puisqu'il se mariait l'été suivant. Après des fiançailles interminables – il avait rencontré sa future épouse à l'âge de quinze ans –, ses gains de guide touristique lui permettraient de payer une partie de l'appartement qu'il voulait acheter, et de se préparer à la carrière d'homme d'affaires international qu'il avait en vue.

Car Freddy s'imaginait déjà patron d'une société d'import-export à Louxor, l'un de ces « nouveaux Égyptiens » dont le pays avait tant besoin : connaissant le reste du monde, parlant couramment quatre langues, à l'aise dans un contexte cosmopolite mais également résolu à conserver ses traditions de musulman pratiquant. Le mercantilisme occidental le séduisait à condition qu'il ne vienne pas empiéter sur les valeurs qui lui étaient chères. Ce serait le genre de businessman éclairé qui, venu à Francfort signer un contrat avec un gros client, n'oublierait cependant pas d'accomplir ses cinq prières quotidiennes dans sa chambre d'hôtel. Comme les moines de Saint-Macaire, il était persuadé que l'équilibre interne nécessaire à l'Égypte d'aujourd'hui proviendrait de la rencontre entre élévation spirituelle et technologie. Mais, avant d'aller négocier dans quelque capitale européenne, il avait dans les prochains jours un programme moins ambitieux : piloter une escouade d'Espagnols à travers le site de la Thèbes antique. Comme il me proposait de me joindre à eux et que je lui avouais que je n'étais guère tenté par l'exploration de l'architecture pharaonique, il m'a lancé un regard surpris :

— Ah ! si tu n'aimes pas les monuments, alors tu ne vas pas aimer Louxor.

Il ne croyait pas si bien dire. Dès que j'ai débarqué du train, j'ai été saisi par une rare aversion à l'encontre d'une ville qui empestait le crottin de cheval, conséquence désagréable des innombrables calèches qui sillonnaient les rues en proposant un tour aux visiteurs. Avant de trouver un petit hôtel, j'ai dû me débarrasser de trois aigrefins du cru qui, m'emboîtant obstinément le pas, s'entêtaient à me proposer leurs services en tant qu'agents de change, fournisseurs de haschich et guides touristiques. Ressorti sur l'artère principale de Louxor, la rue Saad-Zaghloul, je suis tombé dans la cohue d'une chaude soirée de novembre, où des camelots harcelaient chaque passant de leurs propositions intéressées – « Viens, viens voir ma boutique, mon ami ! ». J'ai vu une petite escouade de Japonais coiffés de chèches blancs se faire entraîner dans une échoppe regorgeant de pyramides en plastique, de portraits de Cléopâtre imprimés sur des foulards et de dagues en nacre pour toute la famille, du bambin au grand-père. Plus loin, un jeune couple d'Américains, très chic avec leurs tenues d'explorateurs branchés et leurs sacs à dos en cuir, était entouré par une bande de marchands surexcités.

— Combien tu veux pour ta femme ? demandait l'un d'eux au garçon. Combien tu la vends ?

— Dégagez de là, connards ! a grondé le Yankee indigné.

Ce genre de scènes édifiantes se répétait tout au long de la rue. Après m'être soigneusement tenu le plus loin possible de l'industrie touristique égyptienne et de son intrinsèque vulgarité, je me retrouvai plongé dans son épicentre, puisque Louxor n'existait que par le tourisme et pour le tourisme, sa raison d'être venant de quelques ruines et de tombes millénaires. Dans les livres de voyage du début du XXe siècle, une visite de l'Égypte digne de ce nom ne se concevait pas sans au moins trois jours passés dans le royaume de Thèbes. Le sobre Karl

Baedeker se laisse aller à un lyrisme étonnant quand il décrit les environs dans son guide de 1929 : « Les champs verdoyants et les palmiers qui accueillent le voyageur à son arrivée du désert, les couleurs splendides dont la vallée se teinte chaque matin et chaque soir, le vif éclat du soleil qui baigne tout objet même en hiver, donnent à Thèbes l'apparence d'une Arcadie à la fertilité éternelle. »

Au temps où Baedeker écrivait ces lignes, les avions à réaction n'avaient évidemment pas encore soumis Louxor au tourisme de masse et cette destination restait réservée aux nantis de la bonne société fuyant ici les frimas hivernaux de l'Europe. C'est à eux qu'il adressait ces conseils en matière de comportement vis-à-vis des « indigènes » : « L'Oriental, qui considère habituellement le voyageur européen comme un Crésus facile à duper, se sent autorisé à soumettre celui-ci à la réclamation incessante d'un *bakchich*, c'est-à-dire littéralement d'un “cadeau”. Bien que les mendiants pullulent, le *bakchich* ne doit jamais être accordé aux adultes ou aux enfants, sinon en reconnaissance d'un service rendu ou lorsqu'il est destiné à un vieillard ou un infirme (...). Généralement, on fera taire un mendiant par les mots *'al Allah* ou *Allah yihannin alik* (“Dieu ait pitié de toi”), ou *Allah ya tik* (“puisse Dieu te donner”). Face aux plus importuns, la meilleure réponse est *ma fish, ma fish* (“je n'ai rien”), ou *ma fish bakchich* (“je n'ai pas de cadeau”), formules qui permettent habituellement de disperser les assaillants, du moins pendant un moment. Comme il est inévitable que les chauffeurs, guides ou muletiers attendent un pourboire en sus du prix convenu, il est fortement conseillé au voyageur d'avoir toujours sur lui de la PETITE MONNAIE, en particulier des pièces d'une demi-piastre. Le paiement ne s'effectuera qu'après l'accomplissement du service demandé, et sans prêter la moindre attention aux récriminations qui ne manqueront pas de s'exprimer à ce moment (...). Si les protestations ne peuvent être calmées par une attitude d'indifférence stoïque, le voyageur pourra avoir recours aux termes de *roukh !* et *emshi !* ("va-t'en !"), ou encore *ouskout !* ("silence !"), toujours prononcés d'un ton calme mais résolu (...). Si la fermeté et la prudence sont recommandées dans les transactions avec les natifs, il va sans dire que le voyageur devra éviter de se montrer trop exigeant ou soupçonneux. Il gardera toujours à l'esprit que les indigènes avec lesquels il traitera sont souvent de grands enfants dont les caprices appellent l'amusement plutôt que la colère, et qui par ailleurs manifestent la plupart du temps une simplicité touchante et une réelle souplesse de tempérament. »

Avec plus d'un demi-siècle de recul, ces considérations paraissent pétries de préjugés colonialistes, exemplaires d'un ethnocentrisme borné ; et cependant, alors que je déambulais dans les allées marchandes criardes de Louxor et que j'évitais la horde des camelots prêt à s'acharner sur le premier *khawaga* venu, je n'ai pu m'empêcher de penser que les remarques de Baedeker conservaient une troublante pertinence dans l'Égypte touristique d'aujourd'hui. C'était comme si, par un accord tacite et inconscient, les étrangers et les gens du cru avaient décidé de reprendre des rôles appartenant au passé, les premiers en rajoutant dans celui de *sahib* dédaigneux, les seconds se complaisant à jouer les indigènes calculateurs et sans tact. La réalité économique de Louxor ne pouvait que renforcer ces stéréotypes, puisque les Occidentaux faisaient forcément figure de néo-colonialistes rendus tout-puissants par leurs devises tandis que les locaux, tout en les flattant, n'arrivaient pas à déguiser entièrement une sourde hostilité sous leur comportement obséquieux. « Combien tu vends ta femme ? » : en observant les marchands en action, j'ai cru voir une forme particulière de schizophrénie à l'œuvre chez ces sycophantes qui nourrissaient également une fierté nationaliste pas toujours refoulée. « Nous vous flattons à cause de vos dollars et de vos marks, semblaient-ils dire silencieusement aux touristes, mais ne croyez pas un seul instant que nous vous prenons pour nos maîtres. Désormais, “nous” sommes les maîtres, ici ! »

Ce qui leur permettait de rouler les visiteurs chaque fois que cela était possible. M'ayant demandé une livre pour des Cleopatra dont le prix était dûment indiqué en arabe sur le paquet (trente piastres), le tenancier d'un kiosque a souri finement lorsque je lui en ai fait la remarque et s'est contenté de dire : « Oui, mais il y a très peu de touristes qui peuvent lire ça ! » Plus tard, un adolescent m'a réclamé trois fois le prix normal de l'*Egyptian Gazette* que je voulais lui acheter, puis le préposé d'un stand de téléphone m'a annoncé la somme de quinze livres – près du double de ce que j'avais payé au Caire – quand j'ai cherché à téléphoner à ma femme à Dublin.

Ces pratiques ne révélaient pas seulement l'appât du gain des commerçants de Louxor : elles montraient aussi le mépris dans lequel ils tenaient leur clientèle de passage. Ils avaient besoin des touristes et en même temps ils trouvaient leur naïveté tout simplement grotesque, tandis que les étrangers, eux, en venaient à voir la population égyptienne comme un ramassis de gamins roublards et sans scrupule que les rudes interjections recommandées par Baedeker remettraient à leur place. Dans le ramdam publicitaire induit par le tourisme, chaque partie ne percevait de l'autre qu'une caricature infantile.

On avait là le pire aspect de l'influence occidentale sur l'Égypte. Dans sa quête du dollar – et de toutes les devises fortes –, Louxor avait perdu tout amour-propre. Il n'y avait aucune indépendance, ici, simplement une actualisation du contexte colonial afin de répondre aux exigences du tourisme moderne. C'était visible dans la façon dont les deux grands établissements de luxe du XIXe siècle, l'Old Winter Palace et le Luxor, avaient été adaptés au goût du jour : Stevie Wonder en musique de fond, bar décoré dans une ambiance de pseudo-safari… Alors que je prenais une bière dans la salle du Luxor peu subtilement baptisée « Africa », je me suis retrouvé à portée de voix de deux couples américains assis à une table, les hommes en pantalon de tergal supposément confortables, les dames drapant leur embonpoint dans des bermudas à carreaux et d'amples tee-shirts décorés du Colisée de Rome et de la Tour de Londres. Ils parlaient entre eux. Fort.

— Je crois que le type des chameaux a essayé de nous voler, a affirmé la femme au Colisée. Et mon Dieu, vous avez vu ses dents ? Ils n'ont pas de dentistes, en Égypte ?

— Il paraît que c'est l'un des pays au monde où il y a le plus de gingivites, l'a informée l'un des types.

— Moi, ce qui m'a le plus déprimée, c'est notre guide d'hier soir, a déclaré la Tour de Londres. Il aurait pu nous montrer Louxor « pour de bon » mais non, il avait l'air de s'en moquer complètement.

— Ils sont toujours comme ça, les Égyptiens, a fait remarquer le second bonhomme. L'idée de se surpasser, ça n'est pas pour eux.

— Il avait le potentiel, pourtant, a soupiré le Colisée. Je veux dire que si je décide de montrer Dallas à des visiteurs, ils en garderont un bon souvenir toute leur vie ! Pourquoi est-ce qu'il ne s'est pas plus secoué ? Il était payé, en plus !

« Ils sont toujours comme ça, les Égyptiens » : l'Occident baisse son regard sur le tiers-monde et recule, dépité. Et sa déception s'exprime principalement de deux façons : 1) Le raisonnement du « Pourquoi ne sont-ils pas comme nous ? », où les gencives malades, les chameliers corrompus et les guides blasés sont cités comme preuves irréfutables de la stagnation perpétuelle à laquelle des contrées comme l'Égypte seraient condamnées ; 2) L'école du « Contemplez ces opprimés », dont les tenants, si bien épinglés par V.S. Naipaul, aiment faire de petits tours parmi les pauvres, proclamer leur solidarité avec les victimes éternelles du colonialisme et en rajouter des tartines sur leur confortable culpabilité. À Louxor, ces deux mentalités paraissaient se fondre l'une dans l'autre : tout en se plaignant de l'inaptitude des indigènes avec des accents presque impériaux, l'Occidental pouvait également se payer le luxe de reprocher au tourisme de les avoir transformés en serfs complaisants. Dans les deux cas, tout cela se résumait à des clichés.

J'ai repris ma marche le long du Nil. Les felouques étaient déjà amarrées pour la nuit, de la musique d'ambiance parvenait des hôtels flottants. Montées de la pénombre, des voix anonymes ne cessaient de me proposer un taxi, un taux de change préférentiel, une barrette de haschich au meilleur prix. Après d'innombrables bijouteries et des bazars débordants de pacotille, je me suis soudain trouvé au milieu de buissons, un sanctuaire naturel loin de la familiarité oppressante des rues de Louxor. Ma quiétude n'a été que de courte durée, toutefois, car deux hommes qui somnolaient dans de hautes herbes se sont brusquement dressés devant moi. « Cigarettes ? », a quémandé l'un d'eux. Je lui ai lancé mon paquet de Cleopatra, il m'a remercié et il a disparu avec son ami.

Faisant demi-tour, j'ai pris un chemin de traverse qui conduisait à une mosquée où plusieurs centaines de fidèles s'étaient réunis afin de fêter la naissance du Prophète. Grappes d'enfants joueurs, klaxons, marchands ambulants, tout un joyeux carnaval produisait un vacarme que l'appel du muezzin parvenait à surmonter. La cohue est devenue telle que j'ai dû trouver refuge sur un banc de bois où une famille s'était déjà juchée pour regarder l'étonnante procession qui avançait vers nous : d'abord un énorme char de parade en bois traîné par des ânes et sur lequel une masse d'hommes chantaient à l'unisson d'une radiocassette, puis un ensemble de cuivres et de percussions produisant une remarquable cacophonie, puis une troupe désordonnée de villageois qui brandissaient des bâtons en l'air, et d'autres chars qui transportaient par exemple un crooner en chemise rouge à paillettes ou un jeune type en short mimant un boxeur à l'entraînement, et d'autres joueurs de tambours et de cornets suivant chacun leur rythme préféré, et tout cela s'en allait vers le centre-ville en emportant dans son sillage une flopée de gamins hululants.

L'Occident a tendance à percevoir l'Islam comme un bloc moyenâgeux et monolithique, raidi dans ses interdits et sa doctrine rigoriste. Pour un moment, toutefois, ce Mardi gras religieux venait bousculer une telle conception : l'anniversaire de Mahomet permettait à la foi musulmane de se manifester sous son jour théâtral et festif, rappelant que l'humour et la légèreté subsistent presque toujours sous les apparences puritaines.

En fin de procession est arrivée une cavalcade équestre de garçons résolus à tout emporter sur leur passage. Si j'ai réussi à remonter in extremis sur le trottoir, un gamin en vélo a été jeté au sol ; sa bicyclette a volé dans les airs, le cheval impliqué dans l'accident s'est affalé sur le flanc et les deux protagonistes, amochés, ont été immédiatement soumis à une cour de justice populaire complète avec avocats, procureurs, juges successifs et témoins éloquents. Je me suis éloigné de ce brouhaha.

Dans le hall de mon hôtel, les employés encore debout regardaient à la télé un vieux film de Stanley Kubrick, *Les Sentiers de la gloire*. Je suis arrivé au moment où trois malheureux soldats français de la Première Guerre mondiale allaient être fusillés, mais le peloton d'exécution a soudain été interrompu par une speakerine toute souriante qui avait pour mission de nous communiquer les dernières nouvelles, à savoir que le détournement de l'avion d'Egypt Air avait pris fin. Des troupes d'élite égyptiennes envoyées à Malte s'étaient emparées de l'appareil et avaient abattu les pirates de l'air ; tous les passagers étaient sains et saufs, heureusement.

Dans ma chambre, le bulletin du World Service de la BBC que j'ai capté sur ma radio donnait un tout autre son de cloche : l'avion avait été repris aux terroristes, oui, mais cinquante-sept personnes avaient péri dans l'opération.

Le lendemain matin, la BBC disposait de nouveaux détails sur le dénouement sanglant des événements de Malte. Pas de quoi commencer la journée dans la joie. Apparemment, le gouvernement de Moubarak avait décidé d'envoyer des commandos après avoir reçu l'information que huit passagers du vol Egypt Air avaient été abattus par les pirates de l'air. Ces derniers avaient riposté à l'assaut en faisant exploser des grenades au phosphore, déclenchant un incendie dans la cabine, de sorte que la plupart des victimes avaient péri intoxiquées par la fumée ; des survivants assuraient même que les soldats égyptiens avaient tiré sur tous ceux qui tentaient de s'enfuir de l'appareil en flammes. Les pirates avaient été tués par les commandos, sauf un que le pilote de l'avion avait finalement supprimé d'un coup de hache, et le bilan définitif était de cinquante-sept morts, plus de nombreux blessés dans un état critique. Le plus troublant de toute cette tragique affaire était peut-être l'information qu'un seul passager avait péri avant la prise d'assaut, une révélation qui faisait peser des doutes sérieux sur la décision des autorités égyptiennes d'employer la force alors que la crise n'en était encore qu'à son stade initial. Avaient-elles été mal informées, parvenant à la conclusion que les pirates supprimeraient d'autres innocents si elles n'agissaient pas très vite, ou avaient-elles paniqué, s'exposant maintenant aux reproches d'avoir déclenché un massacre inutile ? Comme le détournement de l'*Achille Lauro*, cette page sanglante de l'actualité moyen-orientale restait parsemée de points d'interrogation.

Dans la salle du petit déjeuner, j'ai partagé une table avec un ingénieur d'Alexandrie qui avait la tête plongée dans l'édition du jour d'*Al-Ahram*.

— Vous êtes au courant ? m'a-t-il demandé en interrompant brièvement sa lecture : seize morts dans l'avion d'Egypt Air. Tragique, n'est-ce pas ?

— Seulement seize ? me suis-je étonné. Je croyais que le bilan définitif était de près de soixante.

— Impossible ! Regardez le gros titre, là. Ça veut dire seize. C'est aussi le chiffre que la radio du Caire a donné tout à l'heure.

— Ah bon ? Eh bien, la BBC parle de cinquante-sept, pour sa part.

Quand je lui ai résumé le bulletin du World Service, il a ouvert de grands yeux.

— Vous êtes certain de cela ?

— Je l'ai entendu de mes propres oreilles.

— J'espère que ce n'est pas vrai. Je… Je ne veux pas que ce soit vrai.

C'était aussi l'état d'esprit du cabinet Moubarak, de toute évidence. Tergiversant autant que possible avant de reconnaître l'ampleur de la tuerie, les autorités égyptiennes semblaient en pleine auto-intoxication, comme si admettre une erreur de jugement risquait de remettre en cause la légitimité du régime. C'était la tactique de tout gouvernement qui se défie de son opinion publique : d'abord mentir, puis concéder la vérité par petits bouts. De cette façon, les officiels s'épargnaient la peine de tenter de justifier leur décision malheureuse, et ils pouvaient compter sur une presse aux ordres pour que le pays n'ait pas l'idée de contester leur action. Si je n'avais pas écouté la BBC, et donc connu le bilan véritable, j'aurais peut-être moi-même cru que l'intervention avait été un moindre mal et non une sanglante bévue.

L'ingénieur s'est levé en s'excusant : il devait attraper le prochain avion pour Alexandrie. Avant de s'en aller, il a dit d'un ton dégagé :

— J'espère que la sécurité à l'aéroport sera meilleure qu'hier à Athènes.

Mon petit déjeuner terminé, je suis sorti et j'ai loué une bicyclette, une vieille Raleigh au guidon surélevé et aux freins déficients. Après avoir dévalé la corniche en évitant de justesse une carriole et son mulet, j'ai poussé ma monture sur l'un des ferries poussifs qui effectuent la navette entre les deux rives du Nil. Celui-ci était bondé de touristes désireux d'explorer les sites archéologiques sur la berge orientale de Thèbes. Dès l'accostage nous avons été assaillis par une escouade de gamins et de filous moustachus qui se proclamaient tous guides certifiés de la Vallée des Rois. Fuyant les lieux sur mon deux-roues, j'ai bientôt pédalé en pleine campagne, environné d'une végétation luxuriante ponctuée de temps en temps par un hameau tranquille et bordée d'une barrière de montagnes abruptes à l'horizon. La chaleur était insensée mais ce soleil des grands espaces faisait du bien, après la claustrophobie mercantile de Louxor. Dépassant deux statues pharaoniques postées telles des sentinelles sur le bord de la piste, j'ai commencé à gravir péniblement une colline au sommet de laquelle la route faisait une fourche. Je me suis lancé dans la descente, parvenant très vite au village de Medinet Habou. J'aurais pu en profiter pour visiter le temple de Ramsès III, mais les monuments n'étaient pas le but de cette excursion : après avoir consulté une carte dessinée à la main, j'ai laissé mon vélo devant un petit hôtel, traversé un champ qui sentait la terre mouillée et remonté une allée en gravier jusqu'à une maison en torchis, une sorte de sculpture cubiste couleur ocre au milieu de tout ce vert.

Elle appartenait à un médecin du nom de Darwish et le cartographe amateur qui m'avait conduit là était Patrick Godeau, le journaliste français dont j'avais fait la connaissance à Siwa. Au cours de mon passage au Caire, je lui avais rendu visite à son appartement un soir, et même si ma mémoire n'avait pas gardé un souvenir très précis du moment – j'avais largement contribué à vider une bouteille de Bénédictine qu'il gardait pour les grandes occasions – je me rappelais l'avoir quitté avec un plan griffonné, l'itinéraire à suivre si je passais à Medinet Habou et voulais voir l'un de ses grands amis, le Dr Darwish.

Patrick m'avait expliqué que celui-ci, brillant jeune généraliste de la capitale, avait un beau jour décidé, pour des raisons qui restaient en partie mystérieuses, de se transformer en médecin de campagne. J'avais été intrigué par ce parcours peu commun et c'est pourquoi j'étais venu frapper à la porte de sa modeste demeure, m'attendant à moitié à tomber sur quelque idéaliste résolu à pratiquer son sacerdoce médical pour le compte de *fellah'in* désargentés.

L'assistant du Dr Darwish, un garçon d'environ dix-huit ans, m'a fait entrer dans un living au style remarquable, que je qualifierai de « chic indigène » avec ses banquettes en torchis ouvragé couvertes de tapis multicolores, ses poutres apparentes, son discret coin-cuisine et ses arches donnant sur un petit patio envahi de plantes tropicales. Maintes revues de décoration auraient pris en exemple une utilisation aussi ingénieuse et raffinée des matériaux traditionnels de la région, qui révélait un goût très sûr. Peu après, le maître des lieux, visiblement à peine réveillé, a fait son apparition. La trentaine, une moustache tombante et les yeux lourds, il était en tee-shirt, jean et sandales, exsudant la même élégance décontractée que cette maisonnette. Lorsque je me suis présenté comme un ami de Patrick, il m'a offert du thé et il a essayé de sortir de sa torpeur en allumant une cigarette. La nuit précédente, il avait dû rester debout très tard pour une urgence. C'était l'inconvénient de la vie d'un médecin aux champs, cette obligation d'être disponible vingt-quatre heures sur vingt-quatre, mais d'après ce qu'il m'a confié le Dr Darwish ne regrettait pas du tout son ancien service dans un hôpital du Caire, et quand l'excitation de la ville lui manquait il n'avait qu'à traverser le fleuve pour se rendre à Louxor, dont la clinique municipale était susceptible d'accueillir les patients qu'il ne pouvait pas traiter lui-même. Bref, cette existence semblait lui convenir à merveille, tout comme cette maison modeste d'apparence mais dont il avait conçu les moindres détails avant d'en confier la réalisation à un maçon local. Et puis combien de médecins avaient pour voisin immédiat un temple de Ramsès III, et les étendues agrestes de l'ancien royaume de Thèbes pour paysage chaque matin ? Bien que comblé, le Dr Darwish ne nourrissait cependant aucune illusion envers le système de santé égyptien ; conscient des limites de l'infrastructure sanitaire du pays, il était particulièrement sensible à la question des infirmières, qui selon lui personnifiaient les paradoxes de l'Égypte contemporaine.

— Il faut comprendre qu'une infirmière, chez nous, est tout en bas, tout en bas de la société. Pourquoi ? Parce qu'elle doit travailler tard le soir, loin de sa famille. En Égypte, un pays aux mœurs arriérées, on voit d'un très mauvais œil une femme qui ne rentre pas chez ses parents dès que la nuit tombe. L'idée courante, aussi, c'est que toutes les infirmières n'ont qu'une idée en tête : se faire épouser par un médecin. Donc, on les considère comme des prostituées, à peu près, et c'est pour ça que plein de femmes qui auraient la vocation ne veulent pas s'engager dans cette profession. Elles ont trop peur d'être marquées à vie par la mauvaise réputation. L'autre problème, c'est que la plupart de nos infirmières ont à peine terminé l'école secondaire. En d'autres termes, elles ne savent rien. Je suis à l'hôpital, je m'occupe d'un bébé prématuré en couveuse, je dis à l'infirmière de service : « Apporte-moi cinq milligrammes de ce médicament, dilue-les dans du sérum et fais une injection », et elle, qu'est-ce qu'elle fait ? Elle me regarde comme si je lui parlais chinois ! Alors je dois tout lui écrire, la surveiller quand elle le fait les premières fois… Elles n'ont aucune autonomie. Bien sûr, il y a des écoles d'infirmières au Caire, à Alexandrie, mais celles qui obtiennent le diplôme sont immédiatement promues infirmières en chef. Capitaines avant d'avoir été soldates ! Ce qui veut dire qu'elles n'ont pas eu l'expérience pratique, et comme elles ont le diplôme elles croient tout savoir. Elles se prennent pratiquement pour un médecin ! C'est une attitude qu'on retrouve tout le temps, en Égypte : par exemple, un mécanicien saura changer l'huile d'une voiture, mais il n'aura aucune idée de ce que représente la combustion interne, de la manière dont un moteur d'auto fonctionne. Le type qui a fait l'électricité ici, chez moi, la seule notion de son travail qu'il a se résume à ce qu'il y a deux fils, un positif, un négatif, et qu'il faut se débrouiller avec. Je connais un chirurgien à Louxor, il a un assistant qui travaille sous ses ordres depuis quinze ans ; ce bonhomme n'a jamais étudié la médecine mais il est persuadé qu'il pourrait opérer tout seul. D'accord, il serait sans doute capable de se débrouiller face à une appendicite, mais s'il y avait la moindre complication, bonsoir ! C'est notre problème majeur, aujourd'hui : tous les Égyptiens qui ont un minimum d'éducation se prennent pour des experts, alors que personne ne comprend comment le pays fonctionne.

Après m'avoir communiqué son diagnostic sur l'état de santé de sa patrie, le Dr Darwish s'est excusé : il devait recevoir un patient dont les maux étaient heureusement beaucoup moins graves.

Revenu sur la rive orientale, j'ai continué mon errance sur la vieille Raleigh. Club Méditerranée, hôtel Isis, immeubles de locations flambant neufs… Louxor avait décidément décidé de ressembler à un Miami Beach levantin. L'aspect de ces enclaves pour touristes aisés qui m'a le plus frappé, cependant, était l'allure de résidences coloniales qu'elles voulaient se donner : des havres de confort occidental où les *sahibs* échappaient au moindre écho des réalités égyptiennes. Est-ce que la commodité de l'avion à réaction avait seulement rendu le voyageur plus insulaire, plus attaché à ses petits repères que jamais ? En observant ces forteresses de chambres aseptisées, de piscines chlorées, de bars climatisés et de boutiques de souvenirs où les crèmes solaires côtoyaient quelques reproductions d'artisanat local, je me suis dit que le tourisme dans les pays du tiers-monde avait désormais pour préoccupation première de dissiper tout effluve dérangeant en provenance de nations en train de suer afin de rattraper leur retard économique. Nous ne prétendions plus « civiliser » les indigènes en les colonisant : nous laissions les Hilton, Sheraton et autres Movenpick faire ce travail à notre place.

Après avoir rendu mon vélo à la boutique de location, j'ai regagné mon hôtel de déclassés. Dès qu'il m'a vu, le réceptionniste m'a lancé :

— Il paraît que vous dites qu'il y a eu cinquante-sept morts dans l'avion ?

J'en suis resté bouche bée.

— J'ai juste répété à quelqu'un ce que j'avais entendu à la BBC, au petit déjeuner.

— Vous pensez que c'est vrai ?

— Cela m'étonnerait que la BBC mente à propos du nombre de morts.

— On ne nous a pas raconté ça, à nous, vous savez ? – Il a baissé la voix. – Vous croyez que l'Égypte a eu raison de réagir de cette façon ?

— Je crois que c'est un bilan en vies humaines accablant.

— Peut-être qu'on est allés trop vite… Comment savoir ?

Au bulletin d'informations en anglais de vingt heures, finalement, la télévision égyptienne a reconnu que cinquante-sept personnes avaient péri dans l'opération. Une interview du pilote de l'avion détourné a aussitôt suivi, dans laquelle il affirmait, la tête bandée, que l'assaut avait été la seule solution possible compte tenu de la détermination des pirates de l'air à tuer tous les passagers et l'équipage. Lui a succédé le secrétaire d'État américain, George Shultz, qui a martelé que le terrorisme international devait être éradiqué. L'enchaînement était parfait, la mise en scène impeccable.

Après, je suis sorti flâner une nouvelle fois. La vue de l'immense et calme surface du fleuve dans la pénombre m'a fait penser que j'avais beaucoup longé le Nil, et que je l'avais traversé, mais qu'il me restait encore à en avoir une expérience plus intime. J'ai résolu de trouver le lendemain une embarcation qui m'emmènerait loin de Louxor.

Au matin, j'ai descendu la corniche un moment avant de sauter sur la rive à l'endroit où quelques felouques étaient amarrées. Un homme en *galabiya* rayée s'est approché :

— Tu veux bateau ?

— Jusqu'à Assouan, c'est possible ?

Il a eu le sourire d'un chauffeur de taxi à qui on vient de proposer une course très rentable et m'a invité à le suivre sur l'étroite passerelle en bois qui conduisait à sa felouque, puis à m'asseoir sur l'un des matelas qui jonchaient le pont. Tout en préparant du thé sur un petit réchaud de camping, M. Abdoul Mohammed – c'était son nom – a tenu à me montrer un paquet de cartes postales et de lettres qu'il avait reçues d'anciens clients satisfaits. « Merci d'avoir rendu le Nil aussi beau », écrivait par exemple un couple du New Jersey, tandis qu'une famille de Hanovre lui avait souhaité « *Fröhe Weihnachten* » sur une carte de Noël et que deux instituteurs britanniques avaient exprimé leur gratitude au dos d'une vue de Buckingham Palace. C'étaient là ses recommandations venues du monde entier, la preuve indiscutable qu'il était un honnête et compétent pilote de felouque.

— Je t'emmène à Assouan en cinq jours, pas de problème, a-t-il affirmé.

Pendant que nous sirotions notre thé, j'ai remarqué qu'il me jaugeait discrètement, essayait d'évaluer l'état de mes finances, se demandait si j'étais un voyageur naïf ou le genre de *khawaga* qui vérifiait le taux de change sur sa calculatrice de poche et contestait les notes à cinq piastres près. Moi aussi, je cherchais à cerner la personnalité de M. Abdoul Mohammed. Exemple type du vieux navigateur nilotique, son air philosophe et ses traits burinés cachaient toute la détermination d'un vendeur d'automobiles rompu aux finesses de la négociation commerciale.

— Toi, tu voyages seul ? s'est-il enquis.

— Exact.

— Pourquoi tu trouves pas sept, huit autres touristes pour venir avec toi ? C'est moins cher, comme ça.

— Je préfère me déplacer sans compagnie.

— Comme tu veux, mais alors il faut payer pour tout le bateau.

— Et c'est combien ?

— J'emmène sept touristes à Assouan, je prends trente livres chacun, repas compris. Pour cinq jours, ça fait deux cent dix livres.

— C'est un peu cher, pour un seul passager.

— C'est le prix.

— Mais la nourriture ne sera que pour une seule personne, pas pour sept…

— D'accord, je te fais petite réduction. Cent quatre-vingt-dix, tout compris.

— Disons cent trente.

— Impossible ! Je reste à Louxor, en deux ou trois jours je gagne cent trente. Je vais à Assouan pour toi, ensuite je dois trouver des passagers pour payer le retour, ça fait dix jours parti de Louxor, pas bon pour les affaires… Cent soixante-dix, dernier prix.

Nous avons continué un moment ce marchandage rituel, transposant la tradition ancestrale des discussions de marché sur le terrain moderne d'une économie dominée par le tourisme. Même si les propriétaires de felouques continuaient à assurer une modeste part des transports de vivres et de matériaux dans la région, les touristes leur assuraient la majorité de leurs revenus. M. Mohammed n'ignorait pas que son prix initial était surévalué, tout comme je voyais très bien qu'il se livrait simplement à une expérience visant à tester les limites financières d'un étranger venu à Louxor en pleine période de crise du tourisme. Il réfléchissait en termes de marges de profit tandis que j'essayais de deviner à partir de quelle somme l'expédition ne serait plus rentable pour lui.

Ce petit jeu ne servait pas seulement à mesurer notre force de volonté respective, mais nous permettait aussi de vérifier si nous serions capables de coexister cinq jours durant dans un espace aussi exigu. En déduisant la place occupée par le gouvernail, le mât et la bôme supportant la voile latine, les passagers d'une felouque devaient généralement se contenter d'un rectangle d'environ trois mètres sur deux à ciel ouvert, sur le pont. C'était d'ailleurs pourquoi je tenais à ce que ma première expérience de navigation sur le Nil ne s'accompagne pas de la « dynamique de groupe » qui se crée ostensiblement lorsqu'on voyage avec des inconnus. Certes, la promiscuité de sept ou huit étrangers venus de toute la planète aurait constitué un sujet d'observation intéressant pour l'écrivain en herbe que j'étais, mais elle m'aurait également empêché de concentrer toute mon attention sur le fleuve lui-même. Avec M. Mohammed, au contraire, point de jeux psychologiques subtils à attendre, ni de risque de devoir gérer ses humeurs ou d'être forcé de lui faire la causette. Je serais son seul passager, sans petite troupe d'acteurs secondaires pour me donner la réplique : le one-man-show reviendrait au Nil et à lui seul.

Ou du moins c'est ce dont j'étais convaincu lorsque nous sommes enfin tombés d'accord sur la somme de cent cinquante livres, tout compris. Quand je suis revenu de l'hôtel avec mon sac, cependant, j'ai découvert que M. Mohammed avait déjà modifié unilatéralement les règles de notre petit jeu.

— Il faut payer la moitié d'avance, a-t-il décrété.

J'ai sorti une liasse de billets froissés de ma poche. Alors que je lui tendais soixante-quinze livres, il a secoué la tête :

— Non. Cent maintenant, cent à Assouan.

— C'est cinquante livres de plus que ce que nous avions décidé.

— Pour le manger, oui.

— On avait dit que tout était inclus.

— D'accord. Cent cinquante pour le bateau, trente pour les repas.

Je me suis levé et j'ai attrapé mon sac.

— Attends, attends ! Entendu, c'est cent cinquante avec le manger… – Nous avons scellé par une poignée de main ce nouvel accord qui n'en était pas un, mais il avait encore une surprise pour moi : – … et dix livres pour l'eau.

— Comment ?

— Tu veux boire l'eau du Nil ?

— Pas particulièrement, mais il n'a jamais été question d'un supplément pour l'eau.

— On a dit cent cinquante pour le bateau, manger, dormir. Pas l'eau. Tu veux de l'eau potable, c'est dix livres.

— Ça fait cher le verre d'eau.

— Tu auras besoin de beaucoup. On va acheter une caisse.

— Douze bouteilles, dix livres ? Au souk, la bouteille d'eau minérale est à cinquante piastres. Les quatre livres en plus, c'est pour quoi ?

— Le transport.

— C'est complètement… dingue !

— OK, alors tu l'apportes toi-même.

— Bon. Quand est-ce qu'on part ?

— Tu pars pas avec moi. Tu pars avec mon frère.

— Hein ?

Un autre vieux batelier aux traits maussades est apparu sur la passerelle.

— C'est mon frère. M. Ahmed Mohammed. Il a un bateau très bon. Viens.

Nous avons marché quelques minutes sur la rive avant de parvenir à une felouque qui était la copie conforme de celle de M. Abdoul Mohammed, à la différence près que son ronchon de capitaine paraissait disposé à faire payer ses soucis à la terre entière. Cinq jours en tête à tête avec cet aigri sur le *Thèbes* – c'était le nom que l'embarcation arborait fièrement – ne me disaient rien qui vaille, mais plutôt que de reprendre un nouveau round de négociations j'ai glissé mon sac sous l'un des bancs du pont et je me suis assis. Les deux

Mohammed m'ont observé en silence pendant deux longues minutes.

— Eh bien, qu'est-ce qu'on fait, maintenant ? me suis-je impatienté.

— On attend la police, m'a informé M. Abdoul Mohammed. Ils veulent noter ton numéro de passeport avant de partir. C'est le règlement.

— Et donc on s'en va, après ?

— Non. Après, il faut apporter le formulaire au commissariat, pour qu'ils le tamponnent.

— Ça va prendre combien de temps ?

— Une heure, deux heures…

— Bon, mais ensuite on s'en va ?

— Non. Après, on va au marché acheter le manger.

— Et combien de temps ça prendra ?

— Une heure, inch'Allah. Et ensuite on s'en va à Assouan.

Patience : la vraie religion égyptienne. Après plus de deux mois à me confronter aux élucubrations bureaucratiques les plus diverses, comment aurais-je pu attendre que les marins de Louxor ne soient pas eux aussi soumis à la paperasserie dès qu'ils mettaient le cap au sud ? Laissant mon sac à bord, j'ai décidé d'aller chercher de quoi déjeuner sur le pouce. Tandis que je marchais d'un bon pas sur la corniche, un gamin d'à peine une dizaine d'années m'a crié :

— Missié, missié ! – Je ne me suis pas arrêté. – Tu veux un bateau ? Je te fais un bon prix ! – Je lui ai dit que j'en avais déjà un, merci, et j'ai poursuivi. – Bon prix ! Missié ? Va te faire foutre, missié !

J'étais très, très content de quitter Louxor.

Arrivé au souk, je me suis acheté deux falafels, puis j'ai trouvé une caisse d'eau minérale qui coûtait cinq livres et que j'ai péniblement charriée jusqu'au *Thèbes*. M. Abdoul Mohammed était installé sur le pont. Je lui ai demandé s'il savait quand son frère et moi allions lever les voiles.

— On attend encore deux heures, trois. Et tu me donnes la moitié de l'argent maintenant.

— Est-ce que je ne devrais pas payer votre frère, plutôt, puisque c'est lui qui va m'emmener ?

— Je m'occupe des affaires de la famille.

Résigné, je lui ai allongé la somme et je me suis installé à ses côtés, suant à grosses gouttes sous le soleil de l'après-midi tout en révisant mes carnets de notes. M. Ahmed Mohammed a finalement surgi, accompagné d'un policier en civil qui a examiné mon passeport et rempli plusieurs formulaires avant de disparaître. Les deux frères se sont mis à chuchoter dans leur coin.

— Quel est le problème ? leur ai-je demandé.

— Problème ? Pas de problème ! a répliqué M. Abdoul Mohammed.

Une heure s'est écoulée. Le patron du *Thèbes* est allé chercher les papiers au commissariat pendant que je somnolais sur le pont, terrassé par le soleil. Lorsque je me suis réveillé en sursaut, une autre felouque était arrimée à la nôtre, pilotée par deux jeunes garçons. L'un d'eux devait avoir dix-huit ans, l'autre à peine onze ou douze. J'ai vite remarqué que mon sac et le carton de bouteilles d'eau minérale avaient été transférés à leur bord.

— Tu vas à Assouan avec eux, a annoncé M. Abdoul Mohammed.

— Mais… qui c'est ?

— Les fils de mon frère.

— Les fils d'Ahmed ?

— Non, de mon autre frère. Tu vas avec eux.

J'étais clairement tombé entre les mains de la mafia nilotique de Louxor, dont le chef indiscuté semblait être M. Abdoul Mohammed, lequel avait conclu avec son acolyte que je n'étais pas assez rentable et m'avait donc refilé à ses « neveux ». Ceux-ci, Adel et Taïeb, m'ont regardé passer sur leur felouque, appelée *Al Aslam* (« Islam »). Adel, le plus âgé, s'exprimait dans un très bon anglais. Il m'a demandé de prendre la barre pendant que Taïeb et lui allaient ramer. Horrifié, j'ai imaginé la croisière cauchemardesque qui s'annonçait : moi dans le rôle du « sahib » réactionnaire, les deux autres en « coolies » peinant sur leurs avirons…

— Vous n'allez pas devoir ramer longtemps, n'est-ce pas ? me suis-je enquis d'un ton désolé.

— Si je rame jusqu'à Assouan, je suis mort, a répondu Adel.

— Pourquoi ne pas se servir de la voile, alors ?

— Pas de vent ! a coupé Taïeb.

En effet. Nous avons lentement avancé jusqu'à la rive opposée. Une fois parvenus au débarcadère des ferries, Adel a contemplé le ciel, secoué la tête d'un air navré et m'a offert une cigarette.

— On a un problème. Comme mon frère t'a dit, il n'y a pas de vent. On va pas aller loin, comme ça.

— Ce qui veut dire ?

— Je sais pas. Peut-être le vent va se lever, peut-être pas. Si ça tenait qu'à moi, je te dirais : « Passe la nuit dans un hôtel à Louxor, demain il y aura du vent, inch'Allah. » Mais celui qui décide, c'est mon oncle Abdoul. Et il a déjà pris sa commission sur le voyage. Vingt-cinq livres.

— Il a quoi ?

— Il prend toujours sa commission. Qu'est-ce que j'y peux ? Le patron, c'est lui ! Je dois essayer de t'emmener à Assouan en cinq jours, mais je peux pas promettre, en plus on va « contre » le courant ! Tu dois comprendre que seul Allah a le pouvoir sur le vent. Il n'y a que Lui qui peut savoir combien de temps il va nous falloir.

Pour l'heure, Il semblait se soucier comme d'une guigne que nous soyons en rade. Si au moins nous étions allés au nord, nous aurions pu profiter du courant... En tout cas il était trop tard pour annuler l'expédition, ainsi qu'Adel l'avait doctement souligné, puisque « Don » Abdoul avait déjà prélevé sa part. Et puis nous avions déjà traversé le fleuve, ce qui signifiait que le voyage avait commencé, d'une manière ou d'une autre. Étant tous deux convenus de ce constat, Adel est parti en quête de vivres et j'ai longé la berge jusqu'à un kiosque à tabac où j'ai fait le plein de cigarettes. Revenu à bord, j'ai trouvé Taïeb en train d'astiquer le pont avec un chiffon humecté dans le Nil. Malgré son jeune âge, il faisait preuve d'une sagesse et d'une maturité étonnantes. Il m'a lancé un sourire timide. Ce n'était plus un enfant, déjà un membre d'équipage qui se préparait à devenir lui aussi capitaine, un jour. Quand je lui ai demandé s'il allait à l'école, il m'a répondu avec flegme :

— Pas école, non. Travail. Ma famille a besoin.

Adel est arrivé avec deux renforts : son père, Gabar, et son cousin Mahmoud. Le premier était un patriarche qui avait eu la vie dure : borgne, le visage dévoré par une étrange maladie de peau, la moitié du majeur gauche emportée, il n'exprimait pas moins une autorité naturelle qui le plaçait sans doute parmi l'élite des bateliers du Nil. Mahmoud, lui, était moins facile à cerner : la vingtaine boudeuse, il ne desserrait pas les dents et une journée entière allait s'écouler avant que j'entende le son de sa voix.

Après de brèves présentations, nous avons hissé la voile dans l'air immobile et Adel, entré dans l'eau jusqu'à la taille, nous a poussés sans faire mine de sauter à bord. De plus en plus perplexe devant ces constants changements d'équipage, je me suis tourné vers Taïeb :

— Quoi, il ne vient pas avec nous ?

— Il reste. Nous, on va Assouan.

En théorie, du moins, car après avoir difficilement gagné le milieu du fleuve nous avons attendu au moins dix minutes pour qu'un maigre souffle de vent nous fasse parcourir un demi-kilomètre, au bout duquel le calme plat est revenu.

— Ça ne se présente pas bien, ai-je remarqué tout haut.

— Il faut attendre jusqu'à ce qu'Allah nous donne le vent, a déclaré Taïeb.

Assis au gouvernail, Gabar a hoché gravement la tête. Aux commandes de la felouque, il était servi par un Mahmoud qui occupait les rôles de premier officier, d'ordonnance et de cuistot. Matelot et steward, Taïeb a quant à lui étendu sur le pont un mince matelas en coton, qu'il a couvert d'un drap coloré : ma cabine. En raison de l'espace très limité, il était vital que chacun sache où se tenir et veille à ne pas empiéter sur le territoire des autres.

Un imposant vapeur chargé de touristes est passé tout près, nous secouant de ses remous et nous entraînant aussi brièvement dans son sillage. Nous avons continué à nous éloigner ainsi de Louxor, par de brèves avancées suivies d'une immobilité absolue quand nous ne dérivions pas peu à peu sur l'une ou l'autre berge, ce qui obligeait alors Mahmoud à s'armer d'une longue perche et à nous extirper des bas-fonds.

Au crépuscule, nous avons jeté l'ancre en face de Banana Island, une réserve naturelle aux abords de Louxor qui abritait désormais un hôtel de la chaîne Movenpick. J'ai déplié ma carte : nous avions parcouru en tout et pour tout cinq kilomètres, et il en restait deux cents jusqu'à destination... Si nous voulions être à Assouan samedi, Allah devait radicalement changer ses dispositions à notre égard. À notre bord, le silence et l'obscurité régnaient, mais je voyais les lumières de l'hôtel clignoter au loin et des bouffées de musique disco nous parvenaient. Après une vaine tentative menée par Taïeb pour redonner vie à une antique lampe à pétrole, une lune resplendissante s'est levée, apportant avec elle un froid nocturne impossible à combattre même en enfilant un pull et en se serrant dans une couverture. Mahmoud a préparé le dîner sur un camping-gaz installé dans une boîte à biscuits en fer-blanc. Ragoût de pommes de terre et de tomates, allongé à l'eau du Nil. J'ai dévoré mon assiettée, enchanté par ses talents de cuisinier – au point d'oublier les risques sanitaires que la consommation de l'eau du fleuve faisait courir.

Après avoir fait la vaisselle en se penchant par-dessus le bastingage, Taïeb a revêtu une épaisse *galabiya* noire et s'est ceint la tête d'une bande de laine de la même couleur. Gabar et Mahmoud avaient eux aussi adopté cette tenue nocturne qui leur donnait l'allure de croisés modernes. Quand j'ai sorti mon poste de radio, tout le monde s'est intéressé à moi. Gabar s'en est emparé d'autorité, parcourant les fréquences jusqu'à tomber sur une chanson de Warda, la diva d'origine algérienne installée au Caire à laquelle l'Égypte tout entière vouait un véritable culte. Alors que sa voix cristalline partait à l'assaut d'harmonies téméraires, je me suis pelotonné sur le pont sans arriver à trouver le sommeil, tourmenté par le froid perçant qui me faisait frissonner. Gabar, qui s'en est aperçu, a exhumé un vieux sac de couchage d'un coffre situé à la proue de l'embarcation. Je me suis glissé dedans tout habillé et je me suis endormi sur-le-champ. Ouvrant un œil un long moment plus tard, j'ai découvert que tous mes compagnons avaient basculé dans les bras de Morphée. Il était neuf heures à ma montre. Sous les rayons de la lune, le Nil était une plaque de verre mordoré qu'un poisson a momentanément troublé en jaillissant à la surface immobile, préférant retourner dans les profondeurs d'encre dès qu'il a aperçu les lueurs criardes de l'hôtel. C'était une preuve de bon sens, et j'ai résolu de l'imiter en me rendormant.

Le soleil levant m'a réveillé à six heures et demie. Gabar était déjà à la barre, criant des ordres à Mahmoud qui remontait l'ancre. Comme l'air était encore glacial, je suis resté dans mon sac de couchage. Taïeb m'a apporté un verre de thé et un bout de pain tartiné de marmelade de pommes. Même si la voile frémissait à peine, signe que notre périple allait sans doute se dérouler aussi lentement que la veille, je me sentais exceptionnellement reposé, apaisé. L'alchimie de ce lent voyage, du bercement des flots et de la paix qui régnait sur le vaste fleuve produisait son effet, une quiétude anesthésiante dans laquelle les urgences de la vie quotidienne, les ambitions, les projets, perdaient toute signification. Il n'y avait plus que le Nil, un monde en soi.

Ragaillardi par le thé brûlant, je me suis levé. J'ai replié les couvertures, roulé le matelas sous le banc, je me suis gargarisé d'une gorgée d'eau minérale mêlée à une noisette de dentifrice, et je suis revenu m'asseoir avec les autres sur la felouque presque immobile. Une barque de pêche à moteur nous a croisés, traînant derrière elle un grand filet tandis que les hommes à bord tapaient vigoureusement sur la surface du fleuve avec des bâtons, peut-être dans le but d'étourdir les poissons. Les salutations qu'ils nous ont lancées ont été aussitôt reprises par un groupe de fillettes qui pataugeaient sur la rive ; ayant aperçu en moi une source de revenus possible, elles se sont mises à brandir leurs poupées en chiffon. « Une livre, une livre ! » proposaient-elles en chœur, baissant bientôt le prix à cinquante piastres devant mon manque de réaction. Sur l'autre rive, les arêtes en béton des hôtels de luxe vibraient dans la brume de chaleur.

Brusquement, nous avons été poussés en avant par une légère brise qui nous a entraînés à tribord, au milieu d'une forêt de roseaux dont Mahmoud nous a sortis en se servant à nouveau de sa perche. À un moment, Gabar a viré pour toucher terre près d'un minuscule village et il a débarqué, m'adressant un rapide signe de la main avant de s'éloigner dans les champs fraîchement labourés. Taïeb m'a expliqué qu'il allait glaner quelques provisions et nous rejoindre le lendemain.

— Mais comment saura-t-il où nous serons ? me suis-je étonné.

— Avec le vent, a répondu Taïeb. Bon vent, on est à Isna demain ; pas bon vent, il nous trouve avant Isna.

C'était logique, après tout. Sur ma carte, j'ai vu que la ville d'Isna était à quelque quarante-cinq kilomètres en amont, une distance formidable dans les conditions atmosphériques actuelles. Le ciel d'un bleu immaculé ne laissait présager aucun coup de vent subit, et bientôt la voile a pendu sans vie au mât, obligeant l'équipage privé de son capitaine à prendre des mesures radicales : sautant sur la berge avec une corde, Taïeb a commencé à tirer la felouque en avant pendant que Mahmoud et moi l'aidions avec des perches. Un délicat zéphyr s'est bientôt levé comme pour récompenser ces efforts et nous avons tiré une première bordée à l'est. Profitant de ce moment de répit, les deux jeunes matelots se sont affalés sur le pont et ont allumé ma radio, s'absorbant aussitôt dans l'un des nombreux feuilletons dramatiques dont les stations de radio égyptiennes sont si friandes. Je ne comprenais rien, mais à entendre les exclamations et les cris, l'intrigue paraissait hautement mélodramatique. Le feuilleton a bientôt été interrompu par le bulletin d'informations. Comme il était d'abord question du président Moubarak, j'ai demandé à Taïeb ce qu'il pensait du dirigeant de son pays et là, pour la première fois depuis notre départ, Mahmoud a semblé se rappeler qu'il avait une langue, car il s'est lancé dans une longue diatribe que Taïeb a essayé de me traduire et dont il ressortait que ce navigateur discipliné ne portait pas le chef de l'État dans son cœur.

— Moubarak mauvais, Sadate bon, m'a résumé Taïeb en me montrant les préparatifs du déjeuner que Mahmoud avait alignés sur le pont. Tu vois ce pain ? Une piastre au temps de Sadate, trois avec Moubarak.

Boîte de sauce tomate, là ? Avant, dix piastres, maintenant vingt-cinq. Tout ça à cause de Moubarak, Moubarak pas bon.

Ce commentaire pragmatique venait rappeler que, pour l'homme de la rue, le régime égyptien ne se jugeait pas à ses prises de position internationales, et encore moins à la rhétorique employée par la presse officielle, mais à la cherté de la vie. D'où la réponse d'une franchise effrayante que Taïeb m'a donnée lorsque je lui ai demandé s'il soutiendrait les fondamentalistes musulmans au cas où ceux-ci s'empareraient du pouvoir en Égypte :

— Si le pain est moins cher avec eux, alors ils me plaisent !

Mahmoud était d'accord mais il était pour l'heure trop occupé à s'escrimer sur une boîte de conserve que l'unique couteau de cuisine dont il disposait n'arrivait pas à ouvrir. Quand je lui ai tendu mon couteau de l'armée suisse en lui montrant l'ouvre-boîte pliable, il a eu un rare sourire et m'a adressé un signe de remerciement avant de mettre la dernière main à son plat d'aubergines et de patates. La parenthèse politique étant terminée, la routine lénifiante d'une journée sur le fleuve reprenait ses droits.

Nous avons dérivé à travers un paysage accueillant de palmeraies, de champs de canne à sucre et de friches travaillées par des bœufs attelés. Cette ceinture de verdure s'étendait le long du fleuve, bornée par les dunes de sable et les rochers moroses, territoire gagné sur le désert par une intense activité humaine. Des paysans ensemençaient de nouveaux lopins, des femmes faisaient la lessive sur les berges du Nil. Un hôtel flottant, le *Sphinx II*, nous a doublés. Sur le pont-promenade envahi par les touristes, certains ont remarqué les villageoises entrées dans l'eau jusqu'aux cuisses pour laver leur linge et se sont précipités de ce côté du navire. De notre felouque beaucoup plus basse, la scène faisait penser à un peloton d'exécution braquant ses téléobjectifs sur ces lavandières innocentes qui, tête baissée sur leur labeur, n'avaient même pas conscience d'être prises en photo. L'agitation est vite retombée, les estivants retournant à leurs sièges autour de la piscine tandis que les femmes continuaient à frotter leurs vêtements.

Plus loin, le cours d'eau se séparait en deux bras. Alors que le *Sphinx II* s'engageait dans le plus important, nous avons pris l'autre, nous arrêtant bientôt sur la langue de terre qui divisait le fleuve en deux. Devant la canicule toujours plus torride, je me suis dévêtu, ne gardant que mon maillot de bain. Pendant que Mahmoud servait le déjeuner, Taïeb m'a communiqué le bulletin météo de la mi-journée :

— Pas de vent, pas bouger.

Une heure et demie plus tard, cependant, un léger souffle nous a permis de repartir. Alors que le bras secondaire se fondait dans le reste du fleuve, une péniche est arrivée à vive allure. Se levant d'un bond, Taïeb a crié quelques mots à l'équipage, espérant que celui-ci accepterait de nous prendre en remorque. Avec Mahmoud, je me suis joint à ses appels énergiques et à ses gesticulations, mais la péniche a continué sa course, ses remous nous repoussant sur le côté. Soudain, un choc brutal m'a fait perdre l'équilibre ; quand je me suis remis debout sur le pont, j'ai vu que notre proue avait heurté un petit débarcadère presque submergé. La collision ne nous avait coûté qu'un peu de peinture écaillée sur la coque et quelques secondes de frayeur, mais Mahmoud s'est fâché tout rouge, accusant Taïeb de barrer n'importe comment et de les ridiculiser devant un *khawaga*. Son collègue, qui allait par la suite me traduire leur échange, a répliqué que Mahmoud, qui se tenait alors à l'avant de la felouque, aurait dû lui signaler le danger imminent. Ne voulant pas jouer les arbitres, je me suis contenté de leur signaler qu'une petite brise s'était mise à souffler et qu'il fallait peut-être en profiter. Tout en maugréant, Mahmoud nous a éloignés du ponton avec la perche pendant que Taïeb, à la barre, adoptait ostensiblement la posture de capitaine.

En Égypte, le soleil commence à décliner à partir de trois heures de l'après-midi. Étendu sur mon matelas, j'ai posé mon journal et je me suis laissé emporter par une léthargie délicieuse, une sieste tardive mais prolongée. À mon réveil, nous étions amarrés à une berge boueuse, près de trois barges rouillées. Pardessus le talus, j'ai aperçu ce qui ressemblait à un village, que Taïeb m'a nommé : Armant. Notre arrivée avait attiré sur la rive une escouade d'écoliers qui, surexcités par ma présence, se sont époumonés en « Hello, hello ! » avant d'insister pour que je les photographie pendant qu'ils me feraient une démonstration de leurs talents de nageurs. Se dépouillant de leur uniforme d'école, ils ont tous sauté à l'eau ; cette représentation ne m'a pas vraiment emballé, car j'avais plutôt l'impression de me retrouver dans le rôle embarrassant de l'explorateur blanc qui, débarquant dans un coin perdu, conduit les « natifs » à se livrer à toutes sortes de pitreries pour son amusement. En réalité, j'aurais donné cher pour continuer notre périple sans tarder, sauf qu'à l'absence de vent – encore ! – s'ajoutait le fait que Taïeb avait de la famille à Armant et comptait leur rendre visite. Nous sommes donc restés assis sur le pont, essayant d'ignorer les piaillements de ces bambins qui me suppliaient de leur donner des stylo billes, des chocolats ou même quelque « bakchich ». Seule l'apparition d'un homme en *galabiya* immaculée qui tenait un long bâton de marche à la main a réussi à ramener le calme. Il lui a suffi de lever son gourdin pour que les enfants sortent du fleuve en courant, ramassent leurs affaires et se dispersent comme une volée de moineaux.

— Je suis la police d'Armant, a-t-il annoncé. Pardon.

— Ce n'est pas grave. Ce ne sont que des écoliers.

— Non, ce sont de petites crapules, a-t-il corrigé avec un sourire qui a révélé deux rangées de dents plaquées d'acier.

La nuit est venue, attirant dans le ciel une lune ronde et sur la berge quelques rats qui, malgré la distance, m'ont paru d'une taille inquiétante. Lorsqu'ils sont descendus encore plus près de l'eau, sans doute attirés par l'odeur de la marmite de *foul* que Mahmoud avait posée sur le réchaud, celui-ci s'est empressé de retirer la passerelle, une mesure de prudence justifiée car d'autres rongeurs aux proportions tout aussi formidables se sont joints à eux. Se penchant par-dessus le bastingage, Taïeb a ramassé un gros caillou et l'a jeté au milieu de l'attroupement de rats, ce qui les a momentanément fait battre en retraite. Ils se sont vite regroupés et, guettés par leurs yeux avides, nous nous sommes dépêchés d'expédier notre dîner de *foul* et de macaronis.

Alors que nous avions vidé nos derniers verres de thé, une fillette apparue sur la rive a hélé Taïeb.

— Elle est ma cousine, m'a-t-il expliqué. Elle dit ma femme, elle veut me voir.

— Tu es marié ?

— Ma femme, oui ! Elle habite Armant. Tu veux la connaître ?

Nous nous sommes engagés dans des ruelles désertes. Si la prospérité de cette petite agglomération provenait surtout de l'unique industrie locale, une raffinerie de sucre, l'oncle de Taïeb subsistait en tenant une petite boutique où il ne vendait que des cigarettes, des Cleopatra. Après les présentations, il a demandé à son neveu de me conduire à l'étage. Nous avons emprunté un couloir en terre battue où des lapins et des pigeons s'égaillaient librement, puis des escaliers dont certaines marches avaient été prises pour perchoirs par plusieurs poulets. La pièce dans laquelle nous sommes entrés comportait un grand lit double, un banc en bois et une table confectionnée avec des planches qui accueillait un poste de télévision. Deux garçons étaient endormis sur le sol en ciment. À leurs côtés, quatre filles en robes de chambre étaient occupées à remplir des cônes de papier journal avec des graines de tournesol. En nous voyant, elles se sont levées ; Taïeb m'a montré du doigt celle qui paraissait avoir plus ou moins son âge :

— C'est Safa. Ma femme.

— Vous êtes mariés ? À onze ans ?

— Non, non ! Elle devient ma femme dans dix années, peut-être. C'est… arrangé. – Il lui a adressé quelques mots en arabe et elle a quitté la pièce en baissant les yeux. – Je lui dis de faire du thé pour toi. – L'une des sœurs m'a fait signe de m'asseoir sur le banc avant de m'offrir un cornet de graines. – C'est Wafa, a précisé Taïeb. La femme de mon frère, Adel. Ils se marient dans cinq années, peut-être.

Les felouques étaient une affaire familiale, décidément. Tout ici obéissait à un programme préétabli : quand on était un garçon, on commençait très tôt à travailler sur les embarcations du clan, en apprenant le métier jusqu'à pouvoir devenir le patron de son propre bateau ; avant même d'atteindre la puberté, on avait une future épouse que son père avait choisie parmi sa famille élargie ; il n'était pas question d'aller vivre ailleurs, ni de se marier à une étrangère, ni d'embrasser une autre profession. L'existence était aussi prévisible et immuable que le Nil.

Et ces traditions étaient encore plus strictes pour les filles. Le contrat social en vigueur dans toute l'Égypte, à l'exception d'une petite minorité de femmes éduquées et urbanisées, voulait qu'elles se préparent à devenir épouses et mères, et c'était celui qu'on leur imposait dès la naissance, sans même qu'elles soient consultées par la suite. Safa épouserait Taïeb, Wafa Adel. Elles enfanteraient, et leurs filles connaîtraient un destin identique. Cette architecture familiale ne serait jamais modifiée.

Safa est revenue avec un plateau chargé de verres et de sucreries. « C'est une bonne femme, non ? » m'a demandé Taïeb. J'ai répondu par un sourire. Venue s'asseoir près de moi, Wafa m'a montré son cahier d'exercices d'anglais, dans lequel elle m'a demandé d'écrire mon nom. Quand j'ai voulu savoir où elle faisait ses devoirs à la maison, elle a eu un air surpris :

— Ici. Cette pièce. On fait tout ici, tous.

Six enfants et deux adultes dans une pièce… À cet instant, leur mère est entrée. Elle ne devait pas avoir plus de trente ans, mais elle en faisait dix de plus après toutes ses grossesses, et elle était à nouveau très visiblement enceinte. Aussitôt, elle s'est installée par terre et s'est mise à confectionner d'autres cornets, qu'elle vendait dans un petit kiosque qu'elle tenait dans une ruelle proche, ainsi que me l'a appris Taïeb.

Elle a ordonné à Safa d'allumer la télévision et bientôt toute la maisonnée a contemplé en silence le dernier épisode de *Falcon Crest*. Voitures de luxe, personnages au bronzage et aux dialogues artificiels : ces reflets du matérialisme occidental baignaient la chambre de leur lueur irréelle, synthétique. La mère et sa couvée étaient tellement fascinées par ce monde si loin du leur que personne n'a bronché quand je me suis glissé dehors, peu désireux d'assister à ce cruel paradoxe que constituait l'imagerie du Nouveau Monde dans un contexte marqué par un pareil dénuement. Il y avait là un choc culturel dont je pouvais me passer, et donc je suis retourné tout seul à la felouque. Mahmoud s'était endormi en laissant ma radio allumée, de sorte qu'Oum Kalsoum se lamentait dans la nuit silencieuse. Après m'être déshabillé et glissé à l'intérieur du sac de couchage, j'ai écouté l'Édith Piaf égyptienne chanter la perfidie de son amant tandis qu'une nouvelle troupe de rats faisait de l'exercice sur la berge. J'étais encore éveillé lorsque Taïeb est arrivé. Se penchant sur moi, il a chuchoté :

— Pourquoi tu aimes pas *Falcon Crest* ?

J'ai dormi comme une souche, en tout cas jusqu'à ce que les moustiques me tirent brusquement du sommeil en exécutant une sarabande infernale sur mon visage. Constatant que Mahmoud et Taïeb, plus avisés que moi, s'étaient couverts la figure de chiffons, j'ai sorti une serviette de mon sac et je me suis transformé en momie, ce qui n'a pas empêché les satanés insectes de se glisser sous cette protection étouffante. À cinq heures du matin, je me suis à nouveau redressé. J'ai fumé une cigarette en regardant la surface du Nil maintenant striée de vaguelettes que soulevait une brise fraîche, et les éclaboussures de lune sur cette toile mouvante. Le bercement de l'eau et ce spectacle hypnotique ont eu l'effet désiré : je me suis rendormi, moustiques ou pas.

À mon réveil trois heures plus tard, nous avions quitté Armant et nous nous traînions quelque part en amont. Me tendant un verre de thé, Taïeb a répété son bulletin météorologique de la veille : « Pas de vent. » Repensant à la brise nocturne, je me suis demandé si Allah n'absorbait pas de tranquillisants pendant toute la journée, dont les effets ne se dissipaient qu'une fois la nuit tombée.

— Pas de vent, pas Isna aujourd'hui, a continué Taïeb.

Après trois jours sur le fleuve, cette ville improbable était devenue une destination mythique, un Graal géographique que nous poursuivions en vain. Malgré cette aura surnaturelle, pourtant, Isna n'était d'après mon guide Baedeker qu'une agréable cité provinciale dotée d'un temple ptolémaïque où les fidèles adoraient jadis la « divinité à tête de bouc locale », et cependant elle avait acquis dans mon imagination la séduction d'une urbanité trépidante, le stimulant tant attendu après cette existence statique sur un fleuve privé de vent.

Mahmoud ne semblait pas aussi pressé que moi d'y arriver, toutefois. Ayant trouvé à la radio un programme dédié au chanteur de charme libanais Farid al-Atrache, dont le monde arabe ne cessait de pleurer la disparition, il fredonnait à l'unisson, oublieux de nos soucis. Si nous atteignions Isna le lendemain, tant mieux ; sinon, *maalesh* ! Tout en enviant son stoïcisme, j'ai dû convenir que je n'étais certainement pas fait pour vivre dans un univers où le temps avait si peu de signification. Nous autres Occidentaux, nous cherchons sans cesse à nous persuader que nous aimerions retrouver un rythme moins épuisant que le tourbillon de nos vies à crédit ; nous rêvons d'atolls perdus au milieu des océans, de retraites en forêt, de la fameuse « montagne magique » ; nous envions à un Mahmoud la « simplicité » de son existence, mais ce faisant nous idéalisons outrageusement l'état de « nature » dans lequel il vit, nous gommons tout ce que sa situation peut avoir de pénible, nous réinterprétons sa cahute en torchis pour la transformer en habitat à la fois confortable et « authentique », bref nous nous transformons en touristes qui ignorent les complications intrinsèques de son monde et veulent y transférer toutes les facilités matérielles que nous attendons d'un pays dit « développé ». En m'apprêtant à une nouvelle journée d'inaction sur le pont de la felouque *Al Aslam*, j'ai soudain eu très conscience d'être un intrus parmi les bateliers du Nil, quelqu'un qui pouvait feindre de se couler dans cette nonchalance pendant quelques jours mais qui serait bientôt rattrapé par son besoin de planifier, de prévoir, de suivre un horaire, de lutter avec le temps.

Profitant d'une risée inattendue, Taïeb a tiré une bordée jusqu'à la rive orientale, que nous avons touchée non loin d'un buffle enfoncé dans les eaux du Nil jusqu'aux naseaux. Suivant l'exemple du majestueux animal, notre barreur a plongé dans le courant après m'avoir conseillé d'en faire de même. C'était tentant, surtout alors que trois jours sans une seule douche m'avaient affligé d'une odeur corporelle certaine, mais j'avais lu quelques études concernant le degré de concentration microbienne du vénérable fleuve qui laissaient entendre qu'un délicat *khawaga* comme moi avait intérêt à éviter une baignade. Pour Taïeb, au contraire, le Nil avait été sa baignoire depuis qu'il avait vu le jour, et c'était là encore un rappel de mon statut d'outsider. Si j'avais été un « vrai gars du fleuve », j'aurais sauté à l'eau au lieu de rester sur le pont, timide, prudent à l'excès et radicalement étranger.

Remonté à bord, Taïeb a renfilé sa *galabiya* sans prendre le temps de se sécher avant de s'éloigner rapidement à travers les buissons du rivage. Dix minutes plus tard, il était de retour en compagnie de Gabar. Déposant un sac de vivres sur le pont, celui-ci m'a salué d'un bref signe de tête, puis il s'est assis au gouvernail et nous a ramenés dans le chenal central, profitant du sillage laissé par un autre paquebot fluvial chargé de touristes. Pendant que Mahmoud continuait à accompagner Farid al-Atrache, Taïeb m'a demandé quelques feuilles de papier et s'est mis à tracer des ébauches de la felouque. Gabar gardait les yeux fixés sur l'azur immaculé et moi, j'essayais de travailler sur mes notes de voyage. Chacun à sa manière, nous cherchions à tuer le temps mais, pour ma part, j'ai vite constaté que le soleil brûlant rendait tout effort intellectuel tellement épuisant que je me suis contenté de me laisser aller à une douce torpeur, dirigeant le peu d'attention dont j'étais encore capable sur le paysage qui défilait lentement autour de nous.

En apparence, le spectacle du Nil était un film qui repassait interminablement en boucle : les mêmes bouquets de palmiers succédaient aux mêmes étendues verdoyantes et aux mêmes incursions menées par le désert jusqu'aux abords du fleuve. Une observation plus attentive révélait cependant de subtiles variations. Un champ récemment labouré, dont la terre sombre promettait de belles récoltes, faisait face à un bosquet d'eucalyptus impénétrable. Ou bien, alors que la rive ouest offrait une vision de paradis agricole, son équivalent oriental présentait une jungle mystérieuse. Parfois, les deux bords s'élevaient et se rapprochaient l'un de l'autre, donnant l'impression au voyageur d'être entré dans un tunnel sans fin, mais dès que ce confinement claustrophobique paraissait s'installer l'horizon s'élargissait brusquement, c'était à nouveau les palmiers, les champs, les langues de sable, et l'on finissait par se faire bercer par ces images répétitives tout comme par le balancement de la coque sur les flots. Sous l'effet de cette novocaïne visuelle, le seul désir qui subsistait était de continuer à dériver toujours plus loin le long du fleuve éternel.

C'est ce que nous avons fait, même si notre progression se mesurait en mètres plutôt qu'en kilomètres. À un moment, nous avons longé la route principale entre Louxor et Assouan et, en voyant le flux automobile s'en aller rapidement vers le sud, j'ai été tenté d'abandonner l'équipée fluviale. Il m'aurait suffi de prier Gabar de me déposer sur la berge, de lui payer mon dû et de gagner Assouan en stop. Avant la nuit, j'aurais pris une douche, j'aurais bu une ou deux bières glacées, je me serais servi de véritables toilettes au lieu d'aller me dissimuler dans les fourrés, je me serais préparé à m'allonger dans un vrai lit aux draps propres et frais. Mais le fleuve qui s'éloignait à l'infini devant nous me disait que j'allais rester à bord, sans autre choix que de voir cette tranquille odyssée parvenir à sa conclusion logique.

Cherchant une autre station à la radio, Mahmoud est tombé sur Voice of America et Hank Williams, ce qui l'a amené à tenter de reprendre les couplets de « Your Cheatin' Heart » à l'unisson. Alors que nous nous retrouvions une nouvelle fois en panne, Taïeb est redevenu un instant l'enfant qu'il était et, se levant sans lâcher la barre, il a gonflé les joues en faisant semblant de souffler vers la voile. Gabar lui a fait renoncer à ces pitreries d'un seul regard courroucé. Immobilisés au bord d'une petite île sableuse, nous avons déjeuné en contemplant les rejets putrides qu'une usine rejetait dans le fleuve en face de nous. Ce rare exemple d'industrialisation sauvage dans cette partie du Nil m'a conforté dans ma résolution de m'abstenir des plaisirs de la baignade. Il a également conduit Gabar à ordonner que nous poursuivions notre route en utilisant le plan de secours déjà expérimenté auparavant, Taïeb nous halant avec une corde sur la terre ferme pendant que Mahmoud et moi complétions ses efforts au moyen de perches. C'était une tâche aussi épuisante qu'ingrate, qui nous a seulement permis d'échapper à cet exemple choquant de pollution avant d'aller échouer quelques centaines de mètres plus loin. Lorsque la voile s'est prise dans des branches basses qui ont failli la déchirer en dépit de la bataille acharnée que Mahmoud leur a livrée, Gabar a pris la décision de l'affaler, de jeter l'ancre et de renoncer à la navigation pour le reste de la journée. Bloqués sur le Nil, il ne nous restait plus qu'à attendre la nuit. J'ai retiré ma montre de mon poignet et je l'ai enfouie dans mon sac : dans cette situation, mesurer le temps ne reviendrait qu'à le suspendre encore plus.

Le soir tombé, Gabar a sorti la vieille lampe tempête pour y installer la mèche neuve qu'il avait trouvée au cours de ses emplettes à terre. À la lueur vacillante de sa flamme, j'ai entrepris de combler certains vides laissés dans mon journal de voyage. Après nous avoir servi ses sempiternelles aubergines frites en guise de dîner, Mahmoud s'est endormi dans un coin, m'abandonnant mon poste de radio. J'en ai profité pour capter les dernières nouvelles de la BBC : le gros titre de la journée concernait la Libye, qui accusait maintenant l'Égypte de prendre le détournement de son avion de ligne comme prétexte pour lui déclarer la guerre. Même si ce développement semblait très improbable, le présentateur a annoncé que l'armée égyptienne avait massé plus de cent mille hommes à la frontière avec la Libye, que tous les accès à Mersa Matrouh avaient été interdits aux civils et que la défense antiaérienne du Caire se trouvait en état d'alerte. Génial ! me suis-je dit : le dénouement de mon voyage allait consister à essayer de trouver un vol dans un aéroport menacé par les bombardements en piqué. Non que j'aie vraiment pris au sérieux ce qui m'a d'emblée paru être un bras de fer rhétorique qui s'arrêterait dès que le carnage de Malte se serait effacé de la mémoire collective des deux pays. Et puis ces bruits de bottes ne semblaient pas du tout crédibles à sept cents kilomètres de la capitale, au milieu de ces contrées où le temps n'existait plus. Le Nil était ainsi : un univers coupé du monde, et donc rassurant. Quand Taïeb lui a proposé de traduire les grandes lignes de ces informations, Gabar a haussé les épaules. « C'est une autre planète, ce ne sera jamais la nôtre, alors à quoi bon s'en soucier ? », avait-il l'air de dire ; « Laissez tomber ces bêtises et trouvez-moi Oum Kalsoum à la radio ! »

Admettant qu'il n'avait sans doute pas tort, je lui ai confié mon poste. Lorsqu'il a trouvé une station qui lui convenait, il est resté à écouter avec le sourire pensif de celui qui entend certaines des chansons qui ont bercé sa jeunesse. Soudain, mon oreille a capté le son produit par des rames fendant l'eau en rythme. Une barque s'est profilée à distance, très basse sur les flots, et bientôt deux pêcheurs en *galabiya* noire se sont hissés à notre bord. Après avoir murmuré quelques salutations, ils se sont assis en silence, se laissant captiver par la voix soyeuse du « Rossignol du Nil ». Une fois l'émission terminée, les deux visiteurs ont pris congé et sont repartis comme ils étaient venus. Après avoir baissé la flamme de la lampe et m'être blotti dans mon sac de couchage, j'ai jeté un coup d'œil à Gabar : il n'avait pas bougé de sa place à la barre, et il souriait toujours.

Enfin ! J'ai repris conscience dans un matin sombre, froid et... venteux. Notre voile attachée sur sa bôme claquait et une houle crêtée de blanc hachait la surface du fleuve. Sans attendre que le soleil soit assez haut pour nous éclairer la route derrière les nuages, Gabar s'est levé d'un bond et a distribué ses consignes à Mahmoud et Taïeb encore ensommeillés. Quelques minutes plus tard, nous filions, la felouque penchée à tribord. Le courant adverse n'était plus un obstacle. Fendant les flots, nous prenions notre revanche sur les journées d'immobilisme que nous venions de vivre. Gabar était entièrement concentré sur sa barre : c'était la première fois qu'il avait l'occasion de manifester ses talents de skipper et il était déterminé à tirer parti de ce brusque coup de colère du fleuve qui jusqu'alors s'était comporté comme un enfant trop docile. Taïeb m'a lancé un sourire :

— Bon vent, ça !

Le Nil était maintenant une autoroute sans limitation de vitesse, dont nous occupions la file centrale. Isna n'était qu'à douze kilomètres, hier une distance énorme, désormais un simple saut de puce si les rafales se maintenaient ainsi.

— Ce vent, c'est trois heures pour Isna, a continué Taïeb. Deux, trois jours pour Assouan, avec ce vent.

Aussi soudainement qu'elle s'était abattue, la tempête nous a laissés plusieurs kilomètres en amont. Sous un soleil dardant maintenant tous ses rayons, nous sommes entrés dans une poche de calme plat. Allah avait actionné le frein à main, l'élan s'était brisé. Et le charme romantique du fleuve a cessé de s'exercer sur moi.

Poussés par une brise réticente après vingt heures de sieste forcée, nous sommes parvenus à Isna le lendemain matin. On était samedi, le jour où j'avais prévu d'arriver à Assouan. Pendant que Gabar amenait la felouque le long d'une plage sablonneuse à l'entrée de la ville, je me suis livré à un calcul rapide : quatre jours et demi pour parcourir soixante kilomètres, alors qu'il en restait cent quarante ; avec beaucoup de chance, nous pouvions atteindre Assouan en trente-six heures, mais si Allah restait de cette humeur léthargique il faudrait compter une bonne semaine.

J'ai levé les yeux vers le ciel, une cuirasse bleue qu'aucun nuage ne cherchait à percer. J'ai observé la voile, avachie et apathique. J'ai sorti mon billet d'avion de mon sac pour vérifier une nouvelle fois la date de mon retour : huit jours m'en séparaient. Et puis mon regard est tombé sur le banc de sable qui ralentissait le Nil à la hauteur d'Isna, et c'est alors que la décision est venue, évidente : ici se trouvait la ligne d'arrivée de mon voyage fluvial.

Par l'intermédiaire de Taïeb, j'ai demandé à Gabar s'il voyait un inconvénient à ce que je débarque avant la destination convenue. Il a haussé les épaules. Quand j'ai voulu m'excuser de me séparer d'eux plus tôt que prévu, il m'a interrompu d'un seul mot plus éloquent que cent phrases : *maalesh*.

Des billets de banque ont changé de propriétaire, des poignées de main et des vœux de bonne santé ont été distribués, et soudain je me suis retrouvé à terre, seul. La séparation avait été nette et sans douleur. Après avoir marché un moment sur la berge, je me suis retourné pour adresser un dernier au revoir à l'équipage de l'*Al-Aslam*. La felouque était déjà hors de vue. Elle était en route vers le nord, la maison, l'univers du *maalesh*.

Alors que j'atteignais le centre d'Isna, un vent fort s'est levé. Il n'a pas cessé de souffler au cours des trois jours suivants.

7

Coups de soleil

Le Nubien portait un tee-shirt Rolling Stones et des lunettes d'aviateur qui dissimulaient ses yeux. C'était le premier miroir que j'avais devant moi depuis quatre jours, et ce que j'y ai vu était un *khawaga* hirsute qui avait urgemment besoin d'une douche et d'un rasoir. Je n'ai pas choisi le meilleur moment pour l'approcher : debout sur le quai de la gare d'Isna, il était occupé à attaquer avec un cure-dents l'une de ses molaires, cariée et en train de saigner. Quand je lui ai demandé à quelle heure partait le prochain train pour Assouan, il a expédié un gros glaviot écarlate à mes pieds avant de répondre :

— C'est que des troisième classe, le prochain. Un train de merde. Tu ferais mieux de prendre le bus.

— Et il met combien de temps pour arriver à Assouan, le bus ?

Un autre jet sanguinolent a frôlé mes chaussures.

— Ça dépend, a dit le Nubien. Les chauffeurs, il y en a des tellement dingues que tu peux le faire en deux ou trois heures. Tout dépend à quel point le putain de chauffeur est fêlé.

Laissant le Nubien à sa chirurgie dentaire, je me suis dirigé vers le petit groupe de cafés qui faisaient office de gare routière. Plusieurs femmes voilées s'étaient assises sur leurs énormes couffins en plein milieu de la chaussée, au grand dam d'un policier qui les apostrophait bruyamment sans effet. Soudain, un camion chargé de poulets vivants a fait son apparition au bout de la rue poussiéreuse. Son conducteur, qui faisait visiblement partie de l'élite des « fêlés » d'Isna, a foncé imperturbablement en direction des commères qui, constatant sa détermination à les écraser, ont fini par se disperser en hâte.

Dans le sillage du camion exterminateur, un autobus de luxe – air conditionné et vitres teintées – a glissé jusqu'aux cafés, devant lesquels il s'est arrêté. Je me suis approché du guide égyptien, un jeune type surmené qui avait l'air de ne pas avoir fermé l'œil depuis une bonne semaine. Allaient-ils à Assouan ? Oui, m'a-t-il confirmé sans pour autant m'inviter à monter :

— Ces touristes, ce sont des Suisses, m'a-t-il déclaré tout bas. Ils aimeraient peut-être pas qu'on prenne quelqu'un sans qu'il paie.

Afin de me rendre plus respectable aux passagers helvétiques, j'ai demandé au guide de les informer que j'étais un correspondant de presse internationale qui avait besoin de gagner Assouan au plus vite afin d'envoyer un article à ma rédaction. Après m'avoir adressé un sourire complice – « Tu penses que je vais gober cette histoire ? », semblait-il dire –, il a harangué le bus en un très bon français. C'était sans doute un avocat éloquent, car lorsque la troupe de Suisses itinérants a décidé de procéder à un vote pour me laisser monter, ma cause a triomphé à une large majorité.

Il y avait une condition, cependant : en tant que passager gratuit, m'a expliqué le guide d'une voix gênée, je devais pénétrer par la porte arrière et me faire tout petit sur la banquette du fond. C'était comme si ces braves Helvètes avaient grandi dans l'Alabama au cours des années 50, mais plutôt que de protester contre ces préjugés ségrégationnistes je me suis glissé sans un mot à la place qui m'avait été assignée, enveloppé aussitôt par l'air glacial de la climatisation.

Derrière la vitre teintée, mes dernières images d'Isna étaient comme des tirages photographiques surexposés, des négatifs qui appartenaient déjà aux souvenirs. Alors que cet avant-poste avait été pour moi une destination fantasmée pendant mon périple sur le Nil, il n'avait pas eu le charme romantique auquel je m'étais attendu. C'était sans doute qu'après des semaines d'errance en me laissant guider par le hasard, après avoir tenté de reconstituer le puzzle impossible qu'était l'Égypte, j'avais eu ma dose. Cette existence de nomade chargé de carnets de notes devait trouver sa conclusion ; j'étais à la recherche d'un terminus qui me forcerait à m'arrêter et à considérer la route que j'avais parcourue.

La compagnie des Suisses ne s'est pas révélée des plus stimulantes, non plus. Hommes et femmes, ils avaient la mine, la tenue et le comportement d'inspecteurs des finances en vadrouille, et mon apparence négligée constituait très clairement une insulte à leur obsession de l'hygiène et des déodorants. Quand j'ai tenté de demander à un touriste assis plusieurs rangées devant moi s'il savait où le bus s'arrêterait à Assouan, il m'a répondu par un « Non » dégoûté. Alors que j'étais allé poser la même question au guide, une matrone du premier rang, armée d'un gigantesque téléobjectif, a pointé sur moi un doigt menaçant :

— Vous me bloquez la vue ! a-t-elle glapi en français.

— Pardon ?

— C'est impossible de faire une photo quand vous êtes là, a-t-elle grondé.

À travers le pare-brise, j'ai regardé le paysage de désert sous-industrialisé qui s'étendait devant nous. Qu'y avait-il ici à photographier, à moins d'être l'envoyé spécial d'*Usine nouvelle* dans ce coin perdu d'Égypte ? Mais ce que son indignation impliquait était facilement compréhensible : elle avait payé pour ce circuit en autobus, elle, tandis que je n'étais à ses yeux qu'un routard fauché et sans scrupule.

— Dites-lui de s'asseoir ! a-t-elle aboyé à l'intention du guide.

Je n'ai pas eu besoin que l'on me traduise ses paroles : revenu à ma place de paria, j'ai fait vœu de silence jusqu'à notre destination finale. Et les trois heures suivantes m'ont donné un triste aperçu du tourisme de masse. Chaque fois que deux ou trois chameaux surgissaient sur le bord de la chaussée, les Helvètes en goguette criaient pour que le chauffeur fasse halte, déclenchant ensuite un mitraillage d'obturateurs photographiques. À une heure d'Assouan, l'arrêt obligatoire au temple d'Horus à Edfou s'est limité à une nouvelle rafale de photos, à une brève inspection des ruines ptolémaïques, et à un moment de shopping au bazar local pendant lequel un marchand a tenu à déguiser deux notables de Genève et Lausanne en

Arabes du désert, ce qui a déclenché l'hilarité et d'interminables séances de pose. Curieusement, le commerçant a lui-même troqué son « habit traditionnel » contre un jean et un sweat-shirt, en une sorte de jeu costumé qui révélait bien les contradictions entre Orient et Occident : si la *galabiya* revêtue par les deux touristes n'était qu'une mascarade momentanée, le jeune Égyptien prouvait qu'il se sentait aussi à l'aise dans ses atours américanisés que dans ses vêtements « typiques », et que son Levi's ne susciterait aucun commentaire particulier parmi ses semblables.

Sur les ordres du guide, nous sommes tous remontés dans le frigidaire roulant et j'ai eu un autre aperçu de la démocratie helvétique en action lorsque le groupe a encore procédé à un vote, cette fois pour décider si nous devions faire un détour par le temple de Kom-Ombo où, au temps des Ptolémées, les prêtres du dieu Horus se livraient à leur pratique lucrative de guérisons miraculeuses. Ils allaient pencher en faveur de cet ajout au programme lorsque leur berger égyptien a fait remarquer qu'ils avaient déjà pris du retard sur le programme et qu'il faudrait dans ce cas renoncer au déjeuner à Assouan. À cette nouvelle, un spectaculaire revirement d'opinion publique s'est produit, encouragé par un anti-Kom-Ombo particulièrement virulent qui a souligné d'un ton indigné que le repas à Assouan était compris dans le prix du circuit. La cause était entendue : le célèbre temple a perdu face à une assiette de poulet-frites.

Me servant de mon guide Baedeker 1929 en guise d'oreiller, j'ai résolu de faire la sieste. Hélas, l'une des touristes a jugé qu'il était temps de transformer l'équipée en une chorale helvétique et la succession de chansons folkloriques francophones qui en a résulté interdisait tout sommeil. C'est donc avec une immense satisfaction que j'ai aperçu les premières constructions en parpaings qui annonçaient l'approche d'une agglomération importante.

Si je m'étais attendu à ce que mon retour à la vie urbaine égyptienne soit salué par l'habituel concert de klaxons, Assouan s'est montrée remarquablement calme en ce samedi après-midi. Pas de bouchons exaspérés, ni de marée humaine débordant des trottoirs, et quand l'autobus s'est engagé sur la corniche dominant le fleuve, j'ai eu un instant l'impression de m'être retrouvé par erreur dans quelque station balnéaire de la Côte d'Azur. Avec son yacht-club entouré d'hôtels, sa promenade ombragée le long des eaux scintillantes du Nil, ses restaurants pour touristes géométriquement alignés, la ville exsudait une prospérité de fraîche date. Nous étions ici au pays de la chemise Lacoste, dans une sorte de Cannes dépourvue de son snobisme séculaire. La même sensation de désorientation géographique qui m'avait assailli à Alexandrie, au début de mon périple, se reproduisait à mon ultime étape devant ce désolant bout d'Europe exilé dans les sables de la Haute-Égypte. C'était comme si, après avoir cherché un État arabe moderne sur des milliers de kilomètres, j'étais ramené au mirage initial. Alors qu'Alexandrie avait été le fantôme du passé cosmopolite de l'Égypte, se pouvait-il qu'Assouan soit un aperçu de son avenir multiculturel ?

Le fameux Cataract Hotel apparaissait certainement comme un résumé de ces deux propositions. Aristocratiquement séparé de la ville par une longue et discrète avenue, c'était une énorme bâtisse victorienne aux façades brun-rouge avec quelques touches Art déco.

Mais derrière ce vénérable établissement pointait une tour qui faisait penser aux stations touristiques roumaines sur la mer Noire : le New Cataract, dans lequel mes compagnons de route suisses avaient leurs chambres réservées. Je les ai observés tandis qu'ils quittaient le bus, s'alignaient devant le monolithe futuriste et jetaient des regards d'envie au noble et vieil hôtel tout proche. Leur déception était palpable : au lieu de cette vision mythique de l'Égypte coloniale, ils étaient condamnés à la réalité fonctionnelle du tourisme organisé.

À la réception de l'Old Cataract, le préposé m'a jaugé soigneusement, sans dissimuler sa désapprobation, avant d'annoncer le prix d'une chambre simple d'un ton qui laissait entendre que le beatnik que je semblais être n'aurait jamais les moyens de séjourner ici, même en raclant toutes ses poches. La vue de ma carte Visa a cependant opéré un effet magique, et devant ses soudaines manifestations de prévenance obséquieuse je me suis dit que l'argent virtuel achetait décidément les formes de respect les plus dégradantes.

Au-delà des illusions de grandeur édouardienne savamment entretenues par ses sols en marbre, ses panneaux de bois ciselés et ses serveurs en uniforme blanc qui s'affairaient sur l'immense terrasse, l'Old Cataract était unique surtout en raison de son emplacement spectaculaire et de la vue grandiose qu'il offrait sur une vaste étendue du fleuve. Du petit balcon de ma chambre, j'ai contemplé la boucle majestueuse du Nil sur laquelle les voiles latines des felouques dérivaient paresseusement. Où mieux qu'ici aurait-on eu l'image de cette « Égypte éternelle » tant fantasmée ? Devant cette carte postale animée, j'ai oublié un instant qu'un autre pays, réel celui-ci, existait autour de moi. Et puis un touriste installé au bord de la piscine a allumé sa radiocassette et « Money, Money, Money » du groupe Abba a retenti, hymne agressif du XXe siècle se réverbérant sur les eaux placides du Nil.

Après une heure passée sous la douche et une longue bataille avec la barbe qui avait envahi mon visage au cours de mes journées d'errance, je suis sorti me livrer à une petite exploration de la ville. En longeant la corniche, je me suis rappelé qu'un ami égyptien m'avait dit que ce qu'il appréciait par-dessus tout, à Assouan, c'était la propreté et l'ordre qui y régnaient. Dans un pays où la négligence et l'improvisation régnaient en maîtres, la cité de la Haute-Égypte était certes immaculée et l'on comprenait vite pourquoi : contrairement à Louxor, abondamment pourvue en splendeurs pharaoniques, Assouan avait dû essentiellement compter sur sa situation au bord du fleuve pour se construire une réputation de destination touristique. Karl Baedeker notait ainsi que la ville était « une station thermale recherchée en raison de son climat sec et clément, de son emplacement plaisant ». Ce qui était vrai dans les années 20, lorsque l'Old Cataract était le point de rendez-vous des vacanciers fortunés, mais si vous étiez venus à Assouan disons entre les années 1567 et 1320 av. J.-C., vous seriez tombés sur une ville marchande en pleine expansion : c'était par là que toutes les richesses – métaux précieux, bois, encens – de la Nubie (un mot qui signifie « or » en ancien égyptien) transitaient vers l'Égypte. En ce temps, Assouan avait été l'une des principales cités de l'Empire égyptien, avant que celui-ci ne s'effondre autour de 1100 av. J.-C. et que la Nubie ne retrouve son indépendance. La plaque tournante économique du Sud égyptien – une manière de Hong Kong pharaonique, si l'on veut – avait connu à nouveau un moment de gloire au Moyen Âge, quand les troupes du calife Omar avaient pris le contrôle du pays, mais c'était le rêve moderne d'assujettir la puissance des flots du Nil qui allait donner une deuxième chance à Assouan.

De tout temps, le Nil a été un cours d'eau imprévisible dont dépendait la survie d'une nation tout entière. Dans l'ancien calendrier égyptien, l'automne était appelé « inondation », car c'était la saison de crues annuelles souvent dévastatrices. Parmi les divinités les plus sacrées de la vieille Égypte figurait Hâpi, qui régentait le niveau du fleuve : si les eaux étaient pleines, une époque de prospérité était assurée, car elles permettaient l'irrigation des champs tout au long de leur majestueux parcours ; si elles étaient basses, il fallait se serrer la ceinture et s'attendre à de nouvelles famines. Bien sûr, les ingénieurs de l'époque ne se contentaient pas d'offrir des sacrifices sanglants au capricieux Hâpi. Très tôt, un système de toises appelées « nilomètres » avait été installé en Haute-Égypte, qui permettait de prévoir le comportement du fleuve et d'informer les agriculteurs de ce qui les attendait au cours des prochains mois. Malgré l'apparition des premiers canaux d'irrigation vers l'an 600 d'avant notre ère, cependant, l'alimentation des Égyptiens est restée longtemps tributaire des fluctuations du niveau du Nil.

Un barrage en amont du cours d'eau étant la seule garantie rationnelle que le volume des eaux reste à peu près constant, et que des réserves soient assurées en cas de décrue, les Anglais allaient bâtir le premier barrage d'Assouan en 1902, un peu en aval de l'ancienne île de Philaé. Devenu une attraction touristique puisqu'il s'agissait de l'un des plus grands projets architecturaux au monde, l'ouvrage a permis une nette extension des terres arables à travers l'Égypte mais il a dû être modifié fréquemment, et surélevé à deux reprises au cours de ses trente premières années d'existence. Surtout, il ne parvenait pas à contrôler entièrement le tempérament schizophrénique du Nil, de sorte que les habitants continuaient à attendre la saison des crues avec l'angoisse d'un joueur de poker guettant une main gagnante.

C'est à Nasser que revint la décision de mettre un terme à ce suspense annuel. Peu après son arrivée au pouvoir, le colonel avait chargé une équipe d'ingénieurs allemands de dessiner les plans d'un barrage à sept kilomètres en amont de celui construit par les Britanniques. D'emblée, l'ouvrage avait été conçu comme une entreprise herculéenne : un monument gigantesque qui non seulement protégerait le pays des inondations, mais lui fournirait aussi des quantités inépuisables d'énergie électrique et lui garantirait une prospérité sans précédent. Le désert allait verdir, l'Égypte entrer enfin dans la modernité : plus encore qu'une prouesse technologique, le barrage d'Assouan était une métaphore.

Comme ses prédécesseurs pharaoniques, Nasser voyait les choses en grand ; contrairement à eux, néanmoins, il n'avait pas les liquidités nécessaires pour mener à bien un chantier aussi gigantesque. La recherche de financements étrangers pour le Grand Barrage allait précipiter une crise internationale. En décembre 1955, les Américains avaient consenti un prêt de cinquante-six millions de dollars, complété peu après par quatorze millions en provenance des autorités britanniques puis, en janvier 1956, la Banque mondiale avait signé un accord avec Le Caire en vue d'une aide de deux cents millions de dollars. Et là, les escarmouches diplomatiques avaient commencé. Nasser avait reproché à l'organisation financière internationale d'exiger un contrôle sur les livres de comptes égyptiens avant de débloquer cette somme, la Banque mondiale avait maintenu ses exigences de transparence comptable tandis que Washington et Londres exprimaient des réserves grandissantes vis-à-vis du colonel égyptien : les Anglais soupçonnaient une intervention du Caire dans le limogeage du général Glubb, le commandant en chef de la Légion arabe en Jordanie, les Américains s'indignaient du flirt de Nasser avec le pouvoir soviétique et de sa décision d'établir des relations diplomatiques avec la République populaire de Chine. En juillet 1956, les États-Unis retiraient abruptement leur offre de prêt, suivis vingt-quatre heures plus tard par la Grande-Bretagne et, quelques jours après, par la Banque mondiale. Nasser riposta sous la forme d'un coup de théâtre international : le 26 juillet, le président égyptien annonçait la nationalisation unilatérale du canal de Suez. On connaît la suite : en octobre, l'Égypte se retrouvait en guerre face aux forces combinées de l'Angleterre, de la France et d'Israël.

La guerre de Suez est l'un de ces conflits paradoxaux où l'une des parties se proclame victorieuse sans l'avoir emporté sur le terrain. Militairement parlant, Nasser n'avait pas une chance face à d'aussi puissants adversaires. Sans l'intervention des superpuissances et des Nations unies, il était sans nul doute condamné à la défaite, et pourtant il allait ressortir de la crise avec la stature de dirigeant incontesté du monde arabe, et se tourner aussitôt vers l'URSS dans sa recherche de soutiens économiques. Même si les relations entre Le Caire et Moscou ne devaient pas être toujours faciles – Nasser, le chef d'un État musulman, rejetait notamment l'athéisme militant du pouvoir soviétique –, il est donc revenu à l'URSS de financer le rêve grandiose du raïs. Ironie suprême de l'histoire contemporaine de l'Égypte, peut-être, Nasser n'a pas eu la chance d'assister à l'inauguration du monumental barrage, emporté par une crise cardiaque trois mois seulement avant que l'ouvrage soit inauguré en janvier 1971.

Alors que je continuais à arpenter la corniche surplombant le fleuve, l'idée m'est venue qu'il y avait plus d'un paradoxe entourant le barrage d'Assouan. Notamment, celui-ci : le chantier, qui avait été à son époque un symbole du rejet de Nasser par l'Occident, avait donné une seconde vie à une ville qui, douze kilomètres en aval du barrage, symbolisait précisément les efforts d'ouverture vers l'Europe, l'Amérique et l'économie de marché déployés par le président Sadate. Comme à Louxor, les bords du Nil accueillaient une kyrielle d'hôtels cinq étoiles, mais Assouan était allée plus loin dans la détermination à effacer toute trace du passé, à la notable exception de l'Old Cataract. Après avoir traversé et suivi une rue endormie, je me suis retrouvé au milieu du souk local, qui n'était autre qu'un centre commercial en béton abritant les échoppes habituelles. Ici, le désordre coloré et odorant du marché égyptien traditionnel avait été aseptisé, limité à de strictes transactions commerciales. Tandis que les marchands de Louxor fondaient avec exubérance sur le naïf *khawaga* qui s'était aventuré dans leur souk, ceux d'Assouan manifestaient une déférence et une réserve exagérées. « S'il vous plaît, venez visiter ma boutique », m'a ainsi murmuré un jeune garçon avant de réagir à mon geste de dénégation par un sourire poli. Si Louxor faisait penser à un businessman américain toujours en quête d'une opération aussi rapide que juteuse, Assouan manifestait la discrétion circonspecte d'un banquier suisse.

En dépit de son urbanité provinciale, cette ville tout en angles droits laissait le visiteur assez indifférent, voire un peu las devant la répétition de ses façades couleur chamois. Mais c'était justement son austérité qui séduisait tant d'Égyptiens, pour lesquels Assouan était avant tout une vitrine, la preuve que leur pays était lui aussi en mesure de créer du cosmopolitisme propre sur les rives du Nil. Et dès que l'on risquait un œil dans les fentes de ce décor en béton, on retrouvait les traits les plus notables de l'Égypte contemporaine. À la gare, par exemple, où je m'étais arrêté afin de réserver une couchette dans le train de nuit pour Le Caire du surlendemain, l'une des cours avait été transformée en dortoir à ciel ouvert où s'entassaient les mendiants de la zone. Et sur la corniche, juste en face des hôtels modernes, les hommes continuaient à passer des heures au café, absorbés dans d'interminables parties de *tauwla* (le jacquet). Entré dans l'un de ces établissements, le Continental, je me suis bientôt retrouvé disputant un tournoi acharné de backgammon avec un sexagénaire nubien. Habitué des lieux, il guettait les joueurs amateurs comme moi et leur offrait de s'affronter à lui, non tant pour l'argent que pour le plaisir de jouer et de vider les innombrables verres de thé qui lui étaient payés par ses adversaires. Peu à peu, j'ai entrevu la psychologie particulière de ce jeu qui, selon les pays orientaux où il se pratique, est nommé trictrac, jacquet, *shesh-besh*, *nardi*, *tauwla*… L'agressivité ne vous apporte rien, ici, et alors que vous désespériez de vous dégager du piège tendu par votre adversaire les dés vous offrent soudain une esquive inattendue. C'est le triomphe de la tactique mais aussi du flegme et de la patience, l'esprit du *maalesh* appliqué au mouvement des pions, et c'est pourquoi le *tauwla* est le jeu égyptien par excellence. *Maalesh*, tout s'arrangera, même les situations les plus pénibles ; et sinon, il suffit de jeter les dés encore une fois en espérant que la chance tournera…

Après dix défaites consécutives, j'ai continué à flâner sur la corniche, admirant les couleurs changeantes de la ville au crépuscule. La lumière déclinante adoucissait ses angles, lui donnait soudain une aura de cité nubienne dans une brochure touristique en quadrichromie. Rentré à l'Old Cataract, je me suis enivré du spectacle du fleuve envahi par l'obscurité dans une symphonie de nuances et d'intensités lumineuses. Ensuite, j'ai titubé jusqu'à la boîte de nuit de l'hôtel, où un spectacle « couleur locale » était en cours : un numéro de tambours, un autre de danses de guerre nubiennes, un troisième où un crooner moustachu en costume croisé sanglotait des chansons d'amour égyptiennes… L'assistance était composée d'un large groupe de touristes suédois et d'une tablée d'hommes d'affaires japonais aux yeux vitreux. J'ai regardé les danseurs nubiens brandir leurs lances et leurs boucliers puis entraîner une chaîne nippo-suédoise sur la piste de danse en une sorte de conga orientalisante, le chanteur revenir pour une nouvelle série de complaintes déchirantes, l'un des Japonais s'écrouler brusquement sur la table, la tête dans une assiette de frites... Dormir, c'était en effet une bonne idée. Monté rapidement à ma chambre, je me suis jeté sur mon premier lit digne de ce nom depuis des jours.

C'est Mark qui m'a narré l'histoire de Kamel et de la Française. Encore une rencontre faite au café Continental à la faveur d'une partie de *tauwla*. Mark était un guide américain basé à Louxor, un ancien bûcheron du Maine qui, à trente ans et quelques, avait décidé d'abandonner son travail dans une fabrique de papier pour remplir son passeport d'une multitude de visas étrangers. Un « itinérant », ainsi qu'il se définissait lui-même, dont l'existence consistait à déplier son sac de couchage dans un nouveau pays, à trouver de quoi gagner sa vie et à économiser suffisamment pour continuer le voyage. Il avait été barman dans un hôtel de plage au Costa Rica, pêcheur à mi-temps à Belize, professeur d'anglais à Tanger et Málaga, veilleur de nuit à Londres... Alors qu'il travaillait illégalement dans la capitale britannique – « Je n'avais qu'un visa touristique de six mois, je m'attendais à me faire pincer par les services de l'immigration à n'importe quel moment » –, il avait fait la connaissance d'un compatriote qui dirigeait une agence spécialisée dans les « voyages d'aventure » et cherchait un homme de confiance afin d'organiser des séjours « hors des sentiers battus » en Haute-Égypte.

— Je l'ai convaincu que j'étais le bon numéro. C'était il y a un an. Il m'a payé le trajet jusqu'à Louxor, où je devais trouver un propriétaire de felouque qui bosserait exclusivement pour nous. C'est comme ça que j'ai rencontré Kamel.

La trentaine également, Kamel venait de reprendre à son compte l'embarcation familiale sur la rive occidentale de Thèbes. Selon Mark, il avait bondi de joie en apprenant que l'agence de voyages lui assurerait un salaire même pendant la morte-saison. Et cet arrangement signifiait aussi que Kamel serait sans cesse en déplacement, loin de chez lui, ce qui lui convenait à ravir. En effet, avait-il confié à Mark, sa vie domestique était un enfer.

D'après ce que j'ai compris, Kamel avait dû contracter un mariage arrangé avec une lointaine cousine de dix ans sa cadette, qui en avait alors à peine seize. Une année plus tard, le médecin local avait diagnostiqué qu'elle était stérile, une nouvelle qui l'avait profondément déprimée car, selon les principes de la mafia des bateliers de Louxor, apparemment, le rôle essentiel d'une femme mariée était de produire des enfants. Incapable de surmonter son chagrin – et ce qui était à ses yeux la fin de son rôle sur terre –, l'épouse de Kamel s'était rapidement repliée sur elle-même, finissant par refuser catégoriquement de coucher avec lui. Il avait d'abord cru à une crise passagère, mais cela faisait maintenant trois ans qu'elle lui imposait ce célibat nuptial, et donc Kamel passait de plus en plus de temps à naviguer, trop content de fuir ce qui ressemblait à une pièce de Strindberg transposée dans la vallée du Nil.

En prenant à son bord les clients occidentaux de l'agence pour la traversée entre Louxor et Assouan, Kamel s'était rendu compte qu'il aimait beaucoup, beaucoup, la compagnie des *khawaguin*. Ces êtres exotiques qui venaient de Grande-Bretagne, de France, d'Amérique lui faisaient découvrir un univers où l'on se mariait selon son bon vouloir et non pour complaire à sa famille. Ils parlaient des voyages innombrables qu'ils avaient accomplis, des appartements ou des maisons qu'ils habitaient et qu'ils voulaient échanger pour des appartements ou des maisons plus vastes, ils étaient bardés d'un équipement impressionnant, appareils photo japonais, montres suisses, « baladeurs »... Et surtout, surtout, ils ne reproduisaient pas les conventions sexuelles que Kamel avait toujours connues. Il y avait de nombreuses jeunes femmes qui voyageaient seules, sans protecteur ni chaperon, et qui d'après ce qu'elles racontaient à leur attentif skipper se souciaient plus de leur carrière que d'avoir des enfants. Et même quand elles se mariaient, elles ne semblaient pas prêtes à devenir des épouses effacées et soumises.

Ayant grandi à Louxor, Kamel avait bien entendu été depuis longtemps en contact avec des touristes étrangers. Mais peut-être sa difficile expérience conjugale l'avait-elle amené à considérer les *khawaguin*, et son propre sort, sous un jour différent. Il avait confié à Mark qu'il ne se voyait plus finir ses jours sur la rive ouest du Nil, que la cahute de deux pièces qu'il partageait avec sa morose épouse lui faisait maintenant l'effet d'une prison étouffante, qu'il ne pourrait jamais atteindre l'assurance et la prospérité de tous ces Occidentaux à moins de quitter Louxor. Mais comment pouvait-il trouver une issue, lui, un obscur pilote de felouque en Haute-Égypte ?

Dominique avait été son grand espoir. Professeur de dessin dans un lycée parisien, encore jeune, elle était venue chercher l'aventure sur le Nil en septembre.

— La vraie « artisse » qui se la joue, m'a résumé Mark. Un peu fofolle, et pas vraiment franche du collier. Elle voulait « expérimenter », « avoir le choc de l'Orient », ce genre de foutaises. Je crois que c'est pour ça qu'elle a voulu s'amuser un peu avec Kamel : le frisson local pendant une semaine, tu vois ?

Au bout d'une seule journée sur la felouque, Mark et les cinq autres « aventuriers » avaient compris que Dominique avait des vues sur leur capitaine. Accaparant la place près du gouvernail, elle lui avait fait la conversation sans relâche, une tâche qui n'avait rien de simple car l'anglais était leur seule langue commune et ils la maîtrisaient aussi mal l'un que l'autre. Mais les mots n'ont guère d'importance, dans les affaires de cœur : la nuit venue, alors que les autres passagers s'installaient sur le pont avec leur sac de couchage, elle avait entraîné Kamel sur la rive, un matelas en mousse et une couverture sous le bras. Ils n'étaient revenus qu'à l'aube, Dominique adressant des regards triomphants à ses compagnons de voyage – « Dans le style : “Je me fiche de ce que vous pensez, mêlez-vous de vos oignons” ! » a résumé Mark –, tandis qu'un Kamel taciturne hissait la voile en silence.

Au cours des quatre journées suivantes, l'embarcation avait été séparée en deux camps : Mark et le reste du groupe d'un côté, Dominique et son élu dans leur « nid d'amour » en poupe. Sauf au moment des repas, que Kamel avait la charge de préparer, ils s'évitaient les uns les autres, d'autant que Dominique et Kamel n'hésitaient pas à afficher leur affection mutuelle.

— Je n'en croyais pas mes yeux, a continué Mark : un type que j'avais cru timide et discret qui se comportait comme un collégien avec sa première conquête ! Ils n'arrêtaient pas de se bécoter et de se tripoter, à un point tellement gênant pour nous qu'on était soulagés de les voir s'en aller sur la rive, le soir… Je veux dire, j'étais content qu'il prenne du bon temps, c'est sûr, mais je voyais bien que pour elle c'était une distraction de vacances, alors que pour lui… Eh, elle se tapait un pêcheur illettré – un gars qui avait cinq dents en acier, bon Dieu ! – et elle devait se dire que ce serait son meilleur souvenir d'Égypte, une histoire à raconter à ses copines de la rive gauche. Pour lui, c'était sérieux. Ce n'est pas tous les jours qu'une nana se jette au cou d'un pilote de felouque, hein ? Alors il croyait que c'était arrivé, que c'était le grand truc, et Dominique était tellement partie dans son trip « liaison torride sur le Nil » qu'elle ne se rendait pas compte des dégâts possibles, je crois. Quand on est arrivés à Assouan, elle aurait pu lui dire : « Bon, c'était sympa, ciao », mais non, il y a eu une grande scène sur le quai de la gare, avec larmes et tout ! Avant de monter dans le train du Caire, le baratin qu'elle lui a fait ! « Je ne peux pas te quitter », « il faut que nous soyons ensemble », « je t'aime »… Et l'autre qui gobait tout !

Non seulement Kamel avait cru à la sincérité de ses déclarations d'amour mais il s'était déjà vu filant le parfait amour avec Dominique à Paris. C'était cet espoir qui avait nourri son optimisme durant les trois semaines pendant lesquelles il avait attendu des nouvelles de sa bien-aimée. Enfin, après avoir guetté le postier chaque matin, il avait reçu la précieuse lettre mais, hélas, Mark était alors en déplacement au Caire et ne pouvait donc lui lire le billet doux. Soixante-douze heures de torture avaient suivi, Kamel fixant de tous ses yeux ces mots qu'il ne pouvait déchiffrer et qui contenaient un secret qu'il n'aurait jamais confié à quiconque sinon à Mark. À la descente du train de ce dernier, l'amoureux l'attendait. Il l'avait entraîné dans un café.

— Tu aurais dû voir l'état de cette feuille ! m'a dit Mark. On aurait cru qu'il avait dormi avec pendant des nuits et des nuits. Et dès que je l'ai lue, ma première envie a été de repartir au Caire « fissa », à cause de ce que j'allais devoir lui apprendre…

Écrite dans un anglais scolaire, la lettre de Dominique appelait Kamel « mon chéri », « mon homme du Nil », « mon amant égyptien », mais arrivait vite à la conclusion que les deux tourtereaux vivaient « dans deux mondes séparés », qu'ils ne pourraient jamais « construire une vie commune » et qu'elle préférait l'imaginer « à jamais sur ce fleuve merveilleux », parce qu'elle n'avait « pas le droit » de l'éloigner d'une « telle beauté ». « Il faut que je sois courageuse et que j'aie la force de te dire adieu », poursuivait-elle en accumulant les notations lacrymogènes. Que faire de cette fin de non-recevoir imbibée d'une mièvrerie insoutenable ? Quand Mark avait tenté d'expliquer gentiment au batelier que Dominique l'envoyait balader, celui-ci avait refusé et, tel un avocat chevronné s'accrochant à des détails dans une affaire déjà perdue, s'était cramponné à des lambeaux de phrase – « Tu auras toujours une place à part dans mon cœur », « … Et même si je pleure en t'écrivant ces mots » – afin de prouver que sa cause n'était pas perdue. C'était le genre de jeux auxquels les amants éconduits ont tendance à se livrer, plutôt que de regarder la réalité en face. Kamel avait une telle capacité d'autosuggestion qu'il avait fini par résumer le message de cette manière : Dominique mourait d'envie qu'il la rejoigne à Paris mais elle craignait simplement qu'il ne soit pas capable de vivre loin de son « fleuve merveilleux ».

— Il n'écoutait pas, c'est tout, a poursuivi Mark. Il ne voulait pas écouter, il ne pouvait pas écouter ! Je me suis rendu compte qu'argumenter avec lui ne servirait à rien. Il était complètement pris dans ses chimères. Alors, quand il m'a supplié d'écrire une réponse pour lui, je n'ai pas eu le cœur de refuser. Même si je savais que ça n'allait que compliquer les choses.

La missive dictée à Mark était une proposition de mariage et un appel passionné :

— Il m'a dicté qu'il était prêt à laisser sa « famille », son pays, qu'il apprendrait le français, qu'il trouverait un travail à Paris… « Je ferai tout ce que tu demandes, mais s'il te plaît, s'il te plaît, dis que tu veux que je vienne. » Et ainsi de suite.

Dominique n'avait répondu ni à cette supplication ni à celle qui avait suivi et que Mark, encore une fois, s'était vu obligé de rédiger. Des mois avaient passé et Kamel avait continué à attendre. Mark avait remarqué les cernes qui grandissaient sous les yeux de l'amoureux éperdu, les heures qu'il passait sans desserrer les dents, ses manières toujours plus brusques avec les passagers, au point que certains d'entre eux s'étaient plaints. Mark lui avait fait comprendre que ce n'était pas bon pour les affaires et qu'il ferait mieux d'oublier Dominique qui n'avait aucune intention de reprendre contact.

— Alors, il m'a annoncé qu'il démissionnait. Il ne voulait plus travailler avec nous. Je ne l'ai pas revu une seule fois, depuis, mais un autre patron de felouque m'a dit qu'il faisait des petits boulots ici et là, à condition que ce ne soit pas avec les touristes. Il paraît qu'il a proclamé qu'il ne laisserait plus jamais un seul *khawaga* monter à son bord…

« Comment qu'on va les garder à bosser à la ferme, maintenant qu'ils ont vu Paris ? », interroge une très populaire chanson américaine datant des lendemains de la Seconde Guerre mondiale. Était-ce la morale de cette triste histoire ? Mais Kamel n'avait jamais « vu Paris », il n'en avait eu qu'une vague intuition à travers Dominique, de même qu'elle n'avait eu qu'une illusion de l'Égypte grâce à lui. Tous deux avaient succombé à la séduction des apparences, à l'attraction sans lendemain de l'étrangeté, mais alors qu'elle s'en était sortie indemne l'expérience avait cassé cet homme qui doutait déjà de lui. Dominique s'était-elle conduite en colonialiste, imposant sa présence sur un terrain culturel différent, extorquant tout ce qu'elle pouvait et tirant un trait sur ce moment après avoir pillé la place ? Et Kamel, avait-il été poussé à occuper le rôle du « paysan exploité », du *fellah* soudain égaré par le parfum trop riche d'une eau de toilette occidentale, et brutalement remis à sa place lorsqu'il avait prétendu s'en servir, lui aussi ? Ou bien avait-il simplement succombé à cette affection si commune dans les pays chauds, à un bête… coup de soleil ?

Un coup de soleil vous brouille les idées, vous trouble la vue, vous fait claquer des dents. Ensuite, dans les cas extrêmes, il vous plonge dans le délire avant de vous clouer au lit, presque comateux. Vous vous êtes exposé à un climat qui n'était pas le vôtre, vous en payez le prix et, une fois rétabli, vous vous jurez de ne plus jamais risquer ce coup de bambou sur la tête. C'était la résolution que Kamel avait prise en coupant les ponts, et à en juger par son silence c'était aussi celle à laquelle Dominique était parvenue. Ils avaient l'un et l'autre subi une sérieuse insolation, un moment d'égarement qui les avait laissés pleins de confusion, d'amertume et de méfiance. C'était inévitable, en fait, parce qu'un coup de soleil annihile momentanément la capacité de raisonnement, pousse sa victime à ignorer les signes avant-coureurs, la détourne du « bon sens ». Quand on a la force suffisante, cet état n'est que temporaire ; dans le cas de dispositions plus faibles, cependant, l'impact peut se faire sentir beaucoup plus longtemps.

Quand il a voulu que l'Égypte cesse d'être un laquais de l'URSS et qu'il a poussé son pays dans le camp de l'Amérique, Anouar el-Sadate a été, lui aussi, la proie d'un coup de soleil. Son histoire d'amour avec l'Occident – ses costumes en provenance de Savile Row, le tabac Dunhill dont il bourrait sa pipe, la myriade de films américains qu'il se vantait d'avoir vus, et jusqu'à son rêve accompli de voir Frank Sinatra chanter au pied du Sphinx – présentait de frappantes similitudes avec la brève liaison de Kamel et Dominique : une passion fondée sur le désir d'échapper à sa culture en tombant amoureux d'une altérité absolue. Et dans son cas l'aventure a été un moment fructueuse, notamment pour ceux qui avaient la chance d'appartenir aux milieux affairistes. D'autant que les Américains répondaient à cette soudaine exaltation, avec *Time* et *Newsweek* consacrant leur une au président égyptien, Henry Kissinger le baptisant de « plus grand homme d'État depuis Bismarck »... Il était un vecteur de la paix, un lauréat du prix Nobel, un héros.

Quelle exaltation ! Mais cet « amour fou » avait un prix, et Sadate allait le payer de sa vie. Les effets secondaires de l'insolation ayant affecté durablement sa vision, il n'était plus capable de discerner les dangers qu'il avait attirés sur sa personne et sur son pays. Tel un divorcé qui se remarie avec une femme fortunée, il s'était mis à combler de leurs largesses ses enfants préférés en ignorant les autres, jusqu'à ce que ceux-ci se mettent à contester l'autorité de leur belle-mère, à s'inquiéter des risques de désintégration de la famille initiale et à soumettre leur père à un ultimatum : « Elle ou nous ! » Mais à ce stade le papa était trop énamouré – et trop dépendant financièrement – de sa riche et fascinante épouse pour renoncer à elle, et les plus extrémistes de ses fils en avaient conçu une haine assez tenace pour les pousser vers le parricide.

Coup de soleil. Se risquer sous une canicule à laquelle notre organisme n'est pas préparé. N'étaient-ce pas les symptômes qui guettaient l'Égypte contemporaine ? La montée du fondamentalisme musulman, le spectre toujours présent d'un effondrement économique... À bien y penser, l'histoire du pays depuis 1952 n'était-elle pas une succession interminable d'insolations plus ou moins sévères ? Un homme d'affaires égyptien avec qui j'avais bu un thé sur la terrasse de l'Old Cataract à Assouan l'avait exprimé peut-être mieux que quiconque :

— Je vois un avenir pour notre pays, mais seulement à condition d'un changement de mentalité radical. Je regarde tous ces hommes qui passent le plus clair de leur temps au café, à fumer le narguilé et à jouer au *tauwla* sans avoir aucune ambition dans leur vie. C'est le grand, grand problème de l'Égypte. Nasser a voulu que tous aient un travail assuré. Comme un père s'occupe de ses enfants. Un père veille sur ses fils jusqu'à sa mort, il les nourrit, il leur trouve une situation, il choisit une femme pour eux… C'est ce qui détruit l'Égypte. Le paternalisme. En Occident, les enfants grandissent et puis ils volent de leurs propres ailes. Ici, ils restent des enfants très, très longtemps… Et pourquoi ? Parce que notre pays n'a jamais trouvé une manière d'être lui-même. On nous a poussés de ce côté-ci, de ce côté-là, nous avons essayé le socialisme sous Nasser, le capitalisme sous Sadate, nous avons toujours laissé les autres trouver pour nous la solution censée être miraculeuse, mais nous n'avons jamais essayé de suivre notre propre voie, tout seuls, comme des grands.

« Suivre notre propre voie, tout seuls. » L'Égypte était-elle capable d'atteindre ce niveau d'indépendance, ou était-elle vouée à une éternelle adolescence ? Certes, au cours des trente dernières années, sa situation géopolitique l'avait surtout entraînée dans des escapades amoureuses avec l'une ou l'autre des deux superpuissances, qui la courtisaient en raison de sa position stratégique et de son influence au sein du monde arabe, et elle en était venue à supposer que les cadeaux dont elle était comblée suffiraient à renouveler sa place exceptionnelle dans le concert des nations. Comme Dominique et Kamel, les États les plus influents de la planète et l'Égypte s'étaient engagés dans des histoires d'amour où chaque partie essayait de poursuivre ses propres intérêts sans synthèse possible. Et l'élément le plus faible de ces accouplements sporadiques, l'Égypte, avait forcément pâti de ces coups de soleil successifs. Sa version du modèle soviétique lui avait légué une bureaucratie éléphantesque et une économie semi-planifiée qui interdisaient tout développement productif ; son interprétation du modèle américain n'avait servi qu'à créer l'ébauche maladroite d'une société de consommation qui accentuait dramatiquement le fossé entre riches et pauvres et, plus encore, favorisait la résurgence de groupes fondamentalistes opposés à tout ce qui venait de l'Occident.

La résultante de ces coups de cœur et de soleil était une nation désorientée, fiévreuse, ne sachant plus vraiment où se situer. Et pendant ce temps, sillonnant le Nil entre Louxor et Assouan sur sa felouque, Kamel cherchait à retrouver une identité en rejetant tout ce qui pouvait venir de l'étranger. À l'instar de tout son pays, il avait perdu ses illusions et commençait à entrevoir la nécessité de « suivre sa voie, tout seul ».

Mon dernier matin à Assouan, j'ai commandé un taxi pour me rendre au Grand Barrage. Salah, mon chauffeur, avait le bagou d'un commissaire-priseur. Ce qu'il avait à vendre était le moindre tas de pierres situé entre l'Old Cataract et le lac Nasser.

— Tu veux voir tombe de l'Aga Khan ? a-t-il attaqué dès que je me suis assis à côté de lui.

— Le barrage, merci.

— Toi pas voir temple de Philaé ?

— Le barrage, s'il vous plaît.

— Je t'emmène monastère Saint-Siméon ?

— Non, merci.

— Eh, tu veux pas voir monastère, tu veux pas voir temple, qu'est-ce que tu veux voir ?

— Le barrage.

— Mais les… monuments ! Les touristes, ils aiment tous monuments.

— Je ne suis pas comme eux.

— Tu es touriste pas normal.

Je ne pouvais qu'acquiescer à ce diagnostic, ajoutant à la perplexité de Salah lorsque je lui ai avoué, sous sa pression, que durant mes deux mois et demi en Égypte je n'avais pas mis les pieds dans un seul des sites touristiques mondialement connus.

— Alors tu fais quoi pendant tout ce temps en Égypte ? s'est-il étonné.

— Je me suis baladé, c'est tout.

— Touriste pas normal, a-t-il déclaré.

Au bout de quelques kilomètres dans sa Skoda poussive, nous avons atteint l'ancien barrage britannique, sous lequel le Nil paraissait soumis à un filet d'eau boueuse confronté à des rochers têtus.

— Ça va au Caire, m'a expliqué Salah.

Il avait visiblement décidé que cette locution était la panacée, puisqu'il a répondu de cette manière à ma question à propos des quelques immeubles miteux entrevus sur notre route après avoir quitté l'antique ouvrage de Sa Majesté la reine d'Angleterre :

— Eux ? Ça va à l'université d'Assouan.

— Et l'aéroport, il est loin d'ici ?

— Ça va à quatre kilomètres.

Bon… Un peu plus loin, nous avons franchi un portail qui marquait l'entrée officielle du Grand Barrage d'Assouan. Après avoir acheté un ticket à un prix très modeste, Salah a garé sa Skoda devant un bâtiment de style totalitaire, cinq piliers de béton blanc couronnés d'une soucoupe dans le même matériau. Salah m'a montré du menton cette construction assez prétentieuse qui se mirait complaisamment dans un bassin :

— Ça va au monument de la Fleur du lotus.

Révéré dans l'Égypte antique, le lotus a inspiré de nombreuses créations architecturales égyptiennes, dont la fameuse colonne du même nom. En m'approchant de ce nouveau tribut au gigantisme pharaonique, cependant, j'ai moins été captivé par les fleurs de lotus de la mosaïque en marbre qui couvrait le sol que par une immense stèle érigée entre deux piliers. Flanquée des emblèmes de l'Égypte et de l'URSS, une inscription coranique avait été gravée au-dessus d'un bas-relief représentant un Nasser stylisé et, à côté de lui mais sous un ciseau beaucoup plus réaliste, le jeune président Sadate ; cette nuance stylistique m'a conduit à soupçonner que celui-ci avait été rajouté à la fresque au tout dernier moment, juste après la mort du raïs. Au milieu des symboles désignant l'eau, l'agriculture, le savoir et le soleil, ces deux visages donnaient le ton à ce monument dédié au pouvoir absolu, à la protection d'une superpuissance et à l'accomplissement d'un rêve. Le rêve d'une Égypte radicalement nouvelle : encore un coup de soleil, dont le pays avait une fois de plus du mal à se remettre.

Ensuite, nous avons repris la voiture et nous nous sommes engagés sur la double voie de service qui courait entre les deux murs du barrage. J'ai mis pied à terre pour contempler le lac Nasser, une étendue d'eau artificielle longue de plus de cinq cents kilomètres qui avait submergé à jamais le nord de la Nubie. Si je l'avais voulu, j'aurais pu embarquer sur un vapeur desservant la ville de Wadi Halfa, à la frontière soudanaise, et passer ainsi devant les célèbres colosses d'Abou-Simbel, mais je savais que mon voyage s'arrêtait là et je me suis donc attardé à regarder la surface miroitante du lac, le temple de Kalabchah au loin et les vagues de collines qui s'éloignaient à l'infini. Puis j'ai traversé la route et j'ai eu, au nord, le spectacle de la centrale électrique, des lignes haute tension, des immeubles d'habitation tout neufs, du Nil. Le contraste ne pouvait être plus frappant : au sud, l'Égypte mythique ; au nord, l'effort de modernité ; au sud, l'Afrique ; au nord, l'Europe. Perché sur le grand rêve technologique d'un pays en développement, je me suis senti en équilibre précaire entre ces deux univers qui venaient se rejoindre ici. Tous les dilemmes égyptiens semblaient converger dans ce barrage massif, devenu le symbole des énergies contradictoires à l'œuvre en Égypte. Mythes et réalités s'étaient donné rendez-vous ici, avec d'un côté le fleuve dispensateur de puissance et de vie, de l'autre le lac et sa promesse d'éternité.

Mon voyage s'achevait. J'étais arrivé au bout. Désormais, il n'y aurait plus pour moi qu'une lente remontée vers le nord. Et c'était aussi la direction que Salah avait hâte de me voir prendre, car il a montré le Nil d'un doigt et m'a dit :

— Le taxi, il veut rentrer chez lui. Toi aussi, tu rentres chez toi ?

— Oui. Je rentre chez moi.

Table des matières

Découvrez
le premier chapitre de

Cet instant-là
le nouveau roman de
Douglas Kennedy

paru aux
Éditions Belfond

DOUGLAS KENNEDY

CET INSTANT-LÀ

Traduit de l'anglais par Bernard Cohen

BELFOND

À cinq grands amis :
Noeleen Dowling de Grangegorman, Dublin,
Ann Ireland de Falmouth, Maine,
Howard Rosenstein de Montréal, Québec,
Judy Rymer de Sydney, Nouvelle-Galles-du-Sud,
Roger Williams de l'autre côté de ma rue à Wiscasset, Maine,

et à la mémoire d'un autre ami cher,
Joseph Strick (1924-2010)

« Ah, je me suis fait une tribu
de mes véritables affections,
et ma tribu est maintenant dispersée !
Comment ramener le cœur
À son festin d'afflictions ? »

Stanley Kunitz, *The Layers*

Première partie

1

J'ai reçu les papiers du divorce ce matin. J'ai connu de meilleures façons de commencer la journée. Même si je m'y attendais, les tenir entre mes mains a été incontestablement un choc : leur arrivée annonçait le début de la fin.

J'habite une petite maison sur une route retirée près d'Edgecomb, dans le Maine. C'est un cottage tout simple, deux chambres, un bureau, un living avec cuisine ouverte, du parquet ciré. Je l'ai acheté il y a un an, quand j'ai eu une rentrée d'argent. Mon père venait de mourir et, bien que désargenté au moment où son cœur l'a lâché, il avait toujours une assurance-vie contractée à l'époque où il était cadre supérieur. Le capital s'élevait à trois cent mille dollars, et comme j'étais enfant unique et seul survivant, ma mère ayant quitté ce monde des années auparavant, j'étais également le légataire universel.

Nous n'étions pas très proches, tous les deux. On se parlait au téléphone une fois par semaine, j'allais chaque année le voir trois jours dans sa villa de retraité en Arizona et je ne manquais pas de lui envoyer mes livres de voyages chaque fois que j'en publiais un.

Hormis cela, nos rapports étaient limités, un malaise installé depuis longtemps entre nous empêchant toute complicité.

Lorsque je me suis rendu à Phoenix pour organiser les obsèques et fermer sa maison, j'ai été contacté par un avocat local. Il m'a annoncé qu'il avait rédigé le testament de papa et m'a demandé si je savais que j'allais recevoir une somme coquette de la Mutuelle d'Omaha. La nouvelle m'a pris de court :

— Mais il avait du mal à joindre les deux bouts depuis des années ! Pourquoi n'a-t-il pas touché l'assurance-vie lui-même, sous forme de rente ?

— Bonne question, a répliqué l'avocat. D'autant que c'est exactement ce que je lui avais conseillé de faire. Mais le vieux bonhomme était très obstiné, et très orgueilleux.

— Ne m'en parlez pas ! Un jour, j'ai essayé de lui envoyer un peu d'argent, pas grand-chose. Il m'a retourné le chèque.

— Les quelques fois où j'ai vu votre père, il s'est vanté d'avoir un auteur célèbre pour fils.

— Je ne suis pas vraiment célèbre.

— Mais vous êtes publié. Et il était extrêmement fier de ce que vous avez accompli.

— Ah ? Première nouvelle, ai-je murmuré en me rappelant qu'il n'avait pratiquement jamais mentionné mes livres devant moi.

— Cette génération d'hommes comme votre père, ils avaient souvent du mal à exprimer leurs sentiments, c'est sûr. En tout cas, il voulait vous transmettre quelque chose, et donc… Attendez-vous à un règlement de trois cent mille dollars sous quinze jours.

J'ai repris l'avion pour la côte est le lendemain, mais au lieu de rentrer chez moi retrouver ma femme à Cambridge, j'ai obéi à une impulsion inattendue : sitôt arrivé à l'aéroport de Boston, en début de soirée, j'ai loué une voiture et j'ai mis cap au nord. J'ai pris la 95 et j'ai roulé. Trois heures plus tard, je remontais la Route 1 dans le Maine, dépassant la ville de Wiscasset et franchissant la rivière Sheepscot avant de m'arrêter dans un motel. On était mi-janvier, il gelait sec, une récente chute de neige avait tout recouvert de blanc et j'étais le seul client.

— Qu'est-ce qui vous amène ici à cette période de l'année ? m'a demandé le réceptionniste.

— Aucune idée, ai-je répondu.

Cette nuit-là, je n'ai pas pu fermer l'œil et j'ai bu presque toute la bouteille de bourbon que j'avais dans mon sac de voyage. Dès les premières lueurs, j'ai repris le volant de ma voiture de location. J'allais à l'est, sur une deux-voies étroite qui serpentait à flanc de colline. À la sortie d'un long tournant, j'ai été récompensé par une vue spectaculaire : devant moi s'étendait une immensité glacée couleur aigue-marine, une grande baie bordée de forêts gelées où flottait une bande de brouillard. J'ai ralenti et je me suis arrêté. Un vent boréal m'a fouetté le visage et brûlé les yeux, mais je me suis forcé à descendre jusqu'au bord de l'eau. Un soleil timide essayait d'apporter un peu de lumière au monde, si faible que la baie restait plongée dans la brume, une atmosphère à la fois éthérée et hantée. Malgré le froid perçant, je n'ai pu détacher mon regard de ce paysage spectral jusqu'à ce qu'une nouvelle rafale de vent particulièrement cinglante m'oblige à détourner la tête. C'est alors que j'ai aperçu la maison.

Elle se dressait sur un petit promontoire surplombant le rivage. Une structure modeste d'un étage, couverte de bardeaux blancs délavés par les intempéries. La courte allée conduisant au garage était vide, aucune lumière ne venait de l'intérieur. Mes yeux se sont posés sur l'écriteau « À vendre » fixé près de l'entrée. Sortant mon calepin, j'ai noté le nom et le numéro de téléphone de l'agence de Wiscasset qui s'en occupait. J'ai pensé m'approcher un peu du cottage mais le froid m'a finalement convaincu de regagner la voiture.

Je suis reparti à la recherche d'un snack-bar qui serait ouvert pour le petit-déjeuner. J'en ai trouvé un à l'entrée de la ville, puis je me suis rendu à l'agence dans la rue principale. Moins de trente minutes plus tard, j'étais de retour à la maison de la baie, accompagné de l'agent immobilier.

— « Je vous préviens, c'est un peu rudimentaire mais il y a beaucoup de potentiel et c'est juste en face de la mer, évidemment. Autre bon point, il s'agit d'une succession et la propriété est sur le marché depuis seize mois, de sorte que la famille sera disposée à entendre toute offre raisonnable », m'a-t-il déclaré.

Il avait raison : l'intérieur était rustique, pour ne pas dire plus. Mais le cottage avait été bien isolé, et grâce à mon père les deux cent vingt mille dollars demandés étaient désormais dans mes cordes. Sans réfléchir, j'ai proposé cent quatre-vingt-cinq mille et la matinée n'était pas terminée que mon offre était acceptée. Dès le lendemain matin, j'ai rencontré, par l'intermédiaire de l'agent immobilier, un entrepreneur du coin qui a accepté de se charger de la rénovation totale du cottage pour la somme de soixante mille dollars, le maximum que je m'étais fixé. Le soir, j'ai enfin téléphoné chez moi et j'ai dû répondre aux nombreuses questions de Jan, ma femme, que j'avais laissée sans nouvelles depuis plus de trois jours.

— La raison, c'est qu'en revenant de l'enterrement de mon père j'ai acheté une maison.

Le silence qui a suivi cette annonce s'est éternisé. Et je réalise maintenant, que c'est à cet instant que sa patience à mon égard a fini par céder.

— Je t'en prie, dis-moi que c'est une plaisanterie, a-t-elle soufflé.

Mais non, ce n'en était pas une. C'était une déclaration, même si je ne savais pas exactement de quoi, et avec une bonne dose de sous-entendus derrière. Jan l'a aussitôt perçu, et de mon côté il m'est apparu que le fait de l'avoir informée de mon achat impulsif venait de changer irrémédiablement la donne entre nous. Il n'empêche que j'ai continué sur ma lancée et que j'ai fait l'acquisition du cottage, ce qui semble prouver que je désirais au fond de moi que les choses tournent de cette manière.

Toutefois, la véritable cassure ne s'est produite que huit mois plus tard. Une relation conjugale, surtout quand elle perdure depuis vingt ans, se termine rarement en explosion soudaine et définitive. Cela ressemble plus aux différents stades par lesquels on passe lorsqu'on est atteint d'une maladie incurable : révolte, déni de la réalité, supplication et encore plus de révolte et de déni. Dans notre cas, cependant, nous n'avons apparemment jamais pu parvenir à la phase « résignation » du processus. En effet, le week-end d'août où nous sommes allés ensemble voir la maison tout juste retapée, Jan a décidé de m'informer qu'en ce qui la concernait notre mariage était terminé. Et elle est repartie par le premier bus en direction du sud.

Pas de grand drame, non, seulement… une tristesse en demi-teinte.

J'ai passé le reste de l'été au cottage. Je ne suis retourné chez nous à Cambridge qu'une fois, pendant une fin de semaine où Jan était absente, le temps de ramasser mes affaires – livres, notes et maigre garde-robe – et de reprendre le chemin du Maine.

Le temps a passé. J'ai interrompu mes voyages pendant un temps. Candace, ma fille, me rendait visite un week-end par mois et chaque deuxième mardi du mois, ainsi qu'elle en avait décidé, j'effectuais la demi-heure de route qui me séparait de son campus à Brunswick pour l'emmener dîner au restaurant. Lors de nos retrouvailles, nous parlions de ses cours, de ses amis de l'université et de mon livre en cours. Nous n'évoquions que rarement sa mère, à l'exception d'un soir peu après Noël où elle m'a brusquement demandé :

— Tu vas bien, papa ?

— Pas trop mal, ai-je répondu, conscient de la réticence qui transparaissait dans cette réponse.

— Tu devrais rencontrer quelqu'un…

— Plus facile à dire qu'à faire, au fin fond du Maine… D'ailleurs, j'ai un bouquin à terminer, n'oublie pas.

— Oui… Maman disait toujours que pour toi, les livres passent en premier.

— Et tu es d'accord ?

— Oui et non. Tu as toujours été pas mal absent mais quand tu étais là, tu étais cool.

— Et je suis encore « cool » ?

— Carrément cool ! a-t-elle affirmé avec un sourire et une rapide pression sur mon bras. Mais je préférerais que tu ne sois pas aussi seul…

— C'est la malédiction de l'écrivain, que veux-tu. Tu as besoin de solitude, d'être concentré à un point qui vire à l'obsession, et tes proches ont souvent du mal à supporter ça. Personne ne peut les en blâmer.

— Une fois, maman m'a dit que tu ne l'avais jamais aimée pour de bon, que ton cœur était ailleurs.

Je l'ai dévisagée avec attention.

— Il y a eu certaines choses « avant » ta mère. N'empêche que je l'ai aimée.

— Mais pas tout le temps.

— C'était un mariage, avec tout ce que ça implique. Et il a duré vingt ans.

— Même si ton cœur était ailleurs ?

— Tu poses un tas de questions.

— Juste parce que tu es très évasif, papa.

— Le passé est le passé, que veux-tu que je te dise…

— Et tu n'as aucune envie de répondre cette question, pas vrai ?

J'ai souri à ma fille si perspicace – bien trop perspicace, en fait – et j'ai proposé que nous commandions deux autres verres de vin.

— J'ai une question d'allemand, a repris Candace.

— Vas-y.

— L'autre jour, en cours, on a traduit Luther.

— Ton prof est sadique ?

— Non, seulement allemand. Mais bon, pendant qu'on travaillait sur un recueil d'aphorismes de Luther, je suis tombée sur quelque chose de très pertinent…

— Pertinent pour qui ?

— Personne en particulier. Enfin, je ne suis pas sûre d'avoir traduit exactement comme il faut.

— Et tu crois que je peux t'aider ?

— Tu parles allemand couramment, papa. *Du sprichst die Sprache.*

— Uniquement après quelques verres de vin.

— Ah, la modestie est ennuyeuse, papa !

— OK, donne-moi cette citation de Luther, alors.

— « *Wie bald "nicht jetzt nie" wird ?* »

Sans sourciller, j'ai traduit :

— « À quel instant "pas maintenant" se transforme en "jamais" ? »

— C'est une phrase super, a dit Candace.

— Et qui contient une certaine vérité, comme tous les bons aphorismes. Qu'est-ce qui t'a fait t'arrêter dessus ?

— Eh bien, malheureusement, j'ai l'impression que je suis du genre « pas maintenant ».

— Pourquoi dis-tu ça ?

— Je n'arrive pas à vivre le moment présent, à me contenter de là où j'en suis…

— Tu n'es pas un peu trop sévère avec toi-même ?

— Mais non ! En plus, je sais que tu es pareil.

Wie bald « nicht jetzt » « nie » wird…

— « L'instant », ai-je répété comme si je prononçais ce mot pour la première fois. C'est une notion très surestimée, vois-tu…

— Mais c'est tout ce qu'on a, non ? Ce soir, cette discussion, cet instant… Qu'est-ce qu'il y a d'autre, ici ?

— Le passé.

— Je m'attendais à cette réponse ! Parce que c'est « ça », ta grande obsession. Ça se retrouve dans tous tes livres. Pourquoi sans cesse « le passé », papa ?

— Parce qu'il nourrit toujours le présent.

Et parce qu'on ne peut jamais échapper pour de bon à son emprise, pas plus qu'on ne peut se résigner à ce qui doit se terminer dans une vie. Un exemple : ma relation avec Jan avait sans doute commencé à se désintégrer dix ans plus tôt, et le premier signe de la fin a probablement été ce jour de janvier dernier où j'ai acheté la maison du Maine, et pourtant ce n'est que le lendemain matin de ce dîner avec Candace que j'ai réellement accepté le fait qu'elle était achevée, quand on a frappé à ma porte à sept heures et demie.

Composé par Facompo
à Lisieux (Calvados)

Imprimé en France par

Maury-Imprimeur
à Malesherbes (Loiret)
en décembre 2012